# El regreso del Noble

ELIZABETH BOYLE

# EL REGRESO DEL NOBLE

**Titania Editores**

ARGENTINA - CHILE - COLOMBIA - ESPAÑA
ESTADOS UNIDOS - MÉXICO - PERÚ - URUGUAY - VENEZUELA

Título original: *Lord Langley Is Back In Town*
Editor original: Avon, An imprint of HarperCollins*Publishers*, New York
Traducción: Victoria Horrillo Ledezma

1.ª edición Julio 2013


Aribau, 142, pral. — 08036 Barcelona
www.titania.org
atencion@titania.org

ISBN: 978-84-92916-48-1
E-ISBN: 978-84-9944-605-9
Depósito legal: B-12.666-2013

Fotocomposición: Jorge Campos Nieto
Impreso por: Romanyà Valls, S.A. — Verdaguer, 1 — 08786 Capellades (Barcelona)

Impreso en España — *Printed in Spain*

A Louise Pledge, merecedora de este sincero homenaje
por su bondad y su espíritu generoso, así como por
su dedicación a los lectores de todo el mundo, incluidos
los que aman su biblioteca en Arabia Saudí.

Philip Michael Charles Sterling — c. — Lady Sarah Oxnard
9º duque de Hollindrake
*(n. 1722 - m. 1812)*

Lady Sarah Oxnard
*(n. 1734 - m. 1800)*

Philip Oxnard Sterling
Marqués de Standon
*(n. 1752 - m. 1805)*

c.

1as Lady Honora Wright
*(n. 1755 - m. 1785)*

2as Lady Laura Neville
*(n. 1774 - m. 1802)*

3as Lady Minerva Hartley
Lady Standon
*(n. 1783)*

c. 2as núpcias

Ellis, Barón de Langley
*(n. 1773)*
Protagonista de
*El regreso del noble*

Lord Edward Sterling
Marqués de Standon (d. de 1805)
*(n. 1753 - m. 1810)*

c. 1as núpcias

Lady Elinor Wraxton
Lady Standon
*(n. 1784)*

c. (2as núpcias de Lady Elionor)

James Tremont
(Duque de Parkenton)
*(n. 1771)*
Protagonista de *Cautivada por el Duque*

Archibald Sterling
Marqués de Standon (d. de 1810)
*(n. 1777 - m. 1810)*

c. 1as núpcias

Justin Grey — c. 2as núpcias — Srta Lucy Ellyson

Justin Grey
Conde de Clifton
*(n. 1778)*

Srta Lucy Ellyson
Lady Standon
*(n. 1785)*

Protagonistas de *La condesa perfecta*

# Crónicas de solteros
# Árbol genealógico de la familia Sterling

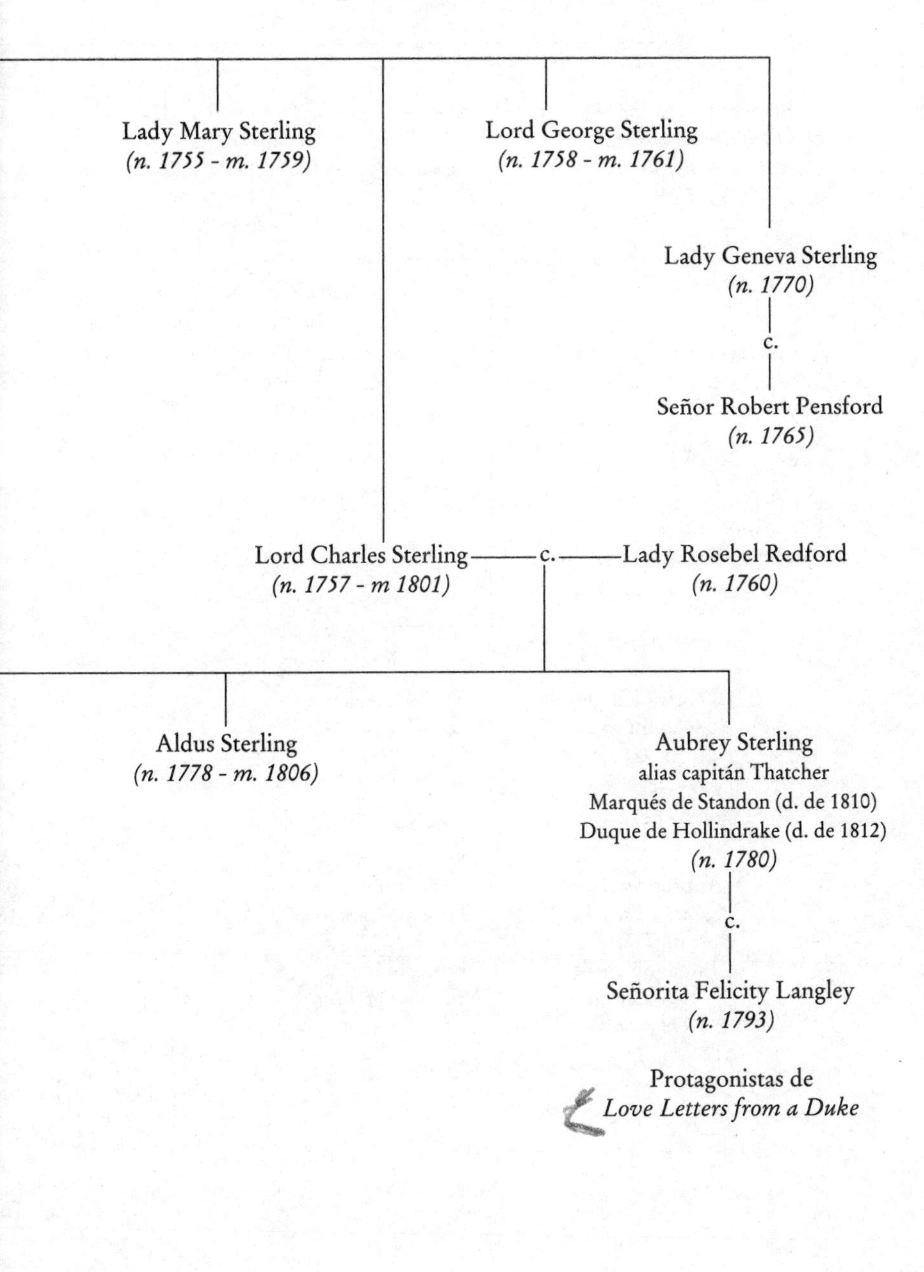

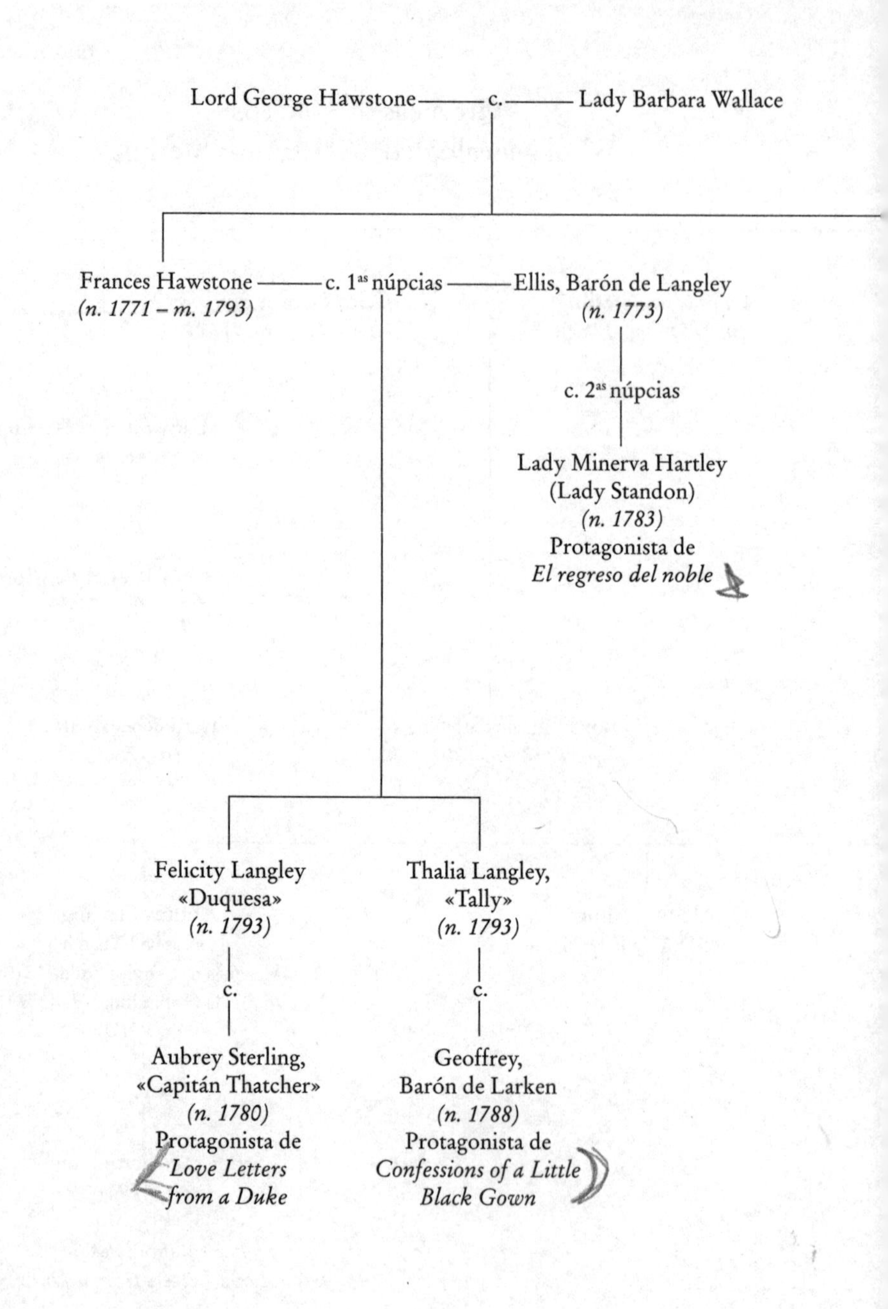
Lord George Hawstone
c.
Lady Barbara Wallace
Frances Hawstone
(n. 1771 – m. 1793)
c. 1as núpcias
Ellis, Barón de Langley
(n. 1773)
c. 2as núpcias
Lady Minerva Hartley
(Lady Standon)
(n. 1783)
Protagonista de
El regreso del noble
Felicity Langley
«Duquesa»
(n. 1793)
c.
Aubrey Sterling,
«Capitán Thatcher»
(n. 1780)
Protagonista de
Love Letters
from a Duke
Thalia Langley,
«Tally»
(n. 1793)
c.
Geoffrey,
Barón de Larken
(n. 1788)
Protagonista de
Confessions of a Little
Black Gown

Crónicas de solteros
Árbol genealógico

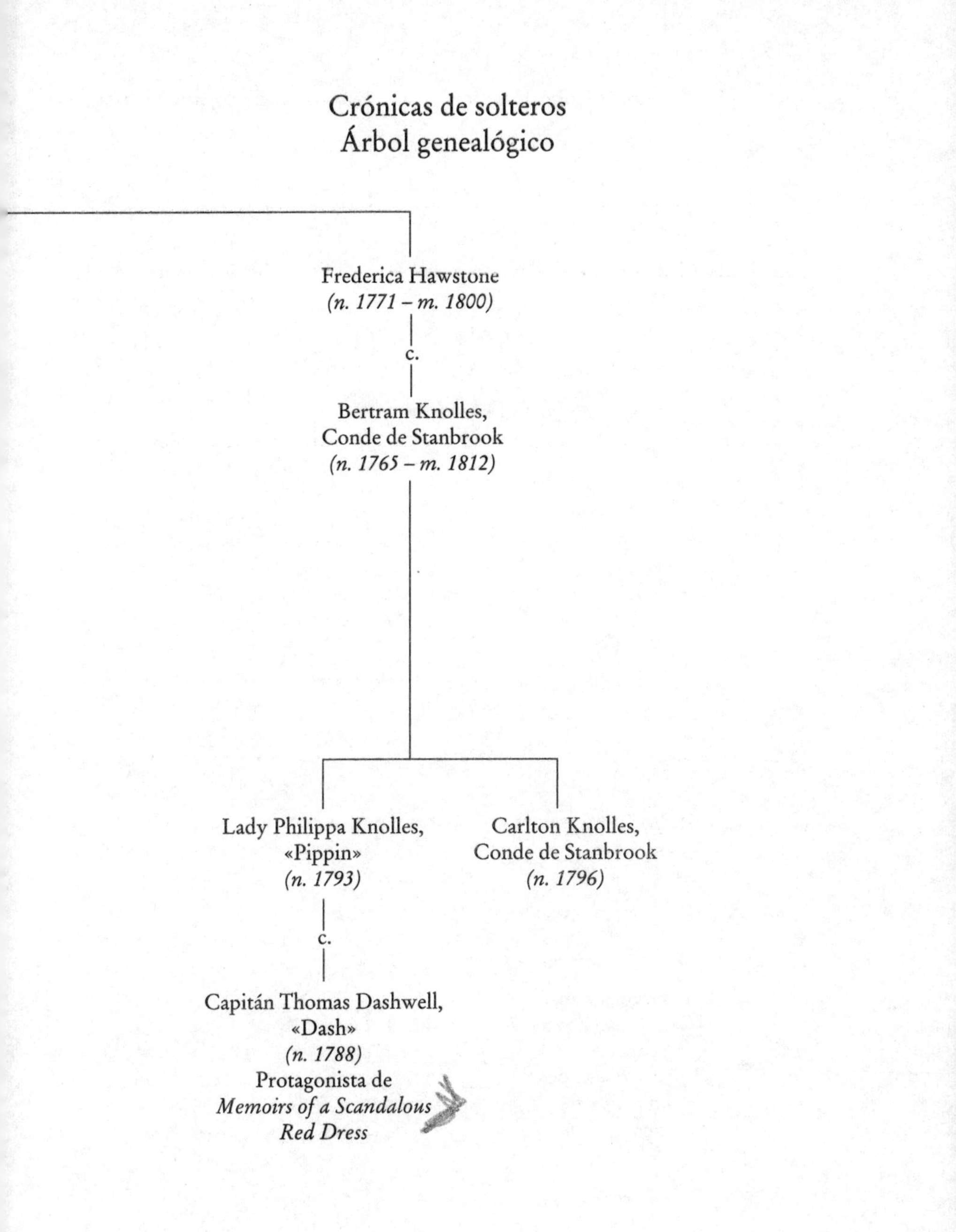

# *Lista de personajes*

Ellis, barón de Langley: nuestro héroe. Padre de Felicity y Thalia Langley.

Minerva Hartley Sterling, lady Standon: nuestra heroína.

Philip Oxnard Sterling, marqués de Standon: primer marido de Minerva. Todo lo contrario de un héroe.

Lucy Ellyson Sterling, flamante condesa de Clifton. La primera lady Standon que se atrevió a contraer segundas nupcias.

Elinor Knolles Sterling, nueva duquesa de Parkerton. La otra lady Standon, que no sólo encontró marido, sino que además era duque.

Tía Bedelia, lady Chudley: tía de Minerva y experta en casamientos tras cazar a dos marqueses, un conde, un barón y por último un vizconde.

Capitán Gerald Adlington: un terrible villano.

Thomas-William: el leal sirviente de George Ellyson.

Señora Hutchinson: el ama de llaves de la casa de Brook Street, borracha y pendenciera, pero capaz de hacer unos panecillos como para chuparse los dedos, lo cual la convierte en indispensable para esta historia.

Sir Basil Brownett: llamándose «Basil», sólo podía ser un villano.

Lord Andrew Stowe: un joven noble dicen que emparentado con el célebre Robin Hood. Lleva «futuro protagonista» escrito en la frente.

Y, cómo no, las Tatas:

Tata Brigid, condesa von Frisch y condesa viuda de Viena. Clasifica a sus amantes por la raza de perro a la que le recuerdan, desde un terrier a un gran danés.

Tata Jamilla, antaño duquesa de Fraine y desde hace poco princesa Jamilla Kounellas. Se sospecha que envió prematuramente a la tumba a su último marido.

Tata Lucia, duquesa di Oristano de Nápoles. Descendiente de los Borgia, y una Borgia de la cabeza a los pies.

Tata Tasha, princesa Natasha, prima lejana del zar. Siempre tiene a mano a su amante guardia cosaco.

Tata Helga: Wilhelmina Charlotte Louise, margravina de Ansbach. Ningún hombre da la espalda a la margravina. A no ser que sepa cómo quitarse una alabarda de la espalda.

# *Prólogo*

«La mayor ventaja para una dama de sociedad es procurar informarse de los tejemanejes que hay a su alrededor. ¿Cómo, si no, va a mantener a salvo de sus rivales a los mejores candidatos a amante marido?»

Consejo dado a Felicity Langley por su tata Tasha

*Marzo de 1815*
*Su Excelencia la duquesa de Hollindrake*
*Hollindrake House*
*Surrey*

*Queridísima Felicity:*

*Debo decir que tu idea de meter a todas esas molestas y escandalosas viudas Standon bajo un mismo techo fue verdaderamente un rasgo de inspiración. Ojalá pudiera atribuirme todo el mérito del plan, porque ¿quién habría imaginado que Lucy Sterling se casaría con el conde de Clifton o que Elinor Sterling contraería matrimonio con el duque de Parkerton? ¡Con Parkerton, nada menos!*

*Pero si te escribo no es por tus hazañas como casamentera (que han hecho de ti la envidia de todas, mi querida niña), ni por la desaparición de esas señoras de las obligaciones familiares de tu marido, sino por Minerva Sterling, la última lady Standon todavía existente.*

*Apenas habría podido creerlo si no me hubiera enterado por lady Kingsbury, que lo supo por lady Ratcliffe, la cual asegura que Minerva Sterling está prometida.*

*El hecho es de por sí notable, pero si te envío esta carta directamente por correo privado es debido a la identidad del caballero con el que se rumorea que va a casarse Minerva.*

*Mi querida Felicity, agárrate...*

Extracto de una carta enviada con la mayor urgencia por lady Finch

# Capítulo 1

«El matrimonio es la meta de todas las mujeres ilustres, pero la viudedad, una viudedad acomodada, ha de ser la más codiciada de todas.»

Consejo dado a Felicity Langley por su tata Helga

*Londres, una semana antes*

No pienso hacerlo. No lo haré. Nunca —declaró Minerva Sterling, marquesa viuda de Standon—. Tía Bedelia, puedes ahorrarte tiempo y saliva, y ahorrar de paso en zapatos, porque no hay ninguna necesidad de que vengas aquí todos los días para intentar convencerme de que me busque otro marido. No me interesa el matrimonio. En absoluto. Así que ya puedes ir quitándote de la cabeza que vaya contigo a la tertulia de lady Veare.

Aquello tendría que haber bastado para disuadir a cualquiera, pero en este caso se trataba de tía Bedelia. De ahí que la tajante declaración de Minerva no surtiera ningún efecto.

—Mi querida niña, no te preocupes por mis zapatos. Chudley es más rico que el rey Midas. Puedo comprarme todos los pares que hagan falta para hacerte entrar en razón. Ésa es la ventaja de tener marido —dijo lady Chudley, la susodicha tía Bedelia, mientras desdeñaba con un ademán las protestas de su sobrina como si fueran las tartas rancias de Almack's—. ¡Fíjate en lo que hice por Lucy y Elinor! Imagínate, ¡Lucy Sterling, condesa! Sólo por eso debería considerárseme la casamentera más hábil de todo Londres. ¿Y qué me dices de lo que pasa ahora? ¡No ha pasado ni un mes y nuestra queridísima Elinor se ha casado con el duque de Parkerton, tal y como yo planeé! ¿Cómo iba a hacer menos por mi propia sobrina?

Minerva se apretó la frente con los dedos y fingió una jaqueca incipiente mientras se resistía al impulso de señalar que, para que ella hiciera una boda mejor, su tía tendría que encontrarle un príncipe.

Y no porque lo estuviera buscando, que no lo estaba.

Pero eso no significaba que no estuviera un poquitín celosa de la felicidad de sus amigas.

¡Sus amigas! Lucy y Elinor, nada menos. Hacía apenas un mes, se habría mofado de semejante posibilidad.

Tras convocarlas en Londres, la duquesa de Hollindrake las había desterrado a aquella casa y les había dado a elegir entre vivir juntas bajo el mismo techo o casarse.

Los primeros días habían sido un espanto, pero luego había sucedido algo asombroso: Minerva, Elinor y Lucy habían acordado una tregua precaria. A continuación, por increíble que pareciese, habían descubierto que podían ser amigas. Y por último habían unido fuerzas para ayudarse mutuamente.

Pero lo mejor de todo en su opinión era que, tras las bodas de Elinor y Lucy, podía vivir en la casa de Brook Street hasta el fin de sus días y con relativa comodidad. Sola. Sin marido. Y haciendo exactamente lo que creyera conveniente.

Esa idea, que con tanto alivio había acogido hacía apenas un mes, de pronto se le antojaba aburridísima. Tan aburrida como esa velada, que la tía Bedelia había interrumpido con su llegada para anunciarle que iba a llevarla a la velada de lady Veare. Y no porque el entretenimiento que tenía previsto (probar a hacer el patrón de bordado del nuevo número de la *Lady's Magazine*) fuera apetecible, sino porque, a decir verdad, la vida con Lucy y Elinor, aunque en principio le hubiera parecido repulsiva, había resultado estar plagada de aventuras, sobre todo cuando sus dos compañeras de viudedad habían descubierto el amor, coronado por un final feliz.

Le dio un vuelco el corazón cuando pensó en cómo ella misma había propiciado aquellas bodas... y enseguida se detuvo.

¡Por favor! Se estaba convirtiendo en tía Bedelia si se enorgullecía de cosas así. ¡Santo cielo! ¿Cómo sería dentro de unos años si tras pasar unos cuantos días sola ya estaba haciendo semejantes suposiciones?

Miró a hurtadillas a su tía, que estaba sirviéndose otra copa de vino de la botella, lo cual nunca era buena señal, pues significaba que la buena mujer estaba tramando algo. Seguramente, cómo engatusar a algún lord poco avisado para que se cruzara en el camino de su sobrina. Y resultó que sus sospechas dieron casi, casi en el blanco:

—Querida niña, no hay nada malo en buscar marido —comenzó a decir la dama mientras se arrellanaba en el sofá, lo cual era tan mala señal como la copa de vino llena casi hasta los topes—. Estaría encantada con que consiguieras asegurarte a un simple barón. Yo estuve casada con uno una vez. Lord Taunton. —Suspiró con aire soñador, como si fuera de nuevo una debutante de diecisiete años—. Taunton era un malandrín donde los haya. Los barones parecen proclives a una depravación sin igual. Me acuerdo de una vez: estábamos en el baile de los Grassby y me sugirió que subiéramos al piso de arriba en medio de un minué a...

—¡Tía Bedelia! —exclamó Minerva, escandalizada. No debería haber sacado la botella de Madeira—. Francamente, ¿son necesarios tales detalles?

—Por lo visto, sí —insistió la dama—. Que haya un hombre en tu vida tiene ciertas ventajas, ventajas que tú pareces haber olvidado.

—¿Puedo recordarte que estuve casada con Philip Sterling?

Se estremeció, como solía hacer cuando se acordaba de su breve y desdichado matrimonio con el marqués de Standon. Sterling había vivido ya una larga y ruinosa existencia antes de que la llevaran a rastras al altar y la obligaran a casarse con él: la tercera e infeliz novia que se veía empujada a contraer matrimonio con el caprichoso y alcoholizado heredero de los Hollindrake.

Tía Bedelia bebió un largo sorbo de su copa de vino.

—Dudo que Standon fuera capaz de cumplir con su débito, dada la vida disoluta que llevaba. La verdad es que no me sorprende que te repugne tanto el matrimonio, querida niña. Nadie te ha dado un revolcón como es debido, ¿verdad?

Minerva abrió la boca para protestar, pero ¿qué podía decir? En primer lugar, le avergonzaba terriblemente estar manteniendo aquella conversación con su anciana tía y, en segundo lugar, lady Bedelia tenía toda la razón.

La vida licenciosa de Philip Sterling había dejado su virilidad tan flácida como su prominente barriga.

Así pues, era cierto: nunca le habían dado un «revolcón» como era debido. Ni mucho menos.

—No importa, querida mía —prosiguió la tía Bedelia—. Para eso está tu colección de novelas francesas. Al menos, de momento. Sólo tenemos que encontrar al hombre idóneo para ti, así podrás dejar atrás tus días de lectora. Y olvidarte por completo de ese asqueroso Standon. No era, desde luego, un ejemplo ideal de marido.

—¿De veras? —comentó Minerva con todo el sarcasmo del que era capaz.

Un tono que a su tía no le pasó desapercibido.

—Repito, querida mía, que si hubiera sabido lo que se proponía tu padre en aquel momento, habría salido en tu defensa. Jamás habría permitido que...

—Sí, lo sé —se apresuró a decir Minerva, pues le desagradaba pensar en la traición de su padre, cuyas maquinaciones de entonces la atormentaban aún.

Se hizo un violento silencio que duró unos instantes. Sin embargo, aquel incómodo paréntesis no hizo cejar en su empeño a su indomable tía, fortalecida como estaba no por una, sino por dos copas de Madeira.

—¿Convenimos sencillamente en que te casaste con el hombre equivocado? —preguntó—. Pese a todo, Minerva, te aseguro porque lo sé, que el marido correcto pondrá una chispa en tu mirada y un nuevo brío en tu paso.

No podía discutirse que Bedelia estaba más versada que nadie en la materia, puesto que había logrado recorrer el camino hacia el altar nada menos que cinco veces. Y, para mayor prueba de ello, no había duda de que su tía estaba arrebolada como una colegiala desde su boda con lord Chudley.

Santo cielo, su tía y Chudley... ¿juntos? Minerva se estremeció otra vez. Sin duda eran demasiado mayores para tales travesuras... ¿No?

Lanzó una mirada a Bedelia y distinguió en sus mejillas aquel rubor rosado que la delataba y una sonrisa furtiva que denotaba una íntima satisfacción vital, no muy distinta a la expresión que tenían Lucy y Elinor últimamente. Elinor estaba resplandeciente el día anterior, cuando había ido a recoger a su hermana Tia, a sus perros y a la camada de cachorros que se había instalado en el armario de la ropa blanca del primer piso.

Después de marcharse todos ellos, la casa le había parecido extrañamente silenciosa esa noche, cosa que Minerva no había tenido en cuenta hasta entonces. Sin los perros, sin el parloteo juvenil de Tia, sin Mickey, el sobrino de Lucy, brincando escalera arriba y escalera abajo, aquello parecía un mausoleo.

—Minerva —comenzó a decir su tía y, como si pudiera leerle el pensamiento, recogió aquel hilo y avanzó decidida con él—, ¿no me dirás que vas a ser feliz viviendo sola en esta horrible casa llena de corrientes de aire el resto de tus días?

Minerva se encrespó un poco, porque, efectivamente, la casa de Brook Street no era una mansión elegante, ni por asomo, pero ahora que era su hogar, le ofendía que pusieran de manifiesto sus defectos.

—¿Qué tiene de malo esta casa? Esta calle es de las más solicitadas —lo cual era cierto, pues estaba sólo a unos pasos de Grosvenor Square, una de las zonas más elegantes de Mayfair—, y Su Excelencia ya me ha dado permiso para hacer las reparaciones necesarias... a su costa.

Dado que la casa seguía siendo propiedad del actual duque de Hollindrake, el sobrino de Philip, Minerva había recurrido a él para que sufragara las reformas. Y para su sorpresa y alegría, el duque le había contestado por carta, con su estilo directo e informal de costumbre: «Haga lo que quiera para convertir esa ruina en un hogar. Pero no se lo diga a Su Excelencia la duquesa».

Porque, a decir verdad, y a pesar de sus condecoraciones militares y su encumbrado título, el duque de Hollindrake era un buen hombre en el fondo. Y conocía los defectos de su esposa tan bien como sus virtudes.

Tía Bedelia resopló al oír la noticia, seguramente con fastidio, pues si Minerva volvía a estar en buenos términos con el duque, sus argumentos para que su sobrina se buscara un marido eran completamente inútiles.

—He hecho limpiar la casa a fondo de arriba abajo —agregó Minerva, que había tomado prestado un pelotón de criadas de la residencia londinense del duque. Por desgracia, el zafarrancho sólo había servido para poner de manifiesto todo lo que había que arreglar, pero eso no iba a decírselo a su tía—. Han venido a verme el pintor, el escayolista y un hombre que me recomendó lady Geneva para el papel pintado, y está previsto que empiecen dentro de quince días. Estando la casa casi vacía, aparte de mí, de Agnes y el...

—¡Y el resto de tu chusma! —se apresuró a añadir su tía—. ¿Cómo puedes vivir en esta casa con semejante plantel de criados? ¡Podrías despertarte con el pescuezo cortado y la plata robada!

Minerva no quiso preguntarle cuál de las dos posibilidades le parecía más horrenda. Aun así...

—Sí, sí, el servicio no es precisamente irreprochable —convino.

Porque los sirvientes también venían incluidos en la casa. La señora Hutchinson, una ama de llaves y cocinera hosca y más bien borracha; Mary, su bobalicona hija; el señor Mudgett, el casi inexistente mayordomo; y Thomas-William, el antiguo sirviente del padre de Lucy.

No eran, ni uno solo de ellos, empleados respetables y formales, pero formaban su servicio, y alguna utilidad tenían.

Minerva se enderezó y miró fijamente a su tía.

—Dentro de unos meses esta casa será tan cómoda y elegante como cualquier otra de la manzana. Y yo estaré felizmente instalada. Deberías alegrarte por mí, no intentar llevarme a rastras a la tertulia de lady Veare, donde no habrá más que un montón de pasmarotes y burgueses de medio pelo, teniendo en cuenta sus míseros contactos. Ahora no me atosigues más, tita, o te dejo en las garras de Thomas-William.

—Bueno, puede que tengas razón en lo de lady Veare, pero, mi querida niña, ¿no preferirás quedarte aquí sola...?

—¡Pues sí! —exclamó, cortando a su tía—. El silencio y la soledad me sientan de maravilla. Dentro de poco tiempo seré la envidia de todos.

O eso afirmaba la última viuda Standon. Hasta que sonó el timbre y cometió el error de abrir la puerta.

Sir Basil Brownett subió a su carruaje enfrente de Whitehall y tocó en el techo tras acomodarse en su asiento. Veinte minutos después estaría en casa, y confiaba en que su esposa estuviera lista y esperándolo para asistir a la cena en casa del primer ministro.

*Cenar con el primer ministro...*

Sir Basil se estiró un poco. Sí, su carrera iba en ascenso. Todo un logro para un don nadie de Buxton. Dentro de una hora, aproximadamente, estaría dando consejos sobre la reconstrucción francesa sirviéndose de datos extraídos de informes recientes. Añadiría, además, unas cuantas sugerencias para conseguir nuevos y ventajosos socios comerciales a lo largo de la costa africana, y pondría la guinda a la velada con unos cuantos chismorreos acerca de los rivales del primer ministro.

*Sí, sí, la velada perfecta*, se dijo, ensayando para sus adentros lo que diría acerca de una información especialmente suculenta mientras su carruaje pasaba puntualmente frente a los edificios ministeriales que flanqueaban Whitehall y se adentraba en las calles cada vez más sombrías de Londres.

Sólo confiaba en que Anthea estuviera vestida y lista para salir a tiempo. Santo cielo, ¿por qué demonios tardaba tanto en arreglarse aquella mujer? Le encantaba la perfección hasta en el último detalle, pero iban a cenar a casa del primer ministro, como le había recalcado su marido con severidad esa mañana: no podían hacerle esperar sólo porque ella no supiera qué pendientes ponerse.

Sin embargo, las joyas de su esposa se convirtieron en la menor de sus preocupaciones cuando, al aminorar la marcha el carruaje para doblar una esquina, se abrió de golpe la portezuela y entró un hombre enmascarado. Antes de que el baronet pudiera decir ni pío o levantar el bastón para golpear el techo y dar la voz de alarma, el intruso le acercó una pistola a la frente y profirió una sola advertencia:

—No digas ni una palabra o será la última, Brownie.

Sir Basil no había ascendido por los empinados escalones del Foreign Office para nada.

—¿Se da usted cuenta de quién soy yo? ¡Esto es alta traición y usted no es más que un salteador de caminos! ¡Haré que lo cuelguen!

El hombre se sentó frente a él y rompió a reír, pero pese a sus risotadas siguió apuntando a sir Basil con mano firme, sin vacilar.

—Veo que sigues abriéndote paso en la vida con la misma fanfarronería de siempre. Nunca has tenido aptitudes para la acción, o sabrías que no debe tomarse la misma ruta a casa todas las noches. Con tanta regularidad, acabarán por matarte.

—¡Salga de mi carruaje! —ordenó sir Basil, decidido a disimular el miedo que le corría por la espalda. Porque no se llegaba a lo más alto del Foreign Office sin granjearse unos cuantos enemigos por el camino. Sin hacer correr algunas habladurías escandalosas y dañinas en alguna que otra fiesta, por ejemplo. Ignoraba quién era aquel hombre, pero su voz... Bien, le sonaba absolutamente familiar, y sin embargo...

—Coja mi cartera y márchese si eso es lo que quiere —dijo, haciendo amago de meterse la mano bajo la levita.

La pistola osciló a modo de advertencia, como el dedo de una niñera.

—Chist, chist, chist. Mantén las manos donde pueda verlas, o tendré que abrirte un agujero en la levita. Parece de buen corte, de lo que se deduce que has encontrado un sastre mejor en mi ausencia. Además de los medios para pagarle.

—¿Quién diablos es usted? —Sir Basil se ofuscó de nuevo, pero mantuvo las manos cerradas junto a los costados. Porque aquel ladrón tenía razón: era una levita muy cara. Una levita que difícilmente habría podido permitirse unos años antes y que sin embargo ahora...

—Ya que quieres saberlo, soy la persona que tiene tu vida en sus manos, así que déjate de bravuconadas, porque no soy uno de tus subordinados: a mí no me asustan ni me acobardan tus ridículas amenazas. —Se detuvo para recostarse en los cojines—. Te recuerdo de cuando sólo eras Basil Brownett, el Brownie de Buxton, aunque debo decir que, a pesar de ir tan bien vestido, te las has arreglado para conservar tu talante de siempre. Siempre fuiste un poco rata: sabías cuándo abandonar el barco y cómo encontrar los despojos más suculentos, ¿no es cierto?

Un escalofrío recorrió la columna del baronet. Hacía ya algún tiempo que nadie le hablaba en aquellos términos, que nadie lo llamaba por aquel odioso apodo. Al menos, desde que era apenas un crío en Eton y los otros chicos (los que estaban mejor relacionados y emparentados con la nobleza) se mofaban de él por su origen humilde y sus ropas de campesino.

Pero no se trataba únicamente de un murmullo procedente del pasado. Aquella voz... Aquella voz grave y acerada parecía traspasarlo como un cuchillo. Pero no podía ser...

No, era absurdo pensarlo siquiera.

Porque eso significaría que estaba aún en mayor peligro de lo que sospechaba.

—¡Cómo se atreve a dirigirse a mí de ese modo! ¡Acabará en la horca por esta afrenta! —exclamó el baronet con más ímpetu del que poseía en realidad, pues no estaba dispuesto a creer que el hombre que tenía ante sí, que aquella sombra de su pasado fuera verdaderamente...

—¿Soléis colgar a los muertos, Brownie? Ya orquestaste mi muerte en una ocasión, así que ¿qué te hace pensar que esta vez lograrás matarme?

Si había en la vida un instante en que un hombre contemplaba sus actos pretéritos y veía la larga y sinuosa línea de sus consecuencias con la misma claridad que una Casandra, eso fue lo que experimentó sir Basil. Su corazón enmudeció como si fuera a detenerse, y aunque intentó respirar, el aire abandonaba precipitadamente sus pulmones.

—Dios mío, no —susurró—. Se suponía que estabas muerto.

Su adversario se inclinó hacia él, el cañón de la pistola quedó a escasísima distancia de la sien de sir Basil y unos ojos azules brillaron amenazadores por encima del pañuelo que ocultaba el resto de su cara.

—Lamento desengañarte, maldito canalla advenedizo. Soy yo. He vuelto.

—¿Dónde está?

—¡Sé que está aquí! ¡Lléveme ante él de inmediato!

—¿Llevarla ante él? ¿Y para qué iba a querer mi *liebling* a una mujer como usted?

—¿Su *liebling*? —Su bufido desdeñoso fue seguido por una risa gatuna—. Lo dudo.

Aquello dio pie a una algarabía de insultos y pullas en no menos de cuatro idiomas: alemán, ruso, francés e italiano. Calumnias, réplicas y blasfemias descaradas, o eso sospechaba Minerva Sterling, volaron por la habitación sin una pizca de decoro.

Las cuatro esquinas de su salón, antes tan apacible, estaban ahora ocupadas por sendas señoras que habían ido llegando en la última media hora, exigiendo todas ellas una misma cosa: conocer el paradero de lord Langley, el célebre padre de la duquesa de Hollindrake. Y entre aquella panoplia de aristócratas europeas había un paisaje salpicado de maletas, baúles, sombrereras, maletines y hasta un escritorio de viaje. Un número semejante de abigarrados sirvientes y doncellas aguardaba en el vestíbulo.

—¿Quiénes dices que son? —preguntó la tía Bedelia mientras proseguía la discusión.

—Las tatas —contestó Minerva diplomáticamente—. Las antiguas tatas de la duquesa.

Lo cierto era que a Minerva le resultaba imposible pensar en aquellas señoras por otro título que no fuera el de «tatas», pues así era como se refería siempre a ellas la duquesa.

—¡Tatas, y un cuerno! —bufó la tía Bedelia—. ¡Es la colección de queridas europeas de lord Langley al completo!

Sí, eso también. Porque la duquesa de Hollindrake, a pesar de los aires que se daba, se había criado, junto con su hermana gemela, Thalia, al cuidado de las viudas amantes de su padre. Felicity citaba constantemente a sus queridas «tatas», como si sus estrafalarios y a menudo cuestionables consejos morales estuvieran grabados en oro. Y ahora estaban allí, en el salón de Minerva.

La señora que buscaba a su «liebling», la condesa Von Frisch, o, mejor dicho, la tata Brigid, se mantenía en posición de firmes con un perrillo negro sentado a sus pies. Aquel diablillo con cara de macaco al que ella llamaba su «Knuddels», guardaba un parecido alarmante con *Brutus*, el fastidioso perro de Thalia Langley, que había mordido casi todos los zapatos y los tobillos de los lacayos de Hollindrake House. No menos de tres mozos y media docena de doncellas del duque habían preferido despedirse a seguir soportando que aquel «chucho francés del demonio» siguiera mordiéndoles los talones.

Y ahora allí estaba aquel otro ejemplar de alimaña haciéndose pasar por un can en Inglaterra.

—¿Quién eres tú para interrogarme? —estaba diciendo la tata Brigid, dirigiendo su tono mordaz al rincón más alejado del salón, donde la princesa Natasha, oriunda de San Petersburgo y conocida como «tata Tasha», se erguía en toda su regia elegancia a pesar de que, si Minerva no se equivocaba, acababa de tildar de «vaca llorona» a la aristócrata austriaca, eso sí, en francés.

—Cuando llegue mi *liebling* —declaró la condesa—, os mandará a todas a las cloacas de las que procedéis.

Esto enardeció los ánimos de sus rivales, que comenzaron a lanzar comentarios igual de ofensivos acerca de la pésima reputación que al parecer tenía la tata Brigid en los círculos diplomáticos.

Minerva dejó escapar un suspiro y miró a tía Bedelia con expresión implorante. ¡Haz algo!

Tía Bedelia recorrió la habitación con la mirada y se limitó a encogerse de hombros. ¿Para qué? La buena señora siguió tranquilamente repantigada en el sofá, contemplando la escena con la avidez de una amante del teatro.

Porque no había duda de que ni en una obra de Haymarket podía contemplarse semejante cuadro.

—¡Señoras, por favor! —exclamó Minerva, abriéndose paso a empujones hasta el centro del salón—. ¡No voy a consentir semejante comportamiento en mi casa!

Se oyó un bufido procedente de un rincón.

Por lo visto, a sus altivas acompañantes no les bastaba con el título de «señoras». Así pues, Minerva probó una táctica más diplomática:

—Excelencia, Alteza, *contessa*, margravina, les pido por favor a todas que me escuchen. Lord Langley no está aquí. Han cometido un terrible error, y he de pedirles que abandonen mi...

—¡Que no está aquí! ¡Imposible!

—¡Claro que está aquí! Lo sé de muy buena tinta —replicó la *duchessa di* Oristano, antaño la tata Lucia, al tiempo que agitaba una carta que había sacado del interior de su pelliza.

—¿Cree que puede quedárselo para usted sola? ¿Usted? ¿De qué le serviría usted? —contestó la formidable Wilhelmina Charlotte Louise, margravina de Ansbach, o sencillamente tata Helga, la cuarta y última dama en llegar a esta fiesta insospechada. La margravina y sus rivales lanzaron a Minerva sendas miradas de desprecio, recorriéndola de la cabeza a los pies.

¡Santo cielo, qué mujer tan insufrible! Y aunque Minerva ignoraba por completo cómo había que dirigirse a una margravina, en ese momento le parecía prioritario descubrir cómo librarse de ella.

—Sí, lady Standon —dijo tata Lucia con retintín, después de la margravina—. Si cree que puede satisfacer a mi Langley...

—¡Basta ya! —gritó Minerva, y añadió un zapatazo como punto de exclamación a su enfado—. Llamaré a la guardia y las haré detener a todas si no me escuchan.

Siguieron varios resoplidos de desagrado y unas cuantas quejas masculladas acerca de la hospitalidad inglesa, pero las tatas establecieron una paz precaria que mantuvo a raya las hostilidades.

Al menos, de momento.

—Les repito una vez más que lord Langley no está aquí... —comenzó a decir Minerva.

—¡Claro que está aquí!

—Tengo información concluyente según la cual se lo ha visto por...

—¿Por qué se empeña en afirmar que no está aquí cuando las pruebas...?

—¡Basta! —chilló Minerva, olvidándose por completo de su decoro—. Si estuviera aquí, lo cual es una posibilidad muy remota...

—Pero está aquí, insisto —comenzó a decir tata Helga, pero se detuvo bruscamente cuando Minerva le lanzó su mirada más fulminante.

Quizá no tuviera la desenvoltura de aquellas señoras en cuestión de moda, ni su belleza natural, pero era una inglesa de pura cepa y eso, a su modo de ver, contaba más que nada.

Y, en su calidad de marquesa, suponía que superaba en rango a una margravina. Al menos, eso esperaba.

Fue en aquel momento cuando la tía Bedelia decidió por fin meterse en la refriega.

«Ya era hora, caray», le habría dicho Minerva en voz alta si se hubiera sentido inclinada a ello. Media hora más en compañía de aquellas mujeres y probablemente lo habría hecho.

—Por favor, señoras, mi sobrina es una viuda respetable —les dijo la tía Bedelia—. Vive aquí únicamente con sus sirvientes. Sola. Soltera. Sin siquiera un pretendiente o esperanza alguna de...

—¡Tita! —balbució Minerva—. ¿Qué ibas a decir?

La tía Bedelia pestañeó y meneó la cabeza.

—Ah, sí, iba a decir que en vano buscan aquí a un caballero. En esta casa, nada menos...

Minerva soltó un gruñido, pero su tía continuó impasible:

—En cuanto a lord Langley, no está aquí por un motivo muy simple: porque no está vivo. Estoy enterada de que el hombre desapareció en la guerra. Mi anterior marido, al que Dios tenga en Su gloria, pertenecía al Foreign Office cuando desapareció el barón. Lleva muerto algún tiempo, de modo que me temo que su viaje hasta aquí ha sido inútil. Lord Langley desapareció.

—¡Bah! —bufó tata Tasha—. Usted no lo conoce. Él jamás podría «desaparecer», como dicen ustedes. Es una suposición ridícula. Langley ha estado sencillamente indispuesto. Y ahora ha vuelto a casa.

Las otras asintieron enfáticamente con la cabeza.

—Así es, en efecto —remachó tata Brigid mientras apretaba a su perro contra su amplio pecho—. Langley está en Londres y lo sé sin lugar a dudas.

Otra ronda de gestos de asentimiento recorrió la estancia, y Minerva no supo cómo refutar su convicción de que el padre de la duquesa de Hollindrake no sólo estaba vivo, sino que además se hallaba en Londres.

En su casa.

Era todo tan absurdo... Tan difícil de creer... Porque si, en efecto, lord Langley estaba vivo, ¿no era su hija, Felicity, la persona más indicada para responder a las preguntas de aquellas damas?

¿Y, sobre todo, para alojarlas?

—Yo sugeriría —comenzó a decir, agitando elegantemente una mano en dirección a la puerta—, que si de veras creen que lord Langley está aquí, en Londres, lo busquen en el lugar más idóneo: la casa de su hija. Estoy segura de que la duquesa de Hollindrake estará encantada de hacerse cargo de cuanto necesiten, además de descubrir la solución a este inquietante misterio. —Consiguió decir todo esto con aire de preocupación y una sonrisa plácida en el rostro, como si intentara expulsar a cuatro locas del Puente de Londres—. Incluso puedo llamar a un coche para que las lleve a...

—¡No voy a permitir que vuelvan a echarme a la calle sólo porque quiere quedárselo para usted sola!

—¡Esto es indignante! ¡Soy prima del zar! ¡No pienso ir a pedir limosna como una campesina!

—¡Ni yo! ¡Esto es una afrenta para con mi país! —Tata Helga dio en el suelo un zapatazo que resonó con un golpe sordo. Al parecer, su marido el margrave no tenía relaciones tan encumbradas que sacar a relucir, pero Minerva no quería ser la causante de un conflicto internacional que arrastrara a Inglaterra a una guerra con un principado de poca monta cuyo ejército se reducía muy posiblemente a un solo regimiento.

Claro que la guerra no podía ser inminente. Seguramente al Ejército británico le costaría algún tiempo y esfuerzo encontrar a los indignados compatriotas de tata Helga.

Minerva miró a su tía. *En serio, ahora sería momento de ayudar.*

Bedelia levantó la vista hacia el cielo y alzó las manos con expresión derrotada. *Con mujeres como éstas no se puede razonar.*

Pero Minerva no estaba dispuesta a ceder tan fácilmente.

—Sólo les estoy pidiendo que vayan a Hollindrake House y...

—¿Para qué íbamos a querer volver allí? —preguntó tata Brigid.

Tata Tasha sacudió la cabeza con aire imperioso.

—No permitiré que vuelvan a insultarme de esa manera. Ese hombre odioso de la puerta me negó la entrada.

Staines, el tajante mayordomo del duque, supuso Minerva.

—Dijo que la duquesita se había ido al campo y que no volvería hasta dentro de quince días.

Minerva sofocó sus ganas de ir a estrangular a Staines. ¡El muy condenado!

—Pero, naturalmente, es aquí donde vendría Langley —agregó tata Helga.

—¿Y eso por qué? —se atrevió a preguntar Minerva. Si antes había fingido una jaqueca, ahora empezaba a tenerla dc verdad.

Tata Lucia chasqueó los dedos y uno de sus criados, que había estado merodeando por el vestíbulo, entró a toda prisa. La *duchessa* le dio una orden en áspero italiano y el joven se metió la mano dentro de la casaca y extrajo un paquete de cartas para su señora. Tata Tasha y tata Brigid hicieron lo mismo: sacaron varios fajos de cartas, algunos atados con cintas, y otros sueltos. Todas ellas hojearon sus misivas y sacaron una sola carta que entregaron a sus sirvientes para que se las llevaran a Minerva.

—Encontrará la respuesta ahí, en la segunda página —dijo tata Lucia, señalando el documento con los dedos.

Minerva miró las cartas que tenía en la mano, todas ellas escritas de puño y letra de la duquesa de Hollindrake, más o menos un año antes. Echó un vistazo a los renglones: cotilleos, preguntas acerca de diversas modas y, por último, un párrafo que le llamó la atención y que respondía a la pregunta esencial: ¿por qué allí?

*Te agradecería eternamente que, si tienes noticias de mi padre, le digas de mi parte que regrese a Londres. Y que, cuando regrese, se refugie en mi casa del número siete de Brook Street. A pesar de los rumores que afirman lo contrario, estoy convencida de que sigue vivo.*

Minerva miró a las señoras, que se sonreían como gatos ante un plato de leche. Luego se dejó caer en su asiento. ¿Vivo? ¿Lord Langley estaba vivo?

Con todo, aquello difícilmente constituía una prueba de que el barón desaparecido estuviera en su casa. Ciertamente ella lo sabría, si hubiera un huésped desconocido viviendo bajo su techo.

O lo sabría si la casa estuviera gobernada como la mayoría de las casas de Londres. Con sirvientes normales, no con aquel hatajo de ladrones y sinvergüenzas de Seven Dials que había contratado Felicity Langley cuando estaba sin blanca y, según se contaba, se había instalado en aquella casa sin pagar alquiler.

—¡No pienso irme sin él! —declaró tata Lucia—. No lo haré.

Después se apropió de la esquina del sofá, al otro lado de la tía Bedelia.

—Ni yo —añadió tata Helga juntando sonoramente los talones al tiempo que posaba la mano sobre el escritorio que tenía al lado, como si estuviera tomando posesión de aquel rincón en nombre de su patria, Ansbach.

Tata Tasha, para no ser menos, se dejó caer en la única butaca que quedaba libre, plantándose en el salón de Minerva con la misma terca e indeseable determinación que un diente de león bien arraigado en un jardín de rosas.

Sólo quedaba la *contessa* Von Frisch, tata Brigid, que paseó la mirada por el salón como un general por el campo de batalla. Pero en lugar de mantener su posición, dejó a su perrillo en el suelo y marchó hacia la puerta, seguida por *Knuddles*, que le pisaba los talones como un ayuda de campo presa de los nervios.

Por un instante Minerva abrigó la esperanza de que, tras reconocer el terreno, la señora fuera a ejecutar una pronta retirada en lugar de quedarse y luchar.

¡Cuán poco sabía ella del atractivo de lord Langley!

Por el contrario, la dama habló rápidamente en su idioma con sus sirvientes, una doncella y un lacayo bastante corpulento, ordenándoles que recogieran su equipaje. Y aunque ni Minerva ni la tía Bedelia tenían idea de lo que estaba diciendo la señora, al parecer la margravina, tata Helga, sí lo sabía, puesto que se levantó de un salto y comenzó a ordenar a sus criados que recogieran sus pertenencias. A continuación, las dos damas emprendieron una carrera hacia la escalera.

Eso bastó para traducir lo que acababa de suceder, no sólo para Minerva, sino también para tata Lucia y tata Tasha. En cuestión de minutos, la casa vacía de Minerva, que tanto había ensalzado en presencia de su tía apenas una hora antes, se había llenado a rebosar con cuatro invitadas inoportunas que pugnaban por apoderarse de las habitaciones vacías.

Minerva las siguió en silencio, sólo para descubrirse vencida y atropellada en su propio vestíbulo mientras la algarabía de idiomas e insultos retumbaba en la casa, acompañada por el ruido atronador de los criados al subir bolsas y maletas por la escalera. Unos criados que, para su consternación, hicieron caso omiso de sus protestas y cumplieron las abusivas órdenes de sus señoras como si aquélla fuera su casa.

—Haz algo —balbució dirigiéndose a su tía, que se había puesto en pie a su lado.

Pero tía Bedelia se limitó a sonreír.

—Bueno, has dicho que querías ser la envidia de todo el mundo. —Se ajustó su pelliza y se inclinó para darle un beso cariñoso en la mejilla—. No hay duda de que vas a ser la comidilla de toda la ciudad, con este plantel en tu casa.

El golpe sordo de un baúl al caer al suelo en la planta de arriba hizo temblar las paredes. Tía Bedelia miró hacia arriba y meneó la cabeza.

—Más vale que subas y te asegures de que alguna de esas golfas europeas no se apropia de tu alcoba. —Después, se acercó tranquilamente a la puerta, donde se detuvo de nuevo—. Ah, sí, y Minerva... Yo diría que tata Helga tiene aspecto de que sus antepasados cruzaron el continente con Atila el Huno. No me cabe ninguna duda de que la margravina es capaz de dedicarse al pillaje y al saqueo como el que más. Así que, si en efecto llega lord Langley, más te vale no meterte en medio.

Ellis, el barón Langley, se bajó el pañuelo que había ocultado hasta entonces su identidad y miró fijamente a los ojos a su antiguo compañero de colegio.

Así pues, su variopinta carrera en el Foreign Office se había reducido a aquello: a apuntar con una pistola la frente temblorosa de Basil Brownett. ¡Qué humillante! Pero puesto que sir Basil era la única persona que tenía autoridad para ordenar su muerte, parecía el lugar más lógico para empezar...

—¿Cómo demonios...? Quiero decir... —tartamudeó sir Basil—. ¡Dios mío, se suponía que estabas muerto!

—Si no lo estoy no será por falta de esfuerzo por tu parte —repuso Langley.

—¿Por mi parte? No tengo ni idea de qué estás hablando —afirmó éste, pero se puso ligeramente colorado.

—Ahórrate tus ridículos discursos para tu cena de esta noche con el primer ministro y su panda de aduladores.

Sir Basil abrió los ojos de par en par.

—¿Cómo sabes...?

—Brownie, he sido el mejor agente entrenado por Ellyson. Lo sé todo sobre tu insulsa existencia.

Esta vez, el baronet palideció. Mortalmente.

—Mi buen amigo, éste no es momento para amenazarme. Voy desarmado. Yo jamás habría ordenado...

—¿Que me mataran apaleándome a traición? ¿No?

Sir Basil sacudió la cabeza con vehemencia al otro lado del carruaje.

—Maldita sea, hombre, todos creíamos que te habías pasado al otro bando. Que eras un traidor.

—¿Un traidor?

—Sí, aunque nunca se hizo oficial —añadió sir Basil con expresión desilusionada.

—Si alguna vez hubieras tenido el valor de salir de detrás de tu maldito escritorio, te habrías dado cuenta de que esos informes eran mentira. Que yo no era...

—Lo supimos por las fuentes más fiables —insistió sir Basil como si aquello zanjara la cuestión—. Te habías pasado al enemigo y ya no eras de fiar. —Frunció el entrecejo en una línea severa—. Tú sabes mejor que nadie cuál es el procedimiento en estos casos. La única diferencia es que tus amigos franchutes nos tomaron la delantera...

¿Los franceses? ¿Sería cierto aquello?, se preguntó Langley. ¿Se había pasado al enemigo y el enemigo lo había traicionado? No. No podía haber sucedido así.

—Mentiras. Te creíste un montón de mentiras.

Apretó los dientes y la pistola vaciló en su mano. Estaba cansado, tenía frío y hacía tiempo que no comía, de modo que se sentía poco inclinado a mostrarse paciente con Basil o los de su calaña.

—Por lo visto también era mentira que estabas muerto, y también me lo creí.

Sir Basil se echó hacia atrás, visiblemente asqueado por la situación, aunque su mirada siguió fija en la pistola que seguía apuntándole.

Langley sabía muy bien qué tenía en vilo a su interlocutor. Puesto que él, lord Langley, estaba en efecto vivo, era muy probable que hubiera una investigación, que se tomaran declaraciones, se revisaran informes y, por último, se pusiera al corriente a los peces gordos. La clase de pesquisa que podía poner fin a una carrera prometedora. La clase de cosas que angustiaban a mezquinos aduladores del estilo de sir Basil y que en cambio, para hombres como él, eran tan nimias como la picadura de un mosquito.

Claro que el barón nunca se había preocupado en exceso por las sutilezas del reglamento y el papeleo. Sus métodos poco convencionales, sus notorios tejemanejes y su despreocupación por el protocolo lo habían convertido de vez en cuando (casi siempre, mejor dicho) en un monumental quebradero de cabeza para los burócratas de Whitehall como sir Basil.

—¿Te importa, mi buen amigo?

Sir Basil señaló la pistola con la cabeza.

Langley la retiró, puso lentamente el martillo del arma en su sitio y la dejó en el asiento, a su lado.

—¿Quién mandó esos informes, Brownie?

Sir Basil torció el gesto al oír que lo llamaba por aquel apelativo. Seguramente le escocía que le recordaran lo reciente que era su ascenso. Y que alguien se acordara de cuál era su origen.

—No me acuerdo.

—¿No te acuerdas o no quieres acordarte? —preguntó Langley suavemente, dejando descansar su mano sobre la culata de la pistola.

La respuesta de sir Basil le sorprendió:

—No quiero.

—Tengo derecho a saber quién me quería muerto, la oportunidad de limpiar mi nombre.

Sir Basil se echó a reír.

—¿Por qué te querían muerto? ¡Pero, hombre, por Dios! Sonsacaste secretos a casi todos los monarcas del continente sirviéndote de engaños y, si no a ellos, a sus esposas y amantes. Eso por no hablar de la estela de amantes despechadas que dejaste a tu paso. ¿Y ahora tienes la desfachatez de preguntarte por qué alguien quería verte muerto?

Era muy propio de un tipo llano como Brownie hablar sin tapujos de una cuestión. Aquella era una idea merecedora de reflexión. Confesar las propias faltas. Algo que Langley no deseaba hacer en realidad. Al menos, hasta que llegara al fondo de aquel asunto, y tuviera oportunidad de reparar sus errores y de descubrir la verdad.

Y, por encima de todo, limpiar su buen nombre. Él no era un traidor. No lo era. Eso lo sabía. En eso podía confiar.

Entre tanto, sir Basil añadió:

—Langley, la guerra ha terminado. Conviene que lo tengas presente.

—La guerra nunca se acaba.

—Puede ser —repuso su interlocutor—, pero te aconsejo...

—¿Sí?

—Que sigas estando muerto.

—¿Que siga estando muerto? —Langley negó con la cabeza—. No. He dedicado los últimos veinticinco años de mi vida a servir al rey y quiero volver a casa. Quiero recuperar mi lugar en la sociedad. —Agarró la pistola y miró a sir Basil directamente a los ojos—. Por completo, señor mío. Eso es lo que quiero.

—No veo cómo esperas que...

Amartilló la pistola.

—Es lo que espero. Y vas a darme acceso a los despachos de Constantinopla, de Nápoles, de Viena, de San Petersburgo y de París de los seis meses anteriores a mi desaparición, y a...

Sir Basil rompió a reír.

—Será una broma.

Langley levantó el arma.

—No, por lo visto, no —mascculló el baronet—. Pero debes comprender lo absolutamente fuera de lugar que está esa petición. Esos informes son confidenciales. No puedo entregárselos a un...

Tuvo el buen sentido de pararse en seco antes de decir «traidor», razón por la cual posiblemente había conseguido ascender hasta el puesto que ocupaba.

—A cualquiera —concluyó con suavidad, y mirando de nuevo la pistola añadió lentamente—: Pero quizá pueda ordenar a un agente que haga averiguaciones, a ver si hay alguna incongruencia que nos pasara inadvertida.

Era una solución difícilmente aceptable, pero como se le estaba agotando el tiempo, Langley se vio obligado a preguntar:

—¿A quién?

Sir Basil se rascó la frente y consideró sus opciones.

—A Hedges, quizás.

—¿A Hedges? ¿A ese condenado imbécil? Me sorprende que se las arregle para llegar a Whitehall todos los días sin perderse por el camino.

Por cómo torció la boca el baronet, se hizo evidente que compartía la opinión de Langley.

—Supongo que podría encontrar a otra persona...

Se quedaron los dos callados cuando el carruaje comenzó a aminorar la marcha. Langley miró por la ventanilla para ver dónde estaban: a punto de torcer la última esquina para enfilar la calle en la que vivía sir Basil, lo cual significaba que se le había agotado el tiempo.

Al menos, de momento.

—Quiero recuperar mi vida —afirmó mientras volvía a taparse la cara con el pañuelo.

Vestido de negro de la cabeza a los pies, se convirtió al instante en una sombra, de no ser por el azul característico de sus ojos, que brillaban amenazadores incluso en la oscuridad.

Sir Basil meneó la cabeza y exhaló un suspiro.

—Imposible, mi buen amigo. No puedes recuperar aquello a lo que renunciaste. Y, además, el Ministerio al completo te considera un traidor. Las pasarías canutas para demostrar lo contrario.

Lord Langley se apeó silenciosamente al pasar el carruaje por un tramo oscuro entre dos farolas, miró hacia atrás y masculló:

—Eso ya lo veremos.

# *Capítulo* 2

«La forma en que entra en una habitación dice mucho del carácter de un hombre.»

Consejo dado a Felicity Langley por su tata Tasha

Pasada hacía ya largo rato la medianoche, un viento áspero silbaba por las calles desiertas de Londres, y lord Langley se subió el cuello del gabán mientras avanzaba sigiloso por el callejón, detrás de las casas que bordeaban Brook Street. Hacía un frío de mil demonios, pero había pasado así las dos semanas anteriores, matando el tiempo entre las sombras hasta que veía la señal de Thomas-William indicándole que todo estaba despejado y podía entrar.

Ciertamente, nunca había imaginado su regreso a Londres de aquella guisa, escondiéndose en callejones y desvanes y procurando que nadie lo viera para conservar la vida.

Esa noche, la lámpara de la ventana de la cocina no estaba encendida y una extraña quietud había caído sobre las cuadras del patio. Langley se puso alerta, presintiendo que pasaba algo raro: estaba tan seguro de ello como de sí mismo. Incluso la puerta de la cocina estaba cerrada con llave.

Entonces descubrió el porqué.

—Le han descubierto.

Thomas-William salió de las sombras. Su acento francés era un vestigio de su infancia, pasada al servicio de un chevalier. Pero eso había sido antes de que George Ellyson, su antiguo señor y maestro de espías, el hombre que había enseñado a Langley todo lo que sabía sobre aquel oficio, comprara al muchacho en una subasta parisina.

—¿Me han descubierto? ¿Quién? —preguntó Langley, mirando automáticamente hacia atrás a pesar de saber que no había nadie a su espalda.

Thomas-William no era muy hablador y contestó con una expresión que siempre había sido muy del gusto de Ellyson:

—Sus concubinas.

—¿Mis qué? —preguntó Langley, un tanto confuso, y lanzó una ojeada a la casa. Hacía siglos que no estaba con una mujer, y sus célebres conquistas, las que habían dado a la alta sociedad inglesa y a las cortes europeas pasto suficiente para alimentar las habladurías durantes años y años, habían tenido lugar en el Continente, no allí, en Londres.

Sus ex amantes estaban felizmente encerradas muy lejos de allí, desde los palacios almenados de San Petersburgo a los minaretes de Constantinopla, así como en buena parte de las capitales de entremedias.

Luego echó otro vistazo a la casa, que estaba extrañamente iluminada desde la planta baja a los desvanes, como si estuviera llena de...

—¡Santo cielo, no! —gruñó.

Lord Langley, que había logrado burlar a la muerte tantas veces que habría frustrado al mismísimo diablo, se tambaleó, presa de un temor que habría espantado a cualquier hombre. «Concubinas»; o sea, más de una. Varias. Y todas ellas bajo el mismo techo.

No podía haber peor pesadilla para un libertino.

—¿Qué rayos voy a hacer ahora? —masculló y, quitándose el sombrero, se pasó la mano por el pelo—. No me queda ningún sitio adonde ir.

Thomas-William miró hacia la casa y se estremeció.

—Yo acepté quedarme aquí por la señorita Lucy, nada más. Pero no con esa gente.

Langley reparó entonces en la desvencijada maleta que tenía a los pies.

—Conque así están las cosas.

El criado asintió con un gesto.

—Será mejor que me acompañe a la casa que Clifton tiene en el campo. Allí puedo esconderlo.

—No —repuso Langley sacudiendo la cabeza.

Aquélla era una discusión ya antigua entre ellos dos. Thomas-William pensaba que era preferible que siguiera escondido mientras averiguaban quién era el responsable de su caída en desgracia.

—Estoy harto de esconderme.

—Si se deja ver, sólo conseguirá quc lo maten —arguyó Thomas-William, como le había repetido muchas otras veces—. Pero mientras nadie sepa que está aquí, en Londres...

—Bueno, creo que ahora ya es demasiado tarde para eso —reconoció Langley.

—¿Qué ha hecho?

—Esta noche he ido a ver a un viejo amigo.

Thomas-William soltó un gruñido.

—¿A quién?

—A Brownie.

El sirviente lo miró de soslayo.

—¿Cómo ha dicho?

—Antes de que empieces a lamentar el día en que me conociste, te diré que creo que sabe más de lo que aparenta —se apresuró a decir Langley—. Se puso más bien pálido cuando vio que no estaba muerto. Bueno, por eso, y porque le puse una pistola entre ceja y ceja.

—Es una reacción bastante corriente, según creo —masculló Thomas-William.

—No, no, no me refiero a eso. Creo que se asustó porque sabe por qué me traicionaron.

Thomas-William se quedó mirándolo; luego meneó la cabeza.

—Es una lástima que usted no lo sepa, milord. Sería preferible a ir a azuzar al león en su propia madriguera.

Eso era exactamente lo que habría dicho George Ellyson. Porque George insistía siempre en lo importante que era no actuar sin tener antes un plan. Sin saber qué andaba uno buscando.

Pero resultaba muy difícil seguir ese consejo cuando uno no recordaba nada. Y ése era el quid de la cuestión. Aquella fatídica noche en París, cuando le habían golpeado en la cabeza, el golpe había dañado también su memoria.

Ignoraba por qué lo habían traicionado, quién lo había traicionado y qué estaba haciendo en París. Recordaba únicamente fragmentos y jirones inconexos, destellos de imágenes, todos ellos sin sentido.

—¿Ha pensado que acaba de darle ocasión para que concluya el encargo, para que acabe con usted de una vez por todas? —preguntó Thomas-William con los brazos cruzados sobre el pecho—. ¿O un motivo, quizá, para que lo declaren oficialmente un traidor y lo manden a la horca?

—No puedo quedarme esperando de brazos cruzados.

Thomas-William pareció desear que el barón hiciera eso precisamente. Esperar. Porque, al desvelar su causa, la de ambos, en realidad, los había puesto a los dos en peligro.

—¿Y si es verdad, Thomas-William? ¿Y si soy un traidor y no lo recuerdo?

Miró a su viejo amigo para ver qué pensaba de esa posibilidad. Aquella duda llevaba meses agitándose en un rincón de su mente. Años, en realidad: desde que se había despertado en una prisión parisina.

—Entonces, ¿por qué ha vuelto a Inglaterra? —preguntó Thomas-William—. ¿Para qué molestarse siquiera?

Langley se quedó mirándolo. ¿Para qué molestarse?

—¡Porque es completamente absurdo! No puedo ser un...

Thomas-William se rió suavemente y le dio una fuerte palmada en la espalda.

—Exacto, milord. Usted no es un traidor. Ellyson confiaba en usted. Y yo también.

—Gracias, señor —repuso Langley con una ligera inclinación.

—Deje, deje —le dijo Thomas-Willian, visiblemente avergonzado—. Es hora de que nos vayamos. —Se inclinó para recoger su maleta—. No pienso quedarme en esta casa, ni siquiera por la señorita Lucy. Y menos aún si tiene usted intención de exponerse al peligro como un ciervo en medio de un prado.

Acompañó su broma con una sonrisa.

—Vamos, mi viejo amigo —contestó Langley en tono de broma—. No es propio de ti dejar pasar la ocasión de meterte en un buen lío. Siempre te ha gustado jugártela.

El sirviente miró por encima del hombro, hacia la casa, y sacudió la cabeza.

—Hasta jugando a las cartas con la señorita Tia tendríamos más oportunidades de ganar.

*Conque sí, ¿eh?* Langley observó la casa. Delante de las cortinas pasaban figuras en sombras de un lado a otro, como el desfile de un regimiento. Santo Dios, ¿cuántas había allí dentro?

Como si le hubiera leído el pensamiento, Thomas-William dijo:

—Cuatro.

—¿Cuatro? —Langley entornó los párpados—. ¿Cuáles?

—Una rusa...

—¿Tasha? —murmuró el barón.

Thomas-William hizo un gesto de asentimiento.

—Una italiana...

—¿Lucia? —Langley miró de nuevo la casa. ¿Su fogosa condesa italiana, con su implacable amante rusa? Santo cielo, le extrañaba que la casa no hubiera estallado ya en llamas y que el incendio no se hubiera extendido por todo Londres.

—Una *contessa* con un perro...

—Brigid —dijo, y un escalofrío le corrió por la columna vertebral. Si alguien era capaz de matarlo, ésa era Brigid: una mujer tan bella como letal.

—Y una margravina con muy mal genio —concluyó Thomas-William.

—¿Wilhelmina? —Langley ni siquiera se la imaginaba abandonando su rincón de Europa, como no fuera para seguir la tradición de conquista y pillaje de sus antepasados. Y que san Jorge se apiadara de todos ellos, si ése era el caso.

Bastante difícil había sido ya entrar y salir a escondidas cuando en la casa sólo vivían Elinor Sterling y su hermana Tia. Ahora... Ahora sería prácticamente imposible.

Porque, a pesar de sus cuidadosos preparativos, Tia lo había descubierto cuando apenas llevaba una semana instalado en el desván de la casa. La muchacha había bajado a hurtadillas a la cocina de madrugada y lo había sorprendido jugando a las cartas con Thomas-William. Habían intentado desembarazarse de ella con mentiras, pero Tia había observado con aire impasible al desconocido sentado a la mesa, había afirmado que sin duda era un caballero y, evidentemente, un espía, y a continuación se había unido a su partida de veintiuno y les había dado una buena tunda antes de volverse a la cama, no sin antes añadir: «No me importa que viva en el desván, pero más vale que Minerva no se entere».

Por suerte para Langley, el resto de los sirvientes se parecían mucho a Tia y apenas habían hecho caso del misterioso huésped al que Thomas-William alojaba en el desván: mientras no les diera más trabajo, a ellos les traía sin cuidado.

El barón sospechaba, sin embargo, que la única señora que quedaba en la casa no sería tan generosa.

Por lo que le había contado Thomas-William, Minerva Sterling era una mujer estricta y formal. Lo más probable era, por tanto, que lo echara a los perros. Si es que tenía alguno. Que, por suerte, no lo tenía. Pero Thomas-William había mascullado algo acerca de que una vez le había birlado su pistola, aunque en su momento Langley había pensado que no eran más que paparruchas inducidas por el alcohol.

Aun así, miró hacia su ventana, la de la esquina, cerca de la tubería. La habitación estaba a oscuras y en silencio, de lo que dedujo que o bien la dama se había acostado hacía largo rato o bien había salido esa noche.

—¿Por qué no las ha puesto de patitas en la calle? —preguntó.

Por lo que le había contado Thomas-William sobre ella, no se imaginaba a Minerva Sterling sufriendo de buena gana a un hatajo de necias.

Thomas-William respondió levantando una ceja, una respuesta que no dejaba duda alguna de que la dama lo había intentado... y había fracasado.

Langley asintió con la cabeza.

—Seguramente habría hecho falta un regimiento de los mejores Marines del rey, un aguerrido grupo de artilleros y un saldo de sedas aquí cerca para que esas cuatro abandonaran su fortaleza ahora que han sentado sus reales en ella.

—Además, saben que está usted por aquí —refunfuñó Thomas-William.

Eso era lo peor de todo. Que sabían que estaba vivo. Y que estaba en Londres. Pero ¿cómo lo habían descubierto las cuatro, y tan pronto como para hacer el viaje hasta allí con el único fin de acorralarlo? ¿Y si se creían los rumores, las mentiras acerca de que era culpable de traición a su país, culpable de algo que ni siquiera conseguía recordar?

Quizá debiera adoptar una estrategia más prudente, hacer caso a Thomas-William.

—¿Viene? —insistió el sirviente.

Langley se estremeció de frío y mascculló:

—Tengo que recoger mis notas, mi ropa...

—¿Se le ha ocurrido pensar que alguna de ellas podría ser quien...?

Se interrumpió, pero no hacía falta mucho ingenio para deducir qué había querido preguntar.

*Quien había querido que recibiera su merecido.*

Oh, sí, aquella idea se había abierto paso con ímpetu entre sus confusos pensamientos.

—Esto lo complica todo —repuso casi para sí mismo.

Thomas-William soltó un bufido como para dar énfasis a sus palabras.

—Tengo aquí sus cosas. La ropa, al menos. Venga conmigo a la casa de campo del conde. Saldremos con la primera marea.

Langley negó con la cabeza.

—No, me quedo en Londres. Jamás descubriré la verdad, jamás limpiaré mi nombre si me escondo en el campo.

—Como quiera. Quizá pueda probar en el King's Barrel, en Shoreditch. Ellyson lo frecuentaba cuando venía a Londres. Mencione su nombre y quizá la patrona le fíe.

Aquél era el modo sutil de Thomas-William de recordarle que no tenía dinero. Ni para alojamiento, ni para chantajes, ni para otras cosas que habrían hecho mucho más fácil su tarea.

Ése era el problema: que carecía de dinero, más allá del puñado de monedas que había guardado en el desván. Y Thomas-William tampoco tenía los bolsillos repletos, a no ser que por fin hubiera encontrado la manera de recuperar su salario de los últimos seis meses, que aquella pilluela de Tia le había ganado haciendo trampas.

Como casi todo el mundo lo daba por muerto, su fortuna se había repartido entre sus cuatro hermanas. No tenía cuentas de las que sacar dinero, a menos que quisiera implicar en aquel peligroso asunto a Felicity y a Tally. Y precisamente para eso las había dejado en el colegio de la señorita Emery hacía años: para mantenerlas a salvo. Escondidas a ojos de sus enemigos.

Esconderse...

¡Dios, cómo odiaba esa palabra! Hacía que se sintiera perdido en los callejones, intentando cazar al vuelo recuerdos fugaces, persiguiendo sombras. ¿Y si aquello era todo? ¿Y si tenía que pasar el resto de su vida así, en los márgenes de la sociedad, aunque fuera solamente para evitar el escándalo de ser acusado de traición, para impedir que su nombre, por no hablar de su cadáver, fuera arrastrado por las calles, con lo que eso supondría para sus hermanas y la reputación de su familia?

Estremeciéndose de nuevo, se dijo que estaba harto de vivir a medias, harto del estrecho camastro y del leve calorcillo del desván de lady Standon. ¡Por Dios que necesitaba zanjar aquel asunto! Pero para hacerlo tenía que recuperar su diario, pues contenía lo poco que recordaba de París, junto con una lista de sospechosos encabezada por el nombre de sir Basil Brownett.

Ésa era una de las dos cosas que había recordado desde el principio: el nombre de sir Basil y un borroso perfil del bellaco que le había atacado en París.

Un rostro tan familiar para él que estaba seguro de que lo conocía. ¡Si pudiera distinguir con claridad sus rasgos, recordar dónde lo había visto antes...!

No, no podría limpiar su nombre hasta que resolviera ese misterio. Así pues, echó a andar hacia la casa. Pero Thomas-William lo agarró del brazo y tiró de él.

—¿Está loco? No puede entrar ahí.

—Debo recuperar mis notas. He estado recopilando todo lo que recuerdo de París, y no quiero perderlas.

Lo único que tenía, en realidad, eran sus sospechas acerca de Brownie garabateadas en un cuaderno lleno de anotaciones incoherentes.

Pero cuando echó a andar de nuevo hacia la puerta de la cocina, Thomas-William meneó la cabeza.

—No puede entrar por ahí —dijo, y señaló con la cabeza hacia las ventanas.

Entre la cocina y el desván había cinco tramos de escaleras, cualquiera de los cuales podía estar ocupado por algún criado de las señoras. Y aunque a la señora Hutchinson no le importara que hubiera un desconocido en la casa, quizá la doncella de Helga o el lacayo de Tasha no estuvieran tan dispuestos a hacer la vista gorda.

A fin de cuentas, habían ido hasta allí para que sus señoras lo encontraran.

Langley masculló un juramento. Al oírle, Thomas-William se rió y dijo:

—Parece que no le queda más remedio que seguir mi consejo. Venga conmigo. Es lo que habría hecho Ellyson. No conviene que le sorprendan a la intemperie.

—No pienso dejarme atrapar —repuso Langley—. Observa y aprende. Esto, ni siquiera Ellyson se habría atrevido a intentarlo.

Avanzó con cautela a lo largo de la tapia del jardín, pues había aún una luz encendida en el salón de la planta baja, y se acercó al costado de la casa, por donde un canalón subía hasta el balcón del desván. Miró hacia atrás y sonrió a Thomas-William. Era hora de demostrarle cómo había conseguido robar tantos secretos a las cortes europeas. Contrariamente a la opinión más extendida en el Foreign Office, donde se atribuían sus proezas como espía a su capacidad para seducir a las esposas y amantes de príncipes, ministros de Estado y nobles de elevada posición, dichas proezas se debían más bien a su habilidad para merodear como un gato.

Miró canalón arriba y calculó la distancia, que era considerable, pero lord Langley no era precisamente famoso por esquivar el peligro, y unos segundos después estaba trepando por el flanco de la casa con la agilidad de un funambulista.

Miró hacia abajo, sonrió a un Thomas-William con cara de perplejidad y siguió escalando sigilosamente. A decir verdad, de no haberse hecho espía, podría haberle ido muy bien dedicándose al robo: habría sido el mejor ladrón de Londres. Pero la vieja cañería se quejó con un gruñido y comenzó a temblar bajo sus manos. Una oleada de temor recorrió su espina dorsal, y maldijo su bravuconería mientras el frío metal comenzaba a agitarse y a temblar de veras.

Debería haberlo imaginado. Aquella casa estaba en estado semiruinoso. ¿Por qué iba a ser distinto el canalón?

Y sin embargo allí estaba, a medio camino del balcón, obligado a sopesar sus alternativas en una fracción de segundo. Y eso hizo. Se lanzó hacia el ancho alféizar de la ventana más próxima en el instante en que el canalón cedía y caía al suelo con estrépito.

Agarrado a la cornisa, Langley contuvo la respiración y esperó a que alguien diera la voz de alarma. Allá abajo, Thomas-William se había escabullido entre las sombras y él también parecía esperar, invisible, a ver en qué acababa todo aquello.

Pero por algún milagro del azar, la casa permaneció en silencio, no se movió ni un alma. Thomas-William salió de su escondite y le miró. Luego meneó la cabeza como si la auténtica calamidad estuviera aún por llegar.

Porque, en efecto, el refugio de Langley apenas podía considerarse tal. No le quedaba más remedio que meterse en la habitación a la que daba aquella ventana.

La habitación de lady Standon, para ser exactos.

Asomándose a la alcoba, negra como boca de lobo, se preguntó si no habría hecho mejor quedándose en París.

Sin su título, ni su nombre.

No, eso era imposible. Tal y como le había dicho a Brownie, nunca cejaría en su empeño. Así pues, respiró hondo, exhaló lentamente y a continuación abrió la ventana con el mayor sigilo que pudo y se introdujo en el dormitorio de lady Standon.

A fin de cuentas, no podía pasar la noche en el alféizar de su ventana.

Parpadeó, intentando distinguir alguna forma para orientarse, y dio un paso indeciso hacia el lugar donde confiaba estaría la puerta.

Pero tropezó con la cama y fue a caer encima de la dama en cuestión.

Minerva había caído en un duermevela nervioso, poblado de sueños en los que aparecían sus inoportunas invitadas y lord Langley, el amante de todas ellas.

Mientras que las damas se le aparecieron con toda claridad, e igual de antipáticas en el sueño que en la realidad, lord Langley permaneció en sombras, una figura que no lograba discernir del todo, un hombre que se movía con la elegancia de un felino, invitándola a acercarse.

Minerva se agitó espasmódicamente de un lado a otro, hasta que aquel sueño caprichoso fue interrumpido por una figura igualmente borrosa que cayó de pronto sobre ella.

El cuerpo del hombre, pues no había duda de que era un hombre, cubrió el suyo, hundiéndola en lo hondo del colchón. Una de sus manos había caído directamente sobre su pecho.

—¡Aaaah! —comenzó a gritar al tiempo que luchaba por incorporarse, pero él le tapó la boca firmemente con una mano, acallando su grito.

—No, no, no —le dijo con una voz grave y armoniosa—. No voy a hacerle daño.

Su intento de tranquilizarla no consiguió que dejara de forcejear, pero no le sirvió de nada, pues tenía los brazos atrapados bajo la manta y él la cubría por completo.

La cubría con su larga figura, con unos músculos que parecían... en fin, estar por todas partes.

Si pudiera alcanzar la mesilla de noche... Allí, poco antes, había escondido una de las pistolas de Thomas-William.

Después de todo, su casa estaba llena de desconocidos, y ahora parecía que también había un ladrón...

—De veras, señora mía, no voy a hacerle ningún daño, tiene que creerme —añadió él tapándole todavía la boca con la mano.

Su súplica tenía un dejo culto, una dicción minuciosa que impregnaba por completo sus palabras, como si hiciera mucho tiempo que no hablaba en inglés, pese a ser su lengua materna.

Mucho tiempo desde que no estaba en casa...

Minerva pestañeó mientras intentaba distinguir sus rasgos en la penumbra, vislumbrar algo del hombre que intentaba disipar su pánico.

Entonces resonaron en su cabeza las palabras de la carta que Felicity había enviado a la duquesa: «Te agradecería eternamente que, si tienes noticias de mi padre, le digas de mi parte que regrese a Londres. Y que, cuando regrese, se refugie en mi casa del número siete de Brook Street».

—No soy un malhechor, pero he de suplicarle que guarde silencio.

¿Lord Langley?

¡Qué absurdo!, se dijo. ¿Para qué iba un respetado diplomático inglés, aunque quizá sería más acertado decir «un diplomático inglés de dudosa fama», a colarse en su dormitorio como un vulgar ladrón?

Parpadeó de nuevo, y esta vez, a la luz tenue de la luna, pudo verle la cara: las hermosas facciones romanas, el hoyuelo de la barbilla y la atractiva curva de los labios. Sus rasgos aristocráticos la llenaron de asombro, pues no esperaba descubrir a un hombre tan guapo... y menos aún en su cama.

Después, como salida de la nada, le pareció oír las palabras que había pronunciado unos días antes ante Lucy y Elinor, unas palabras que de pronto semejaban una profecía:

«Para que yo me case, tendría que caer un hombre del cielo y aterrizar en mi alcoba...»

¿Cómo iba a saber que tal cosa era posible? Pero allí estaba su ventana, abierta, y allí estaba él.

La clase de hombre con la que siempre había soñado con casarse, mucho antes de que sus sueños románticos quedaran aplastados por las maquinaciones de su padre y por su boda forzada con Philip Sterling.

*¡Ah, qué idiotez!* Era demasiado pragmática para creer que un marido perfectamente atractivo podía caer del cielo sin más.

No, convenía que se aferrara a la lógica y comprendiera que los únicos hombres que se colaban en la alcoba de una dama de madrugada tenían siempre otras ideas en la cabeza.

Claro que, fueran cuales fuesen sus motivos, aquel hombre aún no la había agredido en lo más mínimo, aparte de aterrizar sobre ella y taparle la boca con la mano.

—Por favor, no quiero provocar un escándalo —susurró.

Entonces, ¿se puede saber qué hace en mi alcoba, pedazo de bruto?

—Sólo he venido a recoger mis pertenencias. Luego me iré. Si la puerta no hubiera estado cerrada con llave...

¿A recoger sus pertenencias? ¿Acaso estaban en su casa?

—Sé que debe de resultar difícil de creer...

*Imposible, más bien.* ¿No lo sabría ella, si hubiera un desconocido viviendo en su casa? Sin duda algún miembro del servicio le habría dicho algo...

Bueno, quizá si su servicio fuera normal, reconoció.

—Ahora voy a quitarle la mano de la boca —dijo él al tiempo que apartaba lentamente los dedos—, pero sólo si me promete que no...

Su voz tenía un timbre tan seductor, tan profundo y atrayente, que casi le hizo creer que no iba a hacerle daño. Incluso se descubrió asintiendo con la cabeza a su petición, como una boba.

Pero ¿qué estaba haciendo? ¡Aquello era un disparate, y aquel hombre un loco!

Así pues, en cuanto él apartó la mano de su boca, comenzó a gritar. A voz en cuello.

Y con la misma velocidad sacó el brazo de debajo de la colcha y agarró la pistola de la mesilla de noche.

Echándola hacia delante, retrocedió y levantó las rodillas. Eran una muralla endeble detrás de la que guarecerse, pero de momento le servirían, ahora que por fin tenía las de ganar.

Respiró varias bocanadas de aire y dijo con voz temblorosa:

—No crea que no soy capaz de disparar.

—Señora, por lo que sé de usted, me sorprende que no lo haya hecho ya.

—Dispararé —afirmó lady Standon mientras la pistola temblaba traicioneramente en su mano—. No me obligue a hacerlo.

Langley alargó el brazo y con un solo dedo sujetó el cañón.

—Si ha de disparar, apunte bien. Tanto tembleque me está poniendo nervioso.

Oyó pasos precipitados retumbando por toda la casa, pasos llenos de curiosidad y pasos cautelosos yendo de un lado a otro como si intentaran determinar si merecía la pena arriesgar la vida para averiguar de dónde procedían aquellos gritos.

Por lo visto, sí, pues los pasos comenzaron a oírse en la escalera y en el pasillo, y un hilillo de luz comenzó a colarse por debajo de la puerta cuando se encendieron las bujías del pasillo y comenzó la búsqueda furtiva del origen de los gritos.

—¡Ha sido en su habitación! —oyó Langley que decía una mujer con voz grave y rasposa.

Hizo una mueca de horror. ¡Helga!

Así pues, era verdad. Su pasado estaba ahora en el umbral de su puerta.

O, mejor dicho, de la de lady Standon.

—¡Sí, aquí, por favor! ¡Me han asaltado!

Langley la miró, más divertido que enojado.

—¿En serio? ¿La he «asaltado»? ¿Es lo mejor que se le ocurre?

El pestillo se movió violentamente, pero siguió cerrado.

—¡Ay, Dios! —exclamó lady Standon—. ¡Está cerrado! —Entonces tuvo la audacia de mirarlo—. ¿Le importaría?

—¿Que si me importaría qué?

Sabía perfectamente lo que le estaba pidiendo, pero no estaba dispuesto a facilitarle las cosas. Si hubiera cumplido su palabra y no se hubiera puesto a chillar como una verdulera, no estaría metido en aquel lío. Ni ella tampoco.

—Abrir la puerta —contestó ella, señalándola con la pistola—. Me temo que está cerrada con llave.

—¿Con llave? —Langley miró la puerta y volvió a mirarla a ella con una sonrisa—. ¡Qué inoportuno!

Su precaución de cerrar con llave le estaba permitiendo ganar algún tiempo, mientras al otro lado de la puerta se iba agolpando un pequeño gentío. Oyó una ráfaga de preguntas en alemán e italiano, además de las hoscas respuestas de Helga.

—¡Apartaos! —oyó que ordenaba una voz bella y sensual, y un instante después la puerta comenzó a sacudirse, aporreada con decisión por un puño—. ¡Cariño! ¿Eres tú? ¡Voy a echar abajo esta puerta inmediatamente!

Langley hizo otra mueca. ¡Tasha! Típico de su amante rusa, acudir en su rescate. Claro que ¿cuántas veces se había hallado al otro lado de la puerta mientras su marido la aporreaba iracundo, amenazando a alguno de sus muchos amantes?

—Entonces, ¿es usted? ¿Es lord Langley? —preguntó la dama sentada a su lado sin una sola pizca del entusiasmo que se dejaba oír en el pasillo. A decir verdad, parecía bastante ofendida.

Langley esbozó una reverencia.

—A su servicio, señora.

—Yo no le he pedido ningún servicio —replicó ella.

Sí, decididamente lady Standon no formaba parte del comité de bienvenida.

—Bueno, yo tampoco le he pedido que invitara a ese hatajo de arpías a la casa de mi hija.

—A mi casa —puntualizó ella—. Y usted tampoco estaba invitado.

—¿De veras? —Se palpó la levita como si buscara algo—. Creía que tenía la invitación por aquí, en alguna parte.

La dama hizo caso omiso de su broma y respondió enarcando las cejas oscuras y achicando los ojos.

Langley se descubrió preguntándose soñadoramente de qué color eran. ¿Azul? ¿Marrón nuez? ¿Verdes?

El tumulto del pasillo les hizo mirar hacia la puerta, que seguía sacudiéndose con fuerza. Las bisagras, sin embargo, aguantaron, no como el canalón de fuera.

—He de reconocer que es usted una anfitriona de lo más complaciente —comentó Langley al levantarse de la cama—. Parece atraer a los invitados como si fueran moscas.

—Ojalá pudiera aplastarlos a todos con la misma facilidad que a una mosca —replicó ella mientras se levantaba y lo miraba de frente.

—Cariño, pobrecito mío, no tienes que quedarte ahí dentro con ella —ronroneó Tasha—. Sal aquí, conmigo. Te he echado tanto de menos...

Un suave arañar de uñas recorrió la puerta.

—¿Mi Langley con ésa? ¿Estás loca? —preguntó Lucia, siempre en su papel de fiera duquesa italiana. Naturalmente, desdeñaba a cualquiera que osara competir con ella, pues toda su vida había sido la joya más codiciada de todo Nápoles—. Ésa no es nada, no es más que un ratón. ¡Ni que a él fuera a gustarle eso!

—¡Un ratón! —Lady Standon se enderezó—. ¿Qué ha querido decir con eso?

—Que la considera a usted indigna de mi afecto —repuso Langley, mirando hacia la puerta y luego hacia la ventana.

Estaba en la segunda planta, lo que significaba que al menos se rompería un miembro si intentaba huir saltando.

—¡Sabía que lo estaba escondiendo! —declaró Brigid.

Lady Standon giró sobre sus talones al oírla.

—¡No es verdad! —les dijo desde el otro lado de la puerta.

—¡Bah! ¡Las inglesas y su elevada moral! —Helga parecía en plena forma—. ¿Podría alguien traer una lanza, un hacha, una alabarda? ¡Yo misma echaré abajo esta puerta!

—¿Una alabarda? —exclamó lady Standon—. ¡Ah, sí, tengo varias en el salón! —Miró a Langley—. ¿Por qué clase de mujer me toman?

Langley sonrió.

—Creo que la margravina tiene un salón entero dedicado a esas cosas.

La señora de la casa dejó escapar un soplido poco delicado, pero Langley no supo si se debía a que Helga tuviera a mano una colección de armas afiladas o a que él conociera únicamente a mujeres de esa índole.

Tampoco quiso preguntar.

Mientras tanto, al otro lado de la puerta, era evidente que el enemigo se estaba impacientando, pues Tasha comenzó a llamar a voces a uno de sus lacayos. Posiblemente no se fiaba de la margravina empuñando un hacha. Y si Langley no se equivocaba, pues su ruso estaba un tanto oxidado, la princesa estaba calificando la situación de «imperativo moral de enorme importancia». No creía, sin embargo, que estuviera formando aquel jaleo con el fin salvar la reputación de lady Standon.

—¡Esto es una ruina! —exclamó su anfitriona, empujándolo con la pistola—. ¡Salga de mi habitación!

—Señora, si abro esa puerta el que estará en la ruina seré yo.

—Entonces márchese por donde ha venido.

Lady Standon indicó la ventana.

—Créame, lo he pensado.

Porque de pronto oyó pasos retumbantes en la escalera. Por lo visto Tasha seguía teniendo por costumbre rodearse de apuestos cosacos.

—Y bien...

Lady Standon comenzó a dar golpecitos con el pie en el suelo, sin dejar de apuntarle tercamente con la pistola.

—El canalón se ha roto mientras trepaba por él. Sólo hay una salida: saltar.

Ella se apartó.

—¿Doy la impresión de estar impidiéndoselo?

—Desde esta altura, me rompería el cuello —repuso él, cerrando los puños. Aunque a la dama poco parecía importarle que su ilustre vida acabara hecha un montón de huesos rotos en medio de su jardín.

Ahora se explicaba por qué los criados andaban siempre rezongando contra ella y por qué a Thomas-William le daba un tic nervioso en el ojo cada vez que se mencionaba su nombre.

Pero lady Standon no había acabado aún:

—Así que, ¿no sólo ha estropeado mi casa, sino que ahora también va a estropear mi reputación? Soy una viuda respetable.

Él le sonrió.

—He conocido a muchas viudas respetables a lo largo de mi vida.

—¡Yo no soy de ésas!

—Por lo visto, no —replicó, y miró de nuevo hacia la ventana.

—¡Le exijo que se marche inmediatamente! —insistió ella.

¡Santo Dios! Era tan mandona como decía Thomas-William. E inglesa de pura cepa, con aquellos aires de superioridad.

Langley tuvo que reconocer, muy a su pesar, que se sentía un poco encantado por ella.

Lady Standon siguió portándose de la misma abominable manera:

—Lord Langley, sepa usted que detesto el escándalo. No pienso ser partícipe de sus... de sus... ¡de sus líos de vulgar rufián!

—¿De rufián? —Ignoró lo de «vulgar», prefirió ignorarlo—. Las señoras del otro lado de esa puerta probablemente no estarían de acuerdo con esa descripción de mi persona.

Ella contestó con un bufido. Al parecer, aquellas damas le merecían el mismo desprecio que sus inclinaciones «rufianescas».

—Entonces abriré la puerta y las sacaré de su error.

—¡Ah, no, nada de eso! —dijo él, cortándole el paso.

—Dispararé —le advirtió ella.

—Hágalo, se lo ruego —repuso Langley—. Mejor usted, mi encantador pelotón de fusilamiento, que ser descuartizado miembro a miembro por esas lobas envueltas en sedas.

Lanzó una elocuente mirada hacia la puerta.

Lady Standon pareció sopesar sus palabras, como si fuera una buena idea. Pero por fin se apartó de la puerta y le lanzó una mirada sombría.

—No crea que es una concesión —dijo—. La verdad es que sospecho que no sería usted el único que acabaría descuartizado en la refriega.

Qué astuta.

—Entonces, mi querida lady Standon, si llega el caso, procure mantenerse alejada de la ventana. Tengo entendido que Tasha se libró de su primer marido gracias a una ventana abierta.

Los ojos de lady Standon se desorbitaron mientras los goznes de la puerta se sacudían de nuevo. Esta vez, la puerta crujió como protestando y pareció a punto de ceder. Sin duda había llegado el lacayo de Tasha.

—Si fuera usted un caballero respetable, esas... esas...

Señaló con la pistola hacia la puerta al tiempo que buscaba la palabra adecuada para describir a la manada de hembras que había al otro lado.

—¿Invitadas? —sugirió Langley, meciéndose sobre sus talones con una sonrisa. ¿Por qué estaba disfrutando tanto de todo aquello? Estaba a punto de morir, o al menos de hallarse frente a frente con las últimas cuatro mujeres a las que deseaba ver, y lo único que se le ocurría era bromear con aquélla.

Una marquesa británica airada, recta y formal a más no poder.

¡Dios, cuánto había añorado Inglaterra!

—¿Bromea usted? Esto no tiene gracia —le dijo cuando la puerta volvió a sacudirse—. Y ahora también van a destrozarme la puerta.

—Podría abrirla usted misma —sugirió Langley, apartándose—. Y arrojarme a las lobas, como le decía.

—No crea que no me gustaría, pero en el instante en que esa puerta se abra estaré perdida.

Tenía un aspecto encantadoramente valeroso, de pie en medio de la habitación, con su sencillo camisón blanco, el cabello cayéndole en una gruesa trenza sobre el hombro y la pistola en la mano. Por desgracia estaba demasiado oscuro para distinguir el color de sus ojos, el tono de su pelo, la verdadera silueta de su figura bajo aquel horrendo y voluminoso camisón.

Santo Dios, ¿era de franela? ¿Qué demonios había sucedido en Inglaterra durante su ausencia, que ahora enfundaban a sus mujeres en franela?

Aquélla tenía que ser una de las consecuencias más nefastas de la derrota de los franceses.

Y, dejando a un lado el pudor inglés, Langley comentó:

—Lady Standon, concede usted demasiado valor a su respetabilidad. Créame, la respetabilidad rara vez produce epitafios dignos de recordarse.

—Puedo imaginarme perfectamente el suyo.

Langley sonrió y se inclinó hacia ella.

—¿De veras?

—¡Ah! —farfulló ella, y se apartó—. Nada de esto estaría pasando si fuera usted un hombre respetable. Fiel a su título.

Langley cerró los ojos y se estremeció.

—Permítame adivinar qué me sugeriría usted: que tomara esposa y me retirara al campo el resto de mis días. ¿Esa insulsa perspectiva haría de mí un hombre respetable?

—Si es lo que hace falta para que usted y sus...

—¿Mis antiguas niñeras? —sugirió él.

—Sus acompañantes —puntualizó ella— salgan de mi casa, le ruego que lo haga: tome esposa. Yo diría que esta casa está rebosante de candidatas ansiosas por aceptarlo.

Langley se quedó callado un momento y un escalofrío le corrió por la espalda mientras la sugerencia de lady Standon se mezclaba con las quejas que solía refunfuñar Thomas-William.

«Esconderse... Salir a la luz... Tomar esposa...»

La puerta se sacudió otra vez y Langley comprendió que tenía apenas unos instantes para tramar su plan. En cualquier caso, decidió arriesgarse sin pensárselo dos veces y comenzó por quitarse la levita.

Lady Standon lo miró atónita.

—¿Se puede saber qué hace?

—Estoy siguiendo su consejo. —Arrojó a un lado su levita y se quitó la corbata con una mano mientras con la otra se desabrochaba los botones del chaleco.

Ella lo miró con visible horror.

—¡Está loco! ¡Yo no le he dicho que se desvista!

Entonces, al darse cuenta de que estaba alzando la voz, sofocó un gemido y bajó el tono.

Tras arrojar la corbata y el chaleco al suelo, Langley se abrió un poco la camisa, cruzó la habitación y la estrechó entre sus brazos.

—No, no me lo ha dicho.

Pillada desprevenida, lady Standon dejó caer la pistola. Después comenzó a forcejear y a golpearle el pecho con los puños.

—¡Tampoco le he dicho que me asaltara!

—No, señora, no lo ha hecho.

Un fuerte estruendo y las bisagras emitieron su último quejido. Un golpe más y...

—Entonces, ¿se puede saber qué hace? —gimió ella, que se había quedado parada un segundo.

—Justamente lo que me ha dicho. Tomar esposa.

Y en el instante en que se abrió la puerta, Langley selló su proposición con un beso.

# Capítulo 3

«Un hombre sólo te pide en matrimonio cuando está absolutamente acorralado.»

Consejo dado a Felicity Langley por su tata Lucia

Minerva ignoraba qué se proponía Langley hasta que el barón se apoderó de su boca y la estrechó con fuerza entre sus brazos.

No hubo forma de escapar de su trampa, a pesar de que lo intentó con todas sus fuerzas. Cerró los puños sobre sus hombros y comenzó a golpearle, todo en vano, pues el muy canalla la tenía exactamente donde quería.

Se oyó una exclamación colectiva de asombro cuando se abrió la puerta y apareció aquella estampa perfectamente escenificada por el barón. Una escena ideal de seducción carente de inhibiciones: sus labios sobre los de ella, sus manos sujetándola con fuerza, su cuerpo gallardo entrelazado con el de Minerva.

Como si no les importara que todos los habitantes de la casa fueran testigos de su pasión.

Cuando Minerva intentó desasirse, él apuntaló el engaño echándola hacia atrás de modo que su cuerpo se arqueara hacia el suyo y pareciera que estaba devorándola, y en realidad así era: sus manos recorrían la espalda de Minerva a lo largo de su columna vertebral, provocándola, acariciándola con avidez, de modo que sus forcejeos parecían más bien...

Santo cielo, no quería pensar en lo que parecían. Sobre todo, porque le preocupaba aún más lo que estaba sintiendo.

Porque, por asombroso que fuese, las palabras «delicioso tormento» parecían haber hallado un lugar nuevo en su vocabulario.

—¡Langley! ¿Qué le estás haciendo? —preguntó tata Lucia con una voz aguda, rayana en el chillido de horror.

Eso era justamente lo que le hubiera preguntado Minerva si hubiera podido, pero justo en ese instante tenía la boca ocupada, y por desgracia le costaba cierto trabajo respirar.

Y pensar.

Porque aquel maldito y experimentado truhán estaba poniendo en práctica sus traicioneras artes con ella como un músico que pasara el arco por el violín para hacerlo sonar.

Y sí, sus cuerdas estaban temblando. Vibraban con una música que parecía suplicarle que escuchara, que actuara, que respondiera.

¿Cómo iba a ser de otro modo si tenía los pechos aplastados contra su torso, si la mano de Langley cubría su... su... ¡santo cielo!, su trasero, y sus labios, ¡oh, aquellos labios!, jugueteaban con los suyos, los mordisqueaban invitándola a abrirlos para él.

A ceder a su seducción.

¿A ceder? No por nada la habían apodado «la gélida lady Standon». Minerva había esquivado, eludido y aplastado las aspiraciones de todos los granujas que se habían acercado a ella en los últimos once años, desde que la muerte de Philip Sterling la había liberado de las ataduras del matrimonio. Años de esfuerzo para mantener una reputación impecable se habían esfumado en un abrir y cerrar de ojos cuando aquel hombre había abierto una brecha en sus defensas sin molestarse siquiera en coquetear con ella.

De modo que, mientras pensaba en hacer oír una última nota de protesta, asestándole un rodillazo en su célebre miembro viril, sucedió algo inesperado.

Inesperado en el sentido de que jamás habría pensado que tales cosas podían ocurrir. Al menos, a ella.

A pesar de la brusquedad con que la había agarrado, de la fuerza con que la sujetaba, sus labios acariciaban los de ella con una ternura y una delicadeza que parecían desmentir su reputación. No estaba devorándola, sino más bien incitándola. Tentándola. Saboreándola. Lenta y premeditadamente. Sus fuertes labios cubrieron los de Minerva y murmuraron sobre los suyos, pero lo que decían fue como un susurro en un idioma extranjero. Minerva no tenía ni idea de lo que se decía, pero de repente ansiaba que alguien se lo tradujera.

Lo deseaba de todo corazón.

Y mientras esa certeza, esa chispa de deseo cobraba vida dentro de ella, en el mismo instante en que sintió que su cuerpo se rendía como un traidor, él se apartó lo justo para mirarla a los ojos.

Y lo que Minerva vio allí la llenó de ira. Aquel destello travieso en la mirada, como si supiera la batalla que se estaba librando dentro de ella... y, peor aún, como si fuera consciente de que había empezado a ganarla.

—Te pido disculpas, amor mío —dijo en voz baja, pero audible—. Más tarde habrá tiempo para los dos.

Más tarde. Aquellas palabras la embargaron como una embriagadora promesa de pasiones venideras.

«Y un cuerno», quiso contestar, pero él acababa de soltarla y Minerva se descubrió tambaleándose y con las rodillas temblorosas como si de pronto su casa hubiera sido arrojada al mar.

En medio de una tormenta. Sin nada a lo que agarrarse.

Salvo el hombre fuerte y musculoso que tenía a su lado.

Prefiero ahogarme, se dijo, ofuscada, mientras retrocedía unos pasos y se agarraba a su tocador.

—¡Ay, *Schatzi!* —gritó tata Helga, abriéndose paso a codazos entre Brigid y Lucia—. ¿Qué ha sido de ti, mi Langley, que te has rebajado a... a...?

Agitó las manos señalando a Minerva al tiempo que arrugaba la nariz con desdén.

Tata Lucia, que no quería ser menos, también se precipitó hacia ellos. La elegante señora llevaba una bata y un camisón de seda azul zafiro que se ceñía a sus curvas, tan fino que la tela apenas «ocultaba» sus generosos encantos. Por si el color no era de por sí lo bastante llamativo, llevaba además collar, pendientes y pulseras a juego, como si se dispusiera a asistir a la ópera.

—*Dolce cuore* —ronroneó—. Está claro que estás desorientado. —Lanzó un bufido desdeñoso dirigido a Minerva y a la margravina—. Ahora estoy yo aquí para socorrerte.

—¿Tú? —Brigid se rió y dejó en el suelo a *Knuddles*—. Mira, cariño, es Langley.

*Knuddles*, fiel a su naturaleza perruna, se fue derecho a Langley y clavó al instante los dientes en el talón de una de sus botas, afirmando así los derechos de su ama. Ni siquiera los decididos meneos que el barón dio a su pie consiguieron librarlo del perrillo con cara de mono.

—¡Brigid, quítame de encima a esta bestia! —masculló mientras agitaba el pie y se movía de un lado a otro, con el terco animal prendido al talón.

Lo cual dio a la dama la invitación que ninguna otra había recibido aún: tata Brigid pasó regiamente junto a las otras, se detuvo ante Langley y le lanzó una mirada seductora antes de agacharse muy despacio y con gran deliberación, de modo que se ahuecara el amplio escote de su camisón y cualquiera que quisiera pudiera echarle un vistazo.

¡Qué desvergüenza! Minerva se quedó paralizada de asombro ante el descaro de aquella mujer, y su mirada furiosa, no estaba del todo segura de por qué estaba furiosa, pero no todas las noches tenía una aquel circo desfilando por su habitación, se clavó en la de Langley, el causante de todo aquello.

Por ella, podían quedárselo. Aunque no le apetecía especialmente que se armara una pelea en su habitación, si de ese modo conseguía librarse de ellos, estaba dispuesta a correr el riesgo de que la casa sufriera algunos desperfectos y hubiera cierto escándalo.

Sin embargo, vio con sorpresa que Langley no estaba mirando lo que la dama le ofrecía, sino que tenía la vista fija en ella, y cuando sus ojos se encontraron tuvo la desfachatez de guiñarle uno.

—Ah, gracias —dijo Langley cuando por fin el perro soltó su bota. Se apartó enseguida de la dama y se acercó a Minerva—. Mucho mejor.

¿Mejor para quién? Desde el punto de vista de Minerva, aquello sólo la ponía en el punto de mira, pues la princesa rusa y sus tropas cosacas seguían estando presentes, esperando la oportunidad de intervenir.

Y en algún momento intervendrían, era evidente teniendo en cuenta el brillo de los ojos pintados de negro de la señora.

¡Santo Dios! Iban todas igual de arregladas: maquilladas, vestidas y enjoyadas como si hubieran estado aguardando ociosas la llegada de aquel hombre. A su lado, ella era como una margarita solitaria en un invernadero lleno de orquídeas y flores de azahar. Una vestal inocente en un harén rebosante de sensualidad.

¿Su casa, un harén? ¡No, si ella podía impedirlo!

—¡Fuera! —Señaló la puerta, que ahora colgaba de una sola bisagra—. ¡Fuera todos!

Tata Brigid dejó a su perro en el suelo y puso los brazos en jarras, lo cual no sólo puso de manifiesto su determinación de no obedecer, sino que además le permitió levantar los pechos hasta que casi rebosaron del camisón.

Pero ¿es que en el Continente no se hacían camisones de franela decentes?

—Amor mío, no es necesario —dijo Langley y, acercándose a ella, le pasó un brazo por la cintura y la estrujó contra sí como si apretara el cincho a un caballo rebelde—. Han venido a darnos la enhorabuena.

Un silencio cargado de sospechas cayó sobre las señoras. Incluida Minerva.

¿A «darnos»? ¿Ha dicho «a darnos»? O sea, ¿a él y a mí?

Hasta *Knuddles* dejó de husmear y bufar y echó un vistazo a Langley.

—¿Qué quieres decir? —preguntó con aspereza tata Tasha—. Langley, ¿no estarás diciendo...?

—Eso es exactamente lo que estoy diciendo. He vuelto a casa. Para casarme con la mujer a la que amo. —Dio otro abrazo a Minerva, apretándola aún más—. A la que adoro —añadió—. Tengo el placer de presentaros a la futura lady Langley.

¿La futura lady Langley? No podía hablar en serio...

Minerva lo miró boquiabierta, igual que las demás. Santo Dios, ¿qué había dicho justo antes de besarla?

«Exactamente lo que me ha dicho que haga. Tomar esposa.»

Se llevó las manos a los labios al darse cuenta de que se estaba refiriendo a ella.

La margravina farfulló algo en su idioma, después pareció dominarse y consiguió proferir en inglés la palabra que estaba en la mente de todas:

—¡Ridículo!

Sí, hasta ella tenía que darle la razón: aquello era ridículo. Además de indignante. Y absolutamente imposible.

¿Casarse con él? Prefería pasearse desnuda por Almack's. Se desasió de sus brazos y se volvió para mirarlo, para sumar su mirada imperiosa a las otras cuatro que fulminaban a aquel libertino impenitente.

—¿Casarte? ¿Casarte con esto?

Tata Lucia agitó la cabeza y sus bucles castaños, despeinados, se agitaron alrededor de sus hombros envueltos en un elegante deshabillé.

Minerva la miró y sintió una punzada de envidia mezclada con una ira creciente contra aquella tentadora e insolente napolitana. Ciertamente, tener aquel aspecto era al mismo tiempo un arte y un don, un arte y un don que ella no poseía.

*Ni quiero poseerlo*, se dijo, si para ello había que pasearse en plena noche emperifollada como un pudín de Navidad.

—De verdad, *Shatzi* —añadió la margravina, dedicando una mirada mordaz a su camisón de franela, y su forma de levantar una ceja dejó bien claro que ni muerta la sorprenderían vestida con semejante tela. Ni para su sudario—. No hay duda de que nos estás tomando el pelo. —Se colocó otra vez delante de la duquesa, para enojo de Lucia—. ¿Casarte con ésta? ¡Pero eso es imposible! No tiene... no tiene...

—Pasión —concluyó tata Tasha en lugar de su rival. La princesa avanzó en ese instante hasta ocupar el centro de la escena—. No tiene esencia, ni fuego. Ni ingenio suficiente para mantenerte entretenido. Dicho sea sin ánimo de ofender, lady Standon.

A Minerva le habría gustado tener la templanza necesaria para contestar «No me ofendo, desde luego», pero se descubrió hirviendo de rabia y llena de una... de una pasión irracional y abrasadora que hacía evidente que la princesa se equivocaba. Todos se equivocaban.

—¿Cómo va a ofenderse por algo tan obvio? —bufó tata Lucia.

Las otras asintieron con gestos, como si Minerva ni siquiera estuviera presente.

Minerva respiró hondo y cerró los puños en un gesto impropio de ella. Recordó las pullas de su abuela diciéndole que su padre no se saldría con la suya, que no conseguiría casarla con el marqués de Standon. Que sería querer dar gato por liebre y que les llevaría a la ruina.

—Ah, pero las apariencias engañan, señoras —estaba diciendo Langley—. Y les aseguro que lady Standon posee todas esas cualidades y más. Me ha hecho el hombre más feliz de Inglaterra al aceptar ser mi esposa.

Minerva giró la cabeza hacia él. ¿Su esposa? ¿Acaso estaba loco? Primero se colaba en su alcoba ¿y ahora pensaba que estaban prometidos en matrimonio? No, no estaba simplemente loco. Estaba como una cabra.

Debería haberlo empujado por la ventana cuando había tenido ocasión. Y estuvo a punto de desvelar su engaño, de poner al descubierto aquel embuste y arrojarlo encantada a aquellas lobas extranjeras, pero de nuevo Langley la pilló desprevenida.

Porque, mientras estaba allí maquinando, ofuscada, él se acercó y la cogió de la mano, y tan pronto se tocaron sus dedos, prendió una chispa muy extraña, una sacudida que le corrió por los miembros desde la punta de los dedos, como surgida de una botella de Leyden. No pudo evitarlo y lo miró.

Y descubrió que sólo hacía falta una chispa para prender un incendio.

En sus ojos azules bailoteaba una luz traviesa y juguetona que habría hecho creer a cualquier mujer menos sensata que brillaba sólo por ella.

Minerva se consideraba demasiado sensata para dejarse influir por unos ojos cautivadores, por un hermoso rostro de facciones patricias, por unos labios que parecían cincelados en piedra y un aire de suficiencia capaz de inflar un globo, elevarlo y mandarlo al último confín de la Tierra.

*No, no es más que otro de sus trucos de salón*, se dijo mientras él levantaba su mano e inclinaba la cabeza para besar las yemas de sus dedos desnudos.

Cuando sus labios la tocaron, aquel extraño fuego ardió de nuevo, como si su aliento avivara las brasas todavía humeantes. Sus rodillas temblaron de un modo muy poco sensato.

¿Y cómo no iban a temblar, si sus labios volvieron a susurrarle un beso cálido y apasionado, desatando una oleada de estremecimientos que le subió por el brazo y se extendió al resto de sus extremidades?

Con la otra mano la agarró de la cintura, apresándola, y la atrajo hacia sí de modo que quedó rodeada por completo por su cuerpo, protegida, deseada por él.

—Amor mío, mi queridísima niña —dijo—, me temo que nuestro secreto ya no es... nuestro secreto.

Si no hubiera estado haciendo lo posible por mantenerse erguida, Minerva podría haber proferido un soplido burlón que habría contado con la aprobación del mismísimo *Knuddles*. Pero, ¡santo cielo!, ¿cómo era posible que aquel hombre pronunciara dos palabras, «nuestro secreto», y que ella sintiera el mismo estremecimiento sensual que había experimentado poco antes, cuando le había pasado los dedos por la espalda?

—¿Quieres hacernos creer que vas a casarte con ella?

Tata Helga se las arregló para dejar escapar un hosco bufido que expresaba todo cuanto Minerva desearía haber dicho y que sin duda diría en cuanto lograra desasirse de aquellos irresistibles brazos.

Desprenderse del hechizo que había lanzado sobre ella.

—Tiene razón, *caro* —convino tata Lucia—. Es imposible de creer.

La rusa se movió otra vez con aquel paso felino y deliberado tan propio de ella.

—Sí, ninguna de nosotras es tonta, querido. Conocemos todos tus trucos.

Minerva sospechaba que no se refería únicamente a sus legendarias hazañas diplomáticas.

*Knuddles* gruñó en brazos de tata Brigid. La señora pasó los dedos por la mata de pelo negro que rodeaba la cara de mono del perrillo.

—Si crees que vamos a marcharnos porque afirmes amarla, estás muy equivocado.

—Entonces quedaos para nuestra boda y lo veréis con vuestros propios ojos —les dijo Langley—. Insisto.

Lord Chudley había pasado una velada apacible leyendo el periódico en uno de los saloncitos privados del club White's. Aquello era sin duda mucho más agradable que acompañar a Bedelia y a su sobrina a una tertulia o un recital de música, o a lo que fuera sobre lo que su esposa no había dejado de parlotear mientras tomaban el té esa tarde.

Amaba a su esposa, bendita fuera, pero Bedelia era una metomentodo por naturaleza, una de esas mujeres capaces de hundir una flota de corsarios americanos usando su franqueza como única munición para sus cañones.

Así pues, lord Chudley había aprendido rápidamente que, de cuando en cuando, se «requería urgentemente su presencia en el club».

Y siendo como era una buena esposa, Bedelia lo comprendía y no se ofendía.

Aun así, su tranquilidad se vio interrumpida cuando dos personajes entraron cuchicheando en el salón como si tramaran alguna traición. Chudley los observó con los párpados entornados mientras fingía dormitar. Su sillón de respaldo alto estaba ligeramente vuelto hacia la chimenea, de modo que los recién llegados no lo vieron hasta que ya se habían adentrado en el salón.

—Sir Basil... —dijo uno de ellos, señalando hacia el lugar donde Chudley yacía arrellanado en su sillón como un anciano adonis durmiendo la siesta.

—No te preocupes por él —repuso sir Basil—. Sospecho que, aunque estuviera despierto, con la edad que tiene estará sordo como una tapia.

De haber sido más arrogante, Chudley habría echado una buena bronca a aquel jovenzuelo por semejante infamia.

¡Sordo como una tapia! ¡Seguro! Él no era tan viejo, y teniendo en cuenta que acababa de casarse por cuarta vez y que no tenía problemas para mantenerla felizmente satisfecha, le habría gustado decirles que era tan ágil como un cabritillo y que ojalá pudieran ellos afirmar lo mismo a su edad.

Pero Chudley había pasado su juventud trabajando para el Foreign Office y sabía que la arrogancia y el orgullo por la propia hombría no tenían cabida en aquel mundo.

Además, seguía manteniéndose al corriente de lo que pasaba en el ministerio, y nunca había oído decir nada bueno de aquel advenedizo de sir Basil. Y por el aspecto sospechoso de su acompañante, a Chudley no le cupo ninguna duda de que estaban tramando algo de lo que preferían no hablar en Whitehall.

Así pues, su curiosidad se impuso a su indignación por aquel desaire a su edad y a su sentido del oído.

Pero, maldita sea, ¿quién era aquel otro tipo? Le resultaba vagamente familiar.

—Tenemos un problema —estaba diciendo sir Basil.

—¿Qué pasa ahora, Brownie? —contestó el otro mirándose las uñas—. Tú siempre tienes problemas. Y nunca son para tanto, por más que tú te empeñes en lo contrario.

—Cambiarás de opinión cuando te lo cuente.

—Adelante, entonces —dijo el otro—. Tibballs está abajo, borracho como una cuba y con ganas de jugar un par de manos a las cartas. Las que tardaré en vaciarle los bolsillos.

—No te quedarán bolsillos que llenar cuando sepas quién ha vuelto a Londres.

A sir Basil le temblaba tanto la voz que Chudley sintió el impulso de abrir los ojos para mirarlo.

—Santo Dios, hombre, acaba de una vez —ordenó el otro, aburrido, como si no hubiera notado el temblor miedoso de la voz de sir Basil.

—Langley —dijo sir Basil bajando mucho la voz.

Chudley contuvo la respiración y se preguntó si no estaría perdiendo oído, a fin de cuentas, pues habría jurado que le había oído decir...

—¿Langley? —El otro se echó a reír—. ¡Caramba, Basil! ¿Desde cuándo crees en fantasmas? Langley está muerto. Ahora, si me disculpas...

Se oyó un ruido de pasos cuando se dirigió a la puerta, pero los pasos se detuvieron cuando sir Basil añadió:

—Langley no está muerto, idiota. Está vivo y en Londres. Y tú tienes que marcharte de la ciudad. Inmediatamente.

*¿Langley, vivo? Imposible.* Chudley había visto una copia del informe en el que se detallaba su último día de vida en París. No, aquel hombre no podía estar vivo.

El desconocido parecía compartir su escepticismo.

—¿Seguro que no has bebido demasiado del famoso clarete del primer ministro? Porque estás diciendo tonterías. Langley está muerto.

—No tan muerto como a ti te gustaría —repuso sir Basil, adquiriendo de nuevo el tono de superioridad que lo caracterizaba.

«¡Advenedizos!», habría querido resoplar lord Chudley. Creían que tenían que actuar y hablar siempre con aires de superioridad para compensar sus orígenes plebeyos.

Pero ¿cómo era posible que Langley estuviera vivo? Por desagradable que le resultara darle la razón a aquel individuo de aspecto patibulario, se sintió inclinado a creer que sir Basil estaba tan beodo como el pobre e incauto Tibballs en el piso de abajo. A fin de cuentas, él mismo se había pasado de la raya con el clarete del primer ministro una o dos veces.

—Bah, estás chiflado. Ése está bajo tierra, te lo digo yo. Ahora, si me perdonas...

—Está vivo, idiota —insistió sir Basil.

Su voz estridente hizo que Chudley entreabriera los párpados lo justo para, sin delatarse, ver al subsecretario del Foreign Office agarrar al otro de las solapas y atraerlo hacia sí.

—Langley se ha metido en mi carruaje esta noche y me ha exigido que le diga quién lo traicionó.

¿Traicionarlo? A Chudley no le gustó cómo sonaba aquello. Le gustó tan poco como que Langley hubiera vuelto a Londres.

*Un auténtico demonio, ese Langley.* Y no siempre de fiar. Justo antes de que muriera en París, había corrido el rumor de que trabajaba para los franceses. De que era un ladrón. Y de que al final sus contactos franceses le habían liquidado después de aprovecharse de sus servicios.

Un embrollo, hacer tratos con los franchutes.

—Exige un informe completo. Quiere ver los expedientes. Quiere limpiar su nombre.

Pues le deseo buena suerte, habría añadido Chudley. Porque traidor una vez, traidor para siempre.

—Hablas en serio —susurró el otro.

—¿Es que no has escuchado ni una palabra de lo que he dicho?

—No, eso no puede ser. Yo lo vi...

Chudley se quedó inmóvil. ¿Lo viste cómo, mi misterioso amigo?

—Si Langley ha vuelto a Londres...

Sir Basil se estremeció y dejó escapar un suspiro.

—Sí, ahora ya ves cómo complica eso las cosas.

—¿Complicar las cosas? Podría...

Chudley aguzó el oído.

—Sí, exactamente.

Sir Basil carraspeó.

—Si hurga en...

—¡No puede! —exclamó sir Basil, y al darse cuenta de que había levantado la voz miró a Chudley.

Se quedaron los dos callados un momento que a Chudley le pareció una eternidad, pero se había quedado muy quieto mientras intentaba dar sentido a lo que acababa de oír... sin conseguirlo.

¿Langley estaba vivo? Seguía siendo de la opinión de que sir Basil tenía que dejar el clarete, hasta que el otro dijo:

—Maldita sea, ¿cómo es posible?

—Eso me gustaría saber a mí. Me dijiste que estaba muerto y ahora aquí está, saliendo de la caja como una de esas puñeteras marionetas. Ese hombre tiene más vidas que el gato persa de mi mujer.

El otro dejó escapar un ruido ahogado.

—Será mi ruina, o algo peor.

—Será la ruina de los dos —añadió sir Basil—. Tienes que marcharte de Londres. Mantenerte escondido. Tú serás el siguiente al que vaya a buscar.

—Tienes que pararle los pies —siseó su interlocutor.

—Creía haberlo hecho —contestó sir Basil—. Pero esta vez no escapará, si hacemos las cosas como es debido.

A Chudley se le heló la sangre en las venas. Lo que estaban diciendo era una traición. Y por su vida que no iba a permitir que asesinaran a un agente de Inglaterra.

Y menos aún cuando era él quien pensaba meter una bala en el pecho de aquel maldito canalla.

—¿Que insiste? —Lady Standon levantó las manos y comenzó a pasearse delante de Langley—. ¡En que se queden en mi casa!

—En ese momento me ha parecido la solución más práctica. —Se inclinó hacia delante y bajó la voz—. No se estaban creyendo que estuviéramos locamente enamorados, ni mucho menos.

Minerva levantó las cejas y también se inclinó, imitando su tono de voz:

—¡Será porque no lo estamos!

Langley meneó la mano.

—Eso no tiene importancia.

—¿Que no tiene importancia? —balbució ella—. ¿Para quién? ¿Para usted? Porque para mí, desde luego, sí la tiene.

Comenzó otra vez a pasearse de un lado a otro, hecha una furia.

Sus invitadas se habían ido a la cama no sin antes quejarse un poco y susurrarle a Langley ciertas proposiciones que él había rehusado educadamente y que habían hecho sonrojarse a lady Standon.

Así que estaban por fin solos y Langley intentaba hacer lo posible por salir de aquel lío. Como solía sucederle en sus aventuras, iba improvisando sobre la marcha, aunque normalmente, cuando había una mujer de por medio, solía mostrarse más complaciente que lady Standon.

Que aquella terca e inflexible Boadicea vestida de franela.

—Lady Standon, por favor —dijo mientras paseaba la mirada por su dormitorio y señalaba la única silla que había allí, la del tocador—. Tome asiento y cálmese. Quizá quiera algo de beber para calmar los nervios.

—No, no voy a sentarme, ni a calmarme o dejarme convencer con un licor. Sepa usted que mis nervios no estarían en este estado si no hubiera entrado usted en mi alcoba como un ladrón.

—Un descuido por mi parte.

Un descuido que podía redundar en su beneficio. ¿Qué le había dicho Thomas-William?

«No conviene que le sorprendan a la intemperie.»

Y aunque la mayoría de sus colegas de profesión prefería operar en la sombra, tales tácticas nunca habían sido de su agrado.

De pronto vio cómo podía hacer salir a la luz a su enemigo.

Dejándose ver en sociedad.

Y no le vendría nada mal estar, además, rodeado por una cohorte de bellezas letales.

Excluida lady Standon.

—¿Un descuido? —La señora levantó de nuevo las manos—. Por de pronto, ¿se puede saber qué estaba haciendo en mi canalón?

—Creía que la respuesta a esa pregunta ya sería obvia a estas alturas, pero ahora ya poco importa. Aunque he de decir en mi defensa que no me habría visto obligado a trepar por el canalón si no hubiera invitado usted a mis ex... a mis ex...

—¿A sus ex concubinas?

—Conocidas —puntualizó Langley—. A una princesa rusa no se la puede llamar «concubina». Es de mala nota. Diplomáticamente hablando y todo eso.

La dama puso los brazos en jarras y enarcó las cejas oscuras.

Así que no le gustaba que la reprendieran. Claro que ése era el motivo por el que la mayoría de los diplomáticos ingleses dejaban a sus esposas en casa.

Las inglesas no entendían, sencillamente, el talante continental. Eran demasiado estrictas en cuestión de costumbres. Y torcían el gesto ante casi todas las tradiciones que hacían único a cada reino y cada principado.

Lady Standon lo demostró al añadir:

—Cuando llega una de sus princesas, sin que la inviten y sin que se desee su presencia, y se adueña de la casa de una como por derecho divino, todo ello en busca de...

Langley le sonrió, pues las posibilidades de acabar aquella frase eran infinitas.

En busca de la pasión... del éxtasis... del placer...

Pero antes de que pudiera iluminarla, ella concluyó precipitadamente:

—En busca de compañía de baja estofa, no me queda más remedio que llamarla lo que es: una vulgar concubina.

¿De baja estofa? ¿Vulgar? Aquella mujer sabía cómo ir al grano.

Langley se puso la mano sobre el corazón.

—Señora, me ofende usted.

Sus cejas se arquearon de nuevo, y esta vez lo miró y sacudió ligeramente la cabeza con aire mordaz.

—Lo dudo —replicó con toda la fría rigidez que, según había afirmado Thomas-William con el refrendo de la señora Hutchinson, corría por sus venas. Lady Standon, sin embargo, no carecía de adalides, pues Tia estaba convencida de que una vez había sufrido un gran desengaño amoroso y que por eso era así.

Muy propio de una muchachita imaginativa y recién salida del cascarón ver más allá de la fachada que presentaba la dama. Porque Langley sabía algo sobre ella que el resto de los moradores de la casa ignoraba.

Sabía que Minerva Sterling, la última marquesa viuda de Standon, albergaba dentro de su corazón una chispa de pasión.

Estaba seguro de ello. Había sentido el calor de su naturaleza fogosa cuando la había abrazado.

Cuando había robado aquel beso de sus labios. Con sus labios de truhán de baja estofa.

Hablando de lo cual...

—¿De veras? ¿Mi beso le ha parecido vulgar? ¿De baja estofa?

Como sospechaba, ella levantó bruscamente la mirada y se encontró con la suya.

Porque ésa era la diferencia entre lady Standon y sus invitadas: que, cuando se veía enfrentada a la verdad acerca de un instante de pasión, lo miraba con los ojos como platos y se sonrojaba como una muchachita.

—Vamos, lady Standon —añadió mientras se acercaba a ella—, ¿tan terrible sería tenerme por prometido?

—¿Tenerlo por prometido? —balbució ella—. ¿De veras tengo que contestar a esa pregunta?

—Por lo visto, no —repuso él, pensativo—. Aunque a mí nuestro beso me ha parecido delicioso.

—A mí no —mintió ella. Y peor aún: una sola mirada a aquel hombre insufrible le bastó para ver con toda claridad que no la creía. Ni lo más mínimo.

¿Era necesario que sonriera así? Le recordaba el momento en que la había tomado entre sus brazos, justo antes de que acercara los labios a los suyos y...

Minerva corrió la silla y la interpuso entre los dos. Pero fue un pobre consuelo: sabía que aquel mueble endeble no detendría a un crápula como él.

—Parece, milady —dijo Langley, lanzando una mirada despreocupada al escudo detrás del que se había resguardado—, que hemos llegado a un callejón sin salida. Porque yo necesito una novia y usted me rechaza, a pesar de que nos han sorprendido *in flagrante delicto*.

—¡Eso no es verdad! —replicó Minerva—. Me sorprendió usted desprevenida. No tuve oportunidad de protestar.

Langley volvió a sonreír.

—¿No tuvo oportunidad? ¿Está segura de eso?

Minerva se quedó parada y estuvo a punto de lanzarle una réplica instantánea, pero se descubrió rememorando aquellos instantes. Despacio. Paso a paso.

Y deseó no haberlo hecho. Pues lo cierto era que podría haberle parado en cualquier momento, desde el instante en que la había tomado en sus brazos o mientras se inclinaba lentamente para besarla.

Y no lo había hecho.

—Me pilló desprevenida —insistió.

—Supongo que sí —contestó él lentamente, en tono de sorna, y, apartando la silla, se acercó a ella.

Minerva lo señaló meneando un dedo.

—¡Ah, no, nada de eso!

—¿Nada de qué?

—¡No vuelva a acercarse a mí! —le dijo al tiempo que lo esquivaba y abría la puerta.

—Así pues, estamos de nuevo en un callejón sin salida.

—No hay tal callejón sin salida —contestó Minerva—. Sus amantes y usted pueden marcharse de esta casa. ¡No me metan a mí en este disparate!

—Si insiste —repuso él, y cruzó la habitación como si fuera a marcharse, pero se detuvo a medio camino de la escalera—. A no ser —añadió— que se le ocurra una razón por la que quiera que me quede.

Fijó la mirada en su boca, en sus labios, más exactamente.

Minerva los comprimió. Con fuerza.

—Yo podría serle de utilidad, lady Standon, se dé usted cuenta o no.

Se acercó despacio a ella y colocó convenientemente el pie junto a la puerta para que no pudiera cerrarla.

Aunque poco importaba ya, estando las bisagras destrozadas.

—¡No se atreva! —logró decir ella.

Langley se quedó mirándola un momento. Luego hizo un gesto de asentimiento.

—Si insiste.

—Insisto.

Apartó el pie y se dirigió de nuevo a la escalera.

—Hasta mañana, señora mía —dijo, y tras hacer una breve y elegante reverencia, comenzó a subir.

¿A subir? ¿Qué demonios...? Minerva parpadeó y salió al pasillo.

—¿Adónde cree que va?

Langley la miró, miró luego hacia lo alto de la escalera en sombras y volvió a mirarla a ella.

—A mi aposento —dijo mientras seguía subiendo lentamente.

—¿A su qué? —consiguió preguntar, parándose en el descansillo, tras él.

—A mi aposento —repitió Langley, que se había detenido a unos peldaños del siguiente rellano—. El que tan generosamente me ha procurado usted desde hace... veamos... ¿una semana? Sí, creo que llevo aquí poco más de una semana.

—¿Una semana? —tartamudeó—. ¿Llevaba una semana viviendo aquí, en mi casa?

Langley se llevó un dedo a los labios.

—Chist, milady. A no ser que quiera que todo Mayfair conozca nuestro secreto.

Ya estaba otra vez. Aquella forma de decirlo: «Nuestro secreto». Como si bastara con eso para convencerla de que había tal secreto. De que entre ellos había algo ilícito. Minerva hizo caso omiso del escalofrío que le corrió por la espalda. Del incitante susurro de deseo que sintió a continuación.

Tenían, de hecho, algo en común. Su beso lo había demostrado.

—No puede llevar una semana viviendo aquí —insistió.

—Aunque procuro no contradecir nunca a una dama, me temo que en este caso he de hacerlo. He estado viviendo aquí, en efecto. En su casa. —No hacía falta que se recreara haciendo hincapié en su engaño y en la participación involuntaria de Minerva en él. Pero aún no había acabado. Inclinándose sobre la escalera susurró—: Resulta que soy un huésped tan excelente que ni se ha dado cuenta de que estaba aquí.

—Ése es el quid de la cuestión, señor. ¡Que no lo sabía!

—Le deseo buena suerte cuando intente convencer al resto del mundo de lo contrario.

Minerva soltó un gruñido y rechinó los dientes.

—¡Está usted completamente loco!

Langley se encogió de hombros.

—No, en absoluto. Y si hemos de ser justos respecto a esta cuestión, lo más disparatado de mi plan es que exige convencer a la alta sociedad de que estoy dispuesto a casarme con usted, señora. Pero estoy dispuesto a asumir ese reto y me atrevería a decir que podría encontrarlo tolerable.

Minerva respiró hondo, aunque sólo fuera para no soltarle la réplica indignada que se le vino a las mientes.

*Maldito canalla insufrible....*

—Buenas noches, señora. —Sin más, siguió subiendo por la escalera y, al torcer en el descansillo, tuvo la desfachatez de guiñarle un ojo, como si la desafiara a seguirlo y a cumplir su amenaza de ponerlo de patitas en la calle.

¡Ay, Dios! ¿Qué podía hacer? ¿Seguirlo a oscuras? ¿Montar un escándalo aún mayor? No. Y el muy granuja lo sabía. La tenía contra la espada y la pared, y Minerva no podía hacer nada para evitarlo.

Al menos, de momento.

Cerró la puerta de su dormitorio y se apoyó contra ella: era el único modo de cerrarla.

*Mañana*, se dijo, *os echo a todos a la calle.*

Y entonces, sin querer, pensó en el beso de lord Langley y añadió una cosa más a su resolución:

*Antes de que haya daños peores que una puerta rota y un canalón destrozado.*

# Capítulo 4

«Muy de tarde en tarde, un hombre supera en ingenio a una dama...»
Consejo dado a Felicity Langley por su tata Tasha

El chirrido de la única bisagra intacta que quedaba en su puerta despertó bruscamente a Minerva. Se incorporó y por un instante aterrador intentó dar sentido a cuanto la rodeaba: el sol entrando por los finos visillos y los ruidos de un día londinense rebosante de ajetreo, y al sueño igualmente vívido del que acababa de despertar.

Había soñado con él. Con lord Langley. Besándola otra vez. Y sin que ella protestara.

Aunque tampoco protestaste mucho la primera vez.

Minerva ignoró aquel comentario mordaz, pues se parecía demasiado a lo que habría dicho su tía Bedelia.

—Lo siento mucho, señora —se apresuró a decir su doncella—. Es que he pensado... Como normalmente... Como es casi mediodía, temía que le hubiera pasado algo malo, aunque él ha dicho que la había dejado feliz y contenta...

¿Él? Minerva levantó la vista y vio que Agnes observaba la cama y a ella con los ojos azules muy abiertos, como si esperara a medias que su señora presentara un aspecto tan desaliñado como la puerta. Entonces el resto de la explicación de la muchacha dejó de sonar como un pitido en su cabeza todavía aturdida por el sueño.

«Ha dicho que la había dejado feliz y contenta.»

¿Cómo se atrevía a dar a entender que ella... que ellos... que habían...?

¡Ah, ese embustero, ese caradura...!

Apartó las mantas y metió bruscamente los pies en las pantuflas.

—¡Por Dios, Agnes! ¿Por qué me has dejado dormir hasta tan tarde?

La muchacha dejó la bandeja que llevaba sobre el tocador y dijo:

—El señor dijo que necesitaba descansar.

Minerva, que había echado mano de su bata y casi se la había puesto, se detuvo.

—Conque sí, ¿eh?

—Pues sí. Estaba preocupadísimo por usted. ¡Qué hombre tan atento y formal, señora, si no le importa que se lo diga! Se ha tomado muchas molestias para que la señora Hutchinson le preparara la bandeja como es debido. —Agnes, que no podía estarse quieta ni un segundo, se había puesto a enderezar las sábanas. Levantó la vista mientras ahuecaba la almohada—. Ha dicho que quizá tendría usted un poco de apetito... —Se detuvo y se puso colorada, y luego concluyó precipitadamente—: Después de lo de anoche y todo eso.

Después de lo de anoche... Como si hubiera habido un «anoche». Que no lo había habido.

Pero podría.

Minerva cerró los ojos y contó hasta diez mientras procuraba refrenar sus absurdas fantasías. La culpa de todo la tenían Lucy y Elinor. No habría pensado ni una sola vez en esas cosas si últimamente no hubieran hablado tanto de que tomara un amante o se casara.

Y ahora...

Lo cierto era que costaba trabajo culpar a Lucy y Elinor cuando conocía al verdadero instigador de aquellos inoportunos arrebatos de deseo: estaba abajo en aquel mismo momento, poniendo su vida patas arriba.

—Vuelve a llevarte esa bandeja —ordenó a la doncella—. No tengo hambre.

—Bueno, no es eso exactamente lo que ha dicho el señor —puntualizó Agnes—. Ha dicho... Ha sonado muy gracioso. Espere que me acuerde. —Tamborileó con los dedos sobre su barbilla hasta que de pronto sus ojos se iluminaron—. Sí, sí, ya me acuerdo de lo que ha dicho. Nos ha dicho a mí y a la señora Hutchinson que seguramente estaría usted famélica esta mañana. Como ha tenido que quedarse durmiendo hasta tan tarde...

¡Famélica! No podía ser. ¡Oh, sí! ¡Por eso se había sonrojado Agnes!

Aquel condenado truhán había elegido premeditadamente esa palabra porque sonaba a «hambrienta de amor», y así era exactamente como se contaría aquel pequeño chismorreo cuando comenzara a circular por ahí.

¡Santo cielo! Aquel hombre estaba loco. ¡Decir esos disparates a los criados! ¿Acaso no se daba cuenta de que una confesión como ésa recorrería la distancia entre el desván y el sótano como un rayo de la electricidad de Franklin? Después saltaría la valla del jardín y se habría extendido por todas las casas de Brook Street antes de... Minerva cerró los ojos y, en vez de mascullar «antes de mediodía», soltó un gruñido.

Porque, según decía Agnes, ya era casi mediodía.

*¿Casi mediodía?*

Sí, no había duda, Langley sabía perfectamente lo que hacía. Y la había dejado dormir mientras su calaverada se difundía por ahí.

Como la viruela. O la Peste Negra.

No por mucho tiempo, se prometió Minerva, sin hacer caso de la bandeja con bizcochos, tocino y café que le había subido Agnes. Y eso que tenía una pinta excelente. Maldito fuera aquel hombre. Sobre todo, con el delicado toque de una rosa roja colocada a un lado. Y, por más que le fastidiara reconocerlo, tenía hambre.

Estaba famélica, en realidad. Pero, antes que reconocerlo, prefería ingresar en un manicomio. Porque, oculta bajo las palabras de Langley, estaba la certeza infalible de que su apetito y sus necesidades no podían saciarse sólo con un bizcocho.

Minerva sofocó otro gruñido y se puso rápidamente el vestido.

—¿Dónde está? —preguntó mientras se retorcía el pelo y se lo sujetaba con horquillas, en lugar de esperar a que la ayudara Agnes.

—¿Perdón, señora?

—¿Dónde está lord Langley exactamente?

—En la salita de mañana, señora. Desayunando. Me ha encargado que le diga que cuando pueda haga el favor de reunirse con él, porque le encanta su compañía. —Agnes sonrió y sus ojos azules claros brillaron de felicidad por su señora.

Minerva se quedó boquiabierta al comprobar que su doncella estaba claramente enamorada. ¿Quién habría imaginado que Agnes, que hablaba tan llanamente y era tan trabajadora, encerrara un lado romántico?

¡Enamorada, nada menos! Bien, ella se encargaría de aquello.

—Agnes, hazme un favor y baja a buscar a Thomas-William. Dile que vaya a los establos del duque y ordene al señor Ceely que mande una carreta a la puerta. Ay, y también un carruaje —añadió. Sospechaba que a sus huéspedes les molestaría enormemente que les pidiera que fueran caminando hasta su nuevo alojamiento, la residencia del duque, situada al otro lado de la esquina.

—¿Nos vamos? —preguntó Agnes.

—No, pero nuestros invitados, sí. Todos ellos.

La doncella frunció el entrecejo.

—¿Todos, señora? ¿Hasta lord Langley?

Sobre todo él, le dieron ganas de decir a Minerva. Pero ¿se podía saber qué tenía aquel hombre, que hasta la prudente y firme Agnes parecía en un tris de amotinarse, a juzgar por su expresión afligida?

—Sí, todos.

Santo Dios, ¿cómo era posible que la muchacha estuviera tan prendada de él, si acababa de conocerlo?

Porque acababa de conocerlo, ¿no? Minerva miró hacia atrás, pero no se atrevió a preguntarle a su propia doncella si había prestado su ayuda para esconder a lord Langley en su casa.

Entre tanto, Agnes agachó la cabeza y siguió recogiendo la habitación, dobló el sencillo camisón de Minerva y lo guardó mientras rezongaba:

—No veo cómo va a conseguir que se vayan.

Bien, en opinión de Minerva aquel plan tenía dos pegas: primero, las damas mismas, y luego Staines, el mayordomo del duque de Hollindrake, que ya les había dado con la puerta en las narices. Apretando los dientes, Minerva decidió prescindir de sus buenos modales. Además, seguía teniendo la pistola de Thomas-William. Si había algún contratiempo, podría servirse de ella para forzar las cosas.

Sabiendo lo que sabía ahora sobre sus visitantes, sospechaba que no era la primera vez que a alguna de aquellas desvergonzadas la ponían en la calle a punta de pistola.

En cuanto a Staines, imaginaba que estaría más que dispuesto a abrir la puerta cuando viera que iba armada como una salteadora de caminos. Sin pararse a pensar en que, cuando les cogían, los salteadores de caminos solían acabar en la horca, Minerva se dijo con firmeza que aquel asunto exigía medidas desesperadas.

Además, ella no iba a ir a robar nada, sólo a descargar lo que había llegado por error a Brook Street.

En ese instante sonó el timbre de la puerta principal, sacándola de sus cavilaciones. Echó una ojeada al reloj, y no se le ocurrió quién podía ser a aquella hora tan temprana.

—Agnes, ¿esperaba a alguien esta mañana?

—No, señora —repuso la muchacha—, pero una de esas mujeres ha mandado a por salchichas. Puede que sea el carnicero, que viene a traerlas.

Sonó otra vez el timbre, y un escalofrío recorrió la espalda de Minerva. Tenía un mal presentimiento. ¿El carnicero, con salchichas? Eso era absurdo.

—¿Por qué iba a traerlas por la puerta principal? —preguntó en voz alta, más para sí misma que para Agnes—. No, creo que ha venido una visita.

Lo cual significaba que tenía que bajar e intervenir antes de que alguien dejara entrar a aquella visita inesperada e inoportuna. Tenía que impedir que entrara, por grosera que pudiera parecer. Pero ¿qué otra cosa podía hacer? Sería un desastre que alguien descubriera que Langley se alojaba en su casa.

En ese instante, Agnes contuvo la respiración.

—¡Ay, así me lleve el diablo, señora! Se me ha olvidado. Su tía, lady Chudley, mandó una nota esta mañana. Decía que iba a venir.

¿La tía Bedelia? Minerva intentó moverse, pero sus miembros parecían de pronto paralizados por el horror. Si entraba la tía Bedelia, el primer sitio donde la buscaría sería...

El repentino griterío procedente de abajo le hizo constatar dos cosas.

Que la tía Bedelia había sido conducida a la salita de mañana.
Y que había descubierto a Langley.

—¿Cómo es, Minerva, que estás prometida con este hombre sin mi conocimiento?

Hasta Langley se acobardó al oír la nota gélida que resonó en la pregunta de lady Chudley. Casi sintió lástima por Minerva, que había bajado las escaleras a todo correr al oír los gritos de su tía.

Pero, en fin, la señora no debería haber preguntado «¿Quién demonios es usted?» si no quería oír la respuesta. Y, evidentemente, dado el agudo chillido que había dejado escapar a continuación, la respuesta no había sido de su agrado.

—Lord Langley, señora —había dicho él—. El prometido de lady Standon.

Entonces lady Chudley se había puesto a chillar como si sus faldas estuvieran en llamas. Y Langley sospechaba que no era la noticia de aquel inesperado compromiso matrimonial lo que la había puesto en aquel estado de alteración, sino el hecho de que Minerva estuviera prometida con él. Con el célebre lord Langley.

Había veces en que su reputación le venía muy bien. Aunque, a juzgar por cómo le pitaban los oídos, aquélla no era posiblemente una de ellas.

—¡Contéstame, Minerva! —exigió lady Chudley—. ¿Este hombre es tu prometido? Y si no lo es, ¿qué está haciendo desayunando en tu mesa en semejante estado?

Se daba la casualidad de que lord Langley sólo se había puesto poco más que las calzas y la camisa. Se había puesto encima el chaleco, pero no la corbata. Entre la buena sociedad inglesa eso equivalía a estar «desvestido», pero era muchísimo más cómodo desayunar así que emperifollado como si fuera uno a ir a la corte.

Langley, al que le encantaba su escandaloso estado, estiró las piernas y se recostó en su silla al tiempo que miraba la cara indignada de Minerva con un guiño y una sonrisa.

—Lo siento muchísimo, querida. De haber sabido que íbamos a tener visita tan temprano, me habría puesto la levita. Aunque esta mañana no he sido capaz de encontrarla. —Se detuvo sólo un momento—. ¿Está todavía en tu alcoba?

Luego guiñó un ojo a tía Bedelia.

—Es tan fácil olvidarla cuando se la quita uno deprisa...

—¡Diablo de hombre! Yo no soy su querida —replicó Minerva antes de volverse hacia su tía y concluir—. Y él no es mi prometido.

Langley chasqueó la lengua mientras cogía un panecillo de la bandeja. Lo partió en tres trozos y comenzó a untar uno con mantequilla.

—Estoy seguro de que tu tía puede guardarnos el secreto. Es decir, si insistes en guardarlo. —Sonrió a lady Chudley y se encogió de hombros—. No entiendo por qué cree que debemos ocultar nuestra dicha.

—¡Aaaaah! —gruñó Minerva—. ¡Es usted un fanfarrón de la peor especie! ¡Un intruso! ¡Un embustero!

—Vas a tener que pulir un poco más tus cumplidos —le dijo él—. Estás un poco falta de práctica. ¿Por qué no me llamas como me llamaste anoche, antes de que te dejara durmiendo, tan satisfecha?

Se hizo un momento de asombrado silencio en la salita. Después, lady Chudley se dejó caer en una silla con cara de ir a necesitar sus sales. Langley le sirvió una taza de té, pues a la señora Hutchinson le gustaba preparar el té como a las irlandesas: tan negro como el café y el doble de fuerte. Cogió las pinzas del azúcar y preguntó:

—¿Un terrón o dos?

—¡Oh, deme eso! —exclamó Minerva y, rodeando la mesa, le arrebató las pinzas de la mano. Cogió hábilmente un terrón y luego otro y los puso en el té de su tía con la experta desenvoltura propia de una dama—. Tía, ¿estás bien? —Su voz sonó baja y llena de preocupación—. No debes hacer caso a lord Langley. Creo que está completamente loco.

—Loco por ti, desde luego —repuso él alargando un brazo y enlazándola por la cintura.

Minerva le apartó la mano y se fue al otro lado de la mesa, hecha una furia. Langley se reclinó en su silla y admiró el temple y la firmeza de Minerva cuando se situó en la cabecera de la mesa con aspecto de ser muy capaz de servirlo a él como segundo plato.

Entre tanto, lady Chudley había cogido una cucharilla y se había puesto a remover su té a toda velocidad.

—Sé que esto ha debido de sorprenderle un poquitín, milady —le dijo Langley.

Al ver que ella le lanzaba una mirada encendida, sonrió y vio asomar un brillo en su mirada. Así pues, no estaba tan escandalizada como parecía. Bien, nunca venía mal tener una aliada.

—Le ruego crea que abrigo las mejores intenciones para con su sobrina.

Ambos ignoraron el bronco bufido que profirió su «prometida». Minerva se apresuró a tomar la iniciativa.

—Tía Bedelia, que sepas que en realidad este crápula apareció aquí anoche...

—La semana pasada —puntualizó él.

—¡Anoche! —insistió Minerva.

—¿La semana pasada? —Lady Chudley chasqueó la lengua—. ¡Minerva! ¡Qué barbaridad! A una viuda se le permiten ciertas libertades, si es discreta, claro, pero esto... esto...

—Nada de lo que dice es cierto —afirmó Minerva al tiempo que cruzaba los brazos—. ¿A quién vas a creer? ¿A él o a mí?

Lady Chudley miró a uno y a otro y luego siguió removiendo su té.

—Esto es muy desconcertante, querida.

—Supongo que ha de serlo —repuso Langley— descubrir tan repentinamente que su sobrina ha caído por completo bajo mi hechizo. Pero lo cierto es que he sido yo quien ha caído bajo el suyo.

Vio que Minerva fruncía el entrecejo con gesto furioso.

—¿Quien ha caído? ¡Debí tirarlo por la ventana cuando tuve oportunidad!

—¡Pero, Minerva, qué barbaridades dices! —exclamó tía Bedelia, y chasqueó de nuevo la lengua.

—Sí, en efecto —convino Langley—. Ciñámonos a los hechos: he estado viviendo con su generosa y muy hospitalaria sobrina desde el martes de la semana pasada.

Fue entonces lady Chudley quien profirió un bufido muy poco delicado. Langley no supo, sin embargo, si se debía a que hubiera estado alojado en aquella casa, o a la idea de que pudiera considerarse a su sobrina «generosa y hospitalaria».

—¿Es cierto que lleva una semana viviendo aquí? —preguntó la dama a su sobrina.

—¡Desde luego que no! —contestó Minerva.

Langley se echó hacia delante y le sonrió.

—Mi querida niña, no tenemos nada de qué avergonzarnos, aunque no me cabe ninguna duda de que algunos encontrarán escandaloso el afecto que sentimos el uno por el otro...

—Ruinoso, para ser más exactos —agregó lady Chudley.

—Exacto —repuso él, asintiendo con la cabeza—, pero ¿qué otra cosa podemos hacer, si nuestra mutua pasión es innegable? —Se volvió hacia lady Chudley—. Para responder a su pregunta, sí, he estado viviendo aquí. Muy a gusto. Desde hace una semana.

—¡Santo cielo! —exclamó la señora—. ¡Qué escándalo!

—Un disparate de principio a fin, eso es lo que es —replicó Minerva antes de señalar a Langley meneando el dedo—. Aclváreselo inmediatamente.

Él inclinó un poco la cabeza.

—Si insistes...

—Insisto.

Langley levantó los ojos y sonrió.

—Anoche, tras un delicioso tropezón en la cama de su sobrina, le pedí matrimonio y ella aceptó con un beso de lo más gratificante.

Sonrió triunfante a Minerva, pues nada de lo que acababa de decir era mentira.

—¡Ah, qué cara más dura! —exclamó ella poniéndose en pie—. ¡Salga de mi casa!

—¿Después de lo de anoche? —Meneó la cabeza y se recostó de nuevo en su asiento—. Nunca. Además, tengo que recuperar mi levita.

—¡Minerva Sterling, no me esperaba esto de ti! —declaró lady Chudley—. Esto... Bien, esto pasa de castaño oscuro. No pienso permitir que una sobrina mía se convierta en una de esas viudas, esas horribles y licenciosas criaturas sobre las que todo el mundo murmura y a las que nadie recibe en su casa. No veo que puedas hacer otra cosa que casarte, sobre todo si este hombre lleva viviendo contigo una semana.

Se estremeció y echó mano de otro terrón de azúcar.

Minerva se giró hacia Langley.

—No hay pruebas de lo que afirma. Es sólo su palabra.

Estaba claro lo que quería insinuar. ¿Quién iba a creerlo a él, un afamado libertino, un caballero al que muchos consideraban culpable de traición?

Pero ella apenas lo conocía, porque, de haberlo conocido, habría sabido que Langley no estaba derrotado aún. Pues la primera regla que le había enseñado George Ellyson muchos años atrás era a servirse de la verdad en provecho propio.

Y la verdad estaba firmemente de su lado.

—Minerva, mi querida niña, yo sí tengo pruebas. Un testigo de lo más fiable. Un testigo que estoy seguro de que estará más que dispuesto a corroborar mi historia. Por toda la ciudad.

—¿Quién? ¿La señora Hutchinson? —preguntó Minerva—. ¿Estaba sobria cuando llegó? ¿Espera que la buena sociedad la crea a ella y no a mí? —balbució casi sin aliento.

—En serio, Minerva, hay que pulir ese tacto.

Langley lanzó una mirada a lady Chudley y sacudió la cabeza. Para su regocijo, la señora asintió con la cabeza, dándole la razón.

—Siempre ha sido demasiado brusca —aseveró lady Chudley.

Él le sonrió.

—Por suerte, en mi opinión ése es uno de sus mejores rasgos.

—Pues es usted el primero —masculló tía Bedelia justo antes de saborear su té. Luego hundió de nuevo las pinzas en el azucarero y eligió otro terrón de los grandes.

—¡Oh, cómo se atreve! —farfulló Minerva—. ¿Cómo es posible que algo mío le parezca «encantador» cuando no me conoce en absoluto?

—Te asombrarías de cuántas cosas puede averiguar un hombre de una mujer con sólo besarla.

Minerva abrió la boca para decir algo, pero no le salió la voz.

Lady Chudley no tuvo ese problema.

—¡Por Dios, Minerva! ¡Qué indecente te has vuelto! ¡Besar a un desconocido!

—A su prometido —puntualizó Langley, levantando la mirada de su panecillo—. De desconocido, nada.

—Bueno, eso espero —declaró lady Chudley—. Porque bastante malo es ya que te hayas comprometido sin contárselo a tu única pariente. —Hizo una pausa y luego sus ojos se agrandaron—. ¡La culpa la tiene esa descarada de Lucy Sterling! Viviendo con ella se te habrán metido toda clase de ideas absurdas en la cabeza.

—¿Yo, indecente? —le preguntó Minerva, balbuciendo—. ¿No se te ha ocurrido pensar ni una sola vez que quizás esté mintiendo?

—¿Por qué iba a decir que te he besado si fuera mentira? —preguntó Langley mientras estiraba el brazo hacia el plato de panecillos y se lo ofrecía a lady Chudley, que cogió uno y, siguiendo su ejemplo, lo partió en trozos—. Lo cierto es que fue muy esclarecedor.

—¡Uy! ¡Uyyyyy, será...! —balbució ella.

—Usted también se las trae, ¿no es cierto? —dijo lady Chudley dirigiéndose a Langley, pero su voz carecía del tono de censura que había dedicado a Lucy Sterling apenas unos segundos antes. De hecho, le sonrió.

—Esto ha ido demasiado lejos —afirmó Minerva, que había empezado a pasearse de un lado a otro junto a la cabecera de la mesa—. Entonces, ¿quién es ese testigo que, según dice, puede corroborar su historia?

—Pues una dama, naturalmente.

—Yo no —repuso Minerva.

Langley guiñó un ojo a lady Chudley y sonrió a continuación a su renuente prometida.

—Querida mía, no se me ocurriría llamarte así.

La boca de Minerva quedó de nuevo abierta, esta vez formando una gran «o». Con los hombros tensos por la indignación, pareció lista para arrearle con la bandeja.

—¿No me llamaría «una dama»?

—Bueno, he de confesar que no nos conocemos tan bien como para que pueda hacer esa distinción. Lo que intentaba decir es que no te llamaría como testigo de mi defensa.

—¿Y qué tal como testigo de su funeral? —replicó ella.

Lady Chudley comenzó a reírse con un gorjeo mientras los dardos volaban de un lado a otro de la mesa. Pero cuando Minerva le lanzó una mirada furibunda, su tía tuvo la prudencia de aparentar que estaba tosiendo.

—¿Quién es ese testigo, entonces? —preguntó Minerva con aspereza.

Verdaderamente, tenía que aprender la segunda lección del buen espía. La primera era aprender a conservar el pellejo y la segunda a no hacer nunca una pregunta cuya respuesta no quería escucharse.

Y lo cierto era que Minerva no quería escuchar aquella respuesta. Pero Langley se la dio de todos modos:

—La señorita Knolles.

—Tia —dijo Minerva como si maldijera aquel nombre. Tuvo el buen sentido de reconocer que el enemigo la había desbordado y acorralado. Se dejó caer en una silla, como había hecho su tía poco antes.

—Entonces, ¿esa tunantuela no te ha dicho nada? —preguntó lady Chudley a su sobrina.

Minerva negó con la cabeza.

—Ni una palabra.

Esta vez fue Langley quien bufó.

—Claro que no. Estaba demasiado ocupada vaciándome los bolsillos cada noche, jugando al veintiuno. De haber sabido lo que enseñan a las jovencitas en esos colegios de Bath, jamás habría mandado a mi Felicity y mi Thalia a uno de ellos. Me estremezco al ver en lo que se han convertido.

—Como casi todo el mundo —le pareció oír que mascullaba lady Chudley—. Unas muchachas encantadoras —se corrigió la señora cuando vio que la estaban mirando.

—Tía Bedelia —comenzó a decir Minerva, llevándose la mano a la frente como si le doliera la cabeza—, ¿qué has venido a hacer aquí esta mañana? ¿Es que tu cocinera no te hace el desayuno?

—Desayuné hace horas. Soy una avecilla madrugadora, querida. Una avecilla madrugadora. —Se inclinó hacia delante y le confesó a Langley—: El doctor Franklin estuvo en tiempos un poco prendado de mí, y a mí me encanta citar sus dichos.

—Por lo que he oído contar de usted, señora —repuso Langley en son de broma—, Franklin no fue el único. Siempre ha sido usted la dama a la que cortejar. Me atrevería a decir, al verla, que hace usted caso de su recomendación de tomar baños de aire.

La insinuación hizo sonrojarse a lady Chudley.

—¡Qué pícaro es usted!

Al otro lado de la mesa Minerva gruñó y levantó los ojos al cielo.

—En serio, tita, ¿a qué has venido?

La señora chasqueó la lengua y agitó la servilleta mirando a su sobrina.

—¿Es que no recuerdas que prometí a ese hatajo de tatas que hoy iríamos de compras?

Minerva miró a su tía.

—¿Lo dijiste en serio?

—Tú mejor que nadie deberías saber que, en cuestión de compras, siempre hablo en serio.

Como a propósito, las señoras comenzaron a entrar en la salita en ese momento, Brigid con un vestido de color azul zafiro y *Knuddles* a sus pies; detrás de ella, Lucia con un vestido rosa que realzaba su cabello oscuro y su esbelta figura; Helga, en cambio, se había decantado por el rojo (rojo granate, con toques de negro aquí y allá) y, por último, Tasha iba toda de negro. Tasha siempre se vestía de negro porque ese color acentuaba el rubio de su pelo y la blancura de su piel, y la hacía parecer casi frágil dentro de su atuendo.

Un error que había hecho pensar a muchos hombres que necesitaba que la rescataran, protegieran o cuidaran.

Langley se acobardó. No podía volver a cometer ese error.

Con ninguna de ellas.

Sería como pensar que uno podía coger una joya de la vitrina de la joyería Rundell & Bridges sin que lo pillaran.

O lo castigaran.

—¡Langley, querido! —ronroneó Tasha mientras rodeaba a las demás con su agilidad de felino—. ¿Has dormido bien?

—Sería mejor preguntar cómo ha dormido usted, lady Standon —dijo Lucia con una sonrisa perfecta al tiempo que taladraba con los ojos a su oponente.

Langley siempre había sospechado que la duquesa tenía más sangre de los Borgia de la que decía.

Tasha ignoró su comentario y contestó con uno de su cosecha:

—No debemos fisgonear, señoras. Lo que hace una pareja de prometidos a altas horas de la noche en la alcoba de la dama no es tan difícil de imaginar. —Miró a Minerva como si la calibrara de un vistazo—. Casi siempre, al menos.

—¡Santo cielo, así que es cierto! —exclamó lady Chudley—. ¿Estaba usted en su habitación?

—Me confieso culpable —contestó él con una sonrisa.

—Lo veis, ya lo decía yo —comentó Lucia—. Este compromiso es una locura. Ni siquiera la tía lo sabe.

—¡Exacto! —dijo Minerva—. No hay compromiso que valga.

Lady Chudley se puso en pie y miró de frente a su sobrina.

—Pues si no lo había antes, ahora lo hay.

Tía Bedelia fue fiel a su palabra. Y, fiel a su carácter, no permitió que le llevaran la contraria sobre aquella cuestión.

Si Minerva y Langley habían sido sorprendidos en estado de semidesnudez o, como dijo de manera tan pertinente tata Lucia «in flagrante delicto», entonces estaban prometidos, y cuanto antes se casaran, mejor que mejor.

Así pues, dando un zapatazo, la indomable lady Chudley hizo salir a las otras señoras con la excusa de que quería su consejo para encargar un buen ajuar para la novia, y dejó a Minerva a solas con Langley.

Minerva respiró hondo y se dijo que no debería haber abierto la puerta la noche anterior, ni dejar entrar a las «tatas». Ni siquiera debería haber dejado entrar a tía Bedelia.

Y, ciertamente, debería haber llamado al exterminador de ratas para que limpiara la casa desde el desván hasta el sótano.

La mayor rata de todas estaba arrellanada en su silla, con las manos cruzadas detrás de la cabeza, con cara más bien de ser el gato que se había zampado al canario, y no la alimaña que Minerva sabía que era.

Bueno, la alimaña no: era demasiado guapo para llamarlo así.

A decir verdad, ¿cómo se las ingeniaba un hombre de su edad para seguir siendo tan apuesto, tan encantador, tan absolutamente deseable? Después, a pesar de sí misma, Minerva no pudo evitar preguntarse cuántos años tenía exactamente. A fin de cuentas, tenía dos hijas adultas.

*Arriba hay un ejemplar del anuario* Debrett's. *Échale un vistazo...*

¡No! No iba a empezar a informarse sobre la vida de lord Langley, ni a permitir que la obligaran a casarse con él. No se lo permitiría a nadie. Pero, si había aprendido algo durante sus largos años de viudedad, era a tener paciencia y a esperar el momento oportuno.

Así pues, se sentó y se recompuso mientras la tía Bedelia hacía salir a las damas por la puerta principal. Bueno, a todas menos a una, porque al parecer tata Helga tenía otros planes y se negaba a salir tan rápido. Tras ordenar a su doncella que fuera a averiguar qué había sido de las salchichas que había encargado, volvió a subir las escaleras hecha una furia mientras rezongaba en su idioma, Minerva supuso que explayándose contra la hospitalidad británica.

Mirando por la puerta de la salita de mañana, se sonrió, pues muy pronto daría a la margravina de Ansbach y al resto de sus compañeras una lección de hospitalidad británica que haría que hasta ellas se sonrojaran. Pero primero tenía que encargarse de Langley, la fuente de todos sus problemas.

Después de que se cerrara la puerta principal y la margravina cerrara la de su habitación en el piso de arriba, Minerva contó hasta veinte.

Luego se puso en pie, cruzó la sala y se detuvo delante de él.

Lord Langley le sonrió como lo que era: un truhán impenitente.

—¿Vienes a darle un beso de buenos días a tu prometido?

Minerva se inclinó hacia delante, puso suavemente las dos manos sobre su pecho y sonrió con mucha dulzura.

Luego, lo empujó hacia atrás.

Langley cayó al suelo con satisfactorio estruendo. Acabado su primer trabajo sucio, Minerva se sacudió las manos y luego las faldas, y volvió a cruzar la habitación.

Entre tanto, se oyó un pataleo y el arañar de la silla cuando el barón intentó levantarse.

—¡Por todos los santos, mujer! ¿Es que intentas matarme?

Minerva deslizó de nuevo la mirada hacia el candelero de plata que había en el aparador y se lo pensó un momento. Luego suspiró y se dijo resignada que, al menos de momento, matarlo no era lo más acertado. Tenía que dar por sentado, y con acierto, que la duquesa de Hollindrake se enfadaría con ella más de lo que ya lo estaba si añadía a sus faltas contra la familia Sterling la de asesinar al padre de Su Excelencia, por muy truhán que éste fuese.

Mientras, Langley había logrado ponerse en pie.

—Eso no era necesario —le dijo al tiempo que enderezaba la silla y se tiraba del chaleco para colocarlo en su sitio.

—Pero ha sido muy satisfactorio, —repuso ella con una sonrisa.

—Ése no es modo de saludar a un novio —comentó Langley y, acomodándose de nuevo en su asiento, echó mano de la tetera—. ¿Puedo? —preguntó, señalando su taza con la cabeza.

—No, gracias —respondió ella. Y vio consternada que él llenaba su propia taza y comenzaba luego a servirse tocino, salmón ahumado y otro panecillo—. Yo que usted no me pondría muy cómodo. No va a quedarse.

—¿Y adónde voy a ir?

—No podemos vivir juntos en esta casa. —Su estómago se quejó con un gruñido, pues la comida despedía un olor delicioso, y tenía hambre. A pesar de que sabía que era un error, ella también llenó su plato—. Ese tema no admite discusión. Aquí no puede quedarse.

—¿Por qué no? —preguntó él—. Tenemos una casa llena de carabinas más que dispuestas, he de añadir, a mantenerte bien alejada de mi cama. Y, además, soy muy capaz de refrenarme. Es decir, si insistes.

—Insisto, desde luego que sí. Además, yo nunca he reclamado sus atenciones.

—No, supongo que no —reconoció él—. Pero por lo que he podido ver, quizá sean justo lo que necesitas.

Minerva había escogido ese momento para beber un sorbo de té y acabó escupiéndolo sobre la mesa.

—¿Cómo ha dicho?

Langley le sonrió y ella no supo si aquella sonrisa le hacía más guapo o más exasperante. Las dos cosas, resolvió por fin, intentando hacer caso omiso del firme perfil de su barbilla, del hoyuelo de su mejilla y el brillo de sus ojos azules.

—Lo que quiero decir es que un compromiso matrimonial podría beneficiarte enormemente —dijo como si le sugiriera que probara la mermelada de naranja en vez de la de fresa.

—¿En qué podría beneficiarme comprometerme con usted? —preguntó Minerva, dejando en la mesa su cuchillo y tenedor.

Como ya le había lanzado otra mirada al candelero, decidió que le convenía no tener nada mortífero en las manos.

Langley se recostó en su silla.

—Creía que sería obvio.

—Ilumíneme.

—Con mucho gusto —repuso él—. Es bien sabido que a tu tía le encantaría verte casada y bien establecida y no tendrá reparos en servirse de cualquier medio a su alcance para obligarte a contraer matrimonio, te guste o no.

Minerva dio un respingo. No le costaba imaginarse cómo había llegado Langley a esa conclusión: porque aunque un solo encuentro con tía Bedelia era más que suficiente para deducirlo, sospechaba que Tia también había tenido algo que ver.

A aquella granujilla le encantaba chismorrear, y Minerva podía imaginarse las habladurías, pequeñas y grandes, que la muchacha habría contado mientras jugaba a las cartas con lord Langley.

—Si estuviéramos prometidos, lady Bedelia dejaría de disfrazarte de doncella heroica y de mandarte a bailes de máscaras sólo para llenar tu libreta de baile con libertinos entrados en años y viudos con siete hijos.

Su sonrisa, al concluir, fue como una estocada bien plantada.

Oh, sí, Tia se había lucido.

—Y —prosiguió él, volviendo a fijar su atención en el desayuno mientras hablaba— si eres capaz de mostrarse más cariñosa, quizás incluso puedas convencer a tus invitadas de que cejen en su empeño y se vayan. Si no tienen motivo para permanecer en Londres, partirán con la primera marea.

—Ah, no —contestó ella, sacudiendo la cabeza—. Se irán esta misma tarde.

Langley no se rió, pero sonrió con indulgencia, como si su ingenuidad le resultara enternecedora.

—Se irán —insistió ella—. Ya he pedido los carruajes y, si es necesario, utilizaré la pistola de Thomas-William y las echaré por las malas.

—¿Piensas echar de tu casa a un lacayo cosaco sólo con una pistola? —Sacudió la cabeza—. Espero que estés dispuesta a disparar, porque sólo así se irá sin el permiso de su señora.

Minerva frunció los labios y luego, de pronto, se animó.

—Si le disparo a usted, no habrá motivo para que se queden y yo me libraré de todos a la vez.

—Descuida, teniendo en cuenta mi reputación y la vida que he llevado, es muy posible que tu deseo se cumpla antes de lo necesario —comentó él con su habitual buen humor.

Pero Minerva no se dejó engañar, pues había en sus palabras algo más que sorna.

Una sombría nota de resignación.

Lo miró con desconfianza, pero por algo era Langley un afamado diplomático. Le sonrió mansamente y siguió comiéndose su desayuno.

—¿Qué provecho sacaría usted de semejante componenda?

Había evitado a propósito la palabra «compromiso».

—Insisto, ¿no es obvio? —Tomó un rápido sorbo de té—. No tengo deseos de casarme, pero me temo que me ha sido difícil, por no decir imposible, convencer a los demás de ello. Si estuviera comprometido contigo, quedaría inmediatamente fuera de la liza matrimonial y sería libre de vivir mi vida sin miedo a una complicación inoportuna. —Se detuvo un momento—. Eso, y mi noviazgo contigo, mi encantadora y formal lady Standon, haría mucho para devolverme mi posición dentro de la buena sociedad. Tan malo no puedo ser, si he sido capaz de convencerte para que volvieras a casarte.

Allí había algo más, se dijo Minerva. Porque, si sólo se trataba de evitar el matrimonio, ¿acaso no había demostrado Langley que era muy capaz de hacerlo? Había, sin embargo, algo tan irresistible en su oferta...

Se quitaría de encima a tía Bedelia. Sus huéspedes se marcharían. Y tendría libertad para vivir como se le antojara, igual que deseaba él.

Sí, resultaba tentador aceptar lo que le estaba ofreciendo, pero luego las cadenas del matrimonio la devolvieron al presente con su estrépito. Y había, además, otro factor a tener en cuenta: tía Bedelia. No podrían darle largas eternamente, tarde o temprano llevaría a rastras a lord Langley a la oficina del arzobispo para pedir una licencia especial.

El hombre que tenía ante sí podía ser el espía más escurridizo de toda Inglaterra, pero Minerva temía más las hazañas de casamentera de tía Bedelia. Lord Langley podía haber engañado a Napoleón, pero a la célebre lady Chudley no podría darle gato por liebre.

—No —contestó sacudiendo la cabeza—. No pienso aceptar ningún pacto. No habrá compromiso. Ni noviazgo. Prefiero afrontar el escándalo que causará mi rechazo que encontrarme metida hasta el cuello en algo que ninguno de los dos desea y de lo que no podremos escapar.

Langley meneó la cabeza y pareció dispuesto a hacer lo que, según se contaba, hacía tan bien: ponerse embaucador y no, desde luego, lo otro que también tenía fama de hacer a la perfección, cuando la entrada de la señora Hutchinson le hizo pararse en seco.

—Ah, aquí está —dijo el ama de llaves, tendiéndole una nota a Minerva—. Ha llegado esto para usted. El tipo ha dicho que esperaba respuesta.

Minerva cogió el trozo de papel y respiró hondo: jamás podría acostumbrarse a los pocos refinados modales de la señora Hutchinson. En cualquier otra casa la habrían despedido por su descaro y su nulo sentido de la propiedad. Claro que nadie hacía unos panecillos como los suyos.

Y eso ya era algo, se dijo Minerva mientras miraba la nota doblada y sucia que tenía entre las manos.

*Lady Standon.*

Estuvo a punto de dejarla caer al ver la letra apresurada que figuraba en la parte delantera. ¡Dios mío, no! No podía ser.

Miró de nuevo la letra mientras el latido de su corazón se ralentizaba hasta hacerse sordo y violento. Habría reconocido aquella letra en cualquier parte. Tras echar una ojeada a Langley, que estaba embaucando a la señora Hutchinson poniendo por las nubes sus pasteles, deslizó un dedo tembloroso bajo el sencillo sello de la nota.

Lo que había dentro era peor de lo que temía.

«El dinero está tardando. Explícate. Inmediatamente.»

Volvió a doblar la nota y se la guardó en la manga, escondida, pero no olvidada. Respiró hondo de nuevo para calmar sus miembros temblorosos y logró componer una sonrisa remilgada.

—¿Ha dicho el hombre que esperaba?

—Pues sí. Está fuera, detrás. Un golfo y un caradura. ¿Le digo al hombre de Lucy que se encargue de él?

—No, no —le dijo Minerva, levantándose bruscamente—. No es necesario.

—¿Ocurre algo? —preguntó Langley al ponerse en pie, mientras se limpiaba la boca con la servilleta y la dejaba en el plato—. ¿Puedo ayudar en algo?

—No —contestó precipitadamente, sacudiendo la cabeza—. Es sólo el pintor, que quiere hacerme unas preguntas sobre los colores que quería para esta habitación. —Hizo una pausa y apoyó la mano sobre el puño de su manga, donde había guardado la nota—. Será mejor que me encargue de ello enseguida para que no se retrase el trabajo. Por favor, lord Langley, siga desayunando.

—Nuestra conversación no ha terminado, milady —repuso él mientras ella salía a toda prisa, sin hacer caso de sus palabras. Langley miró a la señora Hutchinson—. ¿No le parece un poco raro el comportamiento de la señora?

El ama de llaves se encogió de hombros.

—Ustedes los señoritos están todos un poco mal de la azotea, ya que me lo pregunta.

—Siento haberlo hecho —contestó Langley, y miró hacia la puerta por la que había huido Minerva.

# Capítulo 5

«... aunque no por mucho tiempo.»
Conclusión del consejo de tata Tasha

Minerva se detuvo en la puerta trasera y estiró la mano trémula hacia el pomo.

—Puedes hacerlo —se dijo en voz baja—. Puedes enfrentarte a él.

Hacía tantos años... ¿Cuánto tiempo hacía? Doce años desde que descubriera la verdad sobre el amor. Sobre él. Parecía una eternidad.

Había sido, como mínimo, en otra vida. En una vida que no quería revisitar. Y sin embargo allí estaba, a punto de enfrentarse a un pasado que había intentado mantener enterrado todos esos años. Sus dedos rodearon el pomo y empujaron la puerta.

Mirando hacia atrás para asegurarse de que nadie la veía, salió al jardín y echó a andar por el desnivelado sendero, hacia la verja, mientras se preparaba para volver a verlo.

Pero cuando salió al callejón, lo encontró desierto. Miró a derecha e izquierda y una fugaz sensación de alivio se apoderó de ella.

Se había equivocado. No era él.

Ah, pero sí lo era. Justo entonces, de la puerta que llevaba al jardín del otro lado de la calle, salió una figura alta y fornida.

—Maggie, mi niña, fíjate.

Minerva se quedó inmóvil. Maggie. No la habían llamado así desde el día en que su padre la había llevado a rastras por el pasillo de la iglesia para casarla con Philip Sterling.

Y en vez de hallar consuelo al oírse llamar por aquel viejo diminutivo que ya nadie usaba desde hacía tanto tiempo, sintió una sacudida de horror.

—No me llames así —dijo, irguiéndose. *Eres la marquesa de Standon. Lo eres. Contra eso no puede hacer nada.*

Ah, pero sí podía.

—¿Qué pasa, Maggie, mi niña? ¿Tan señorona eres ahora que no reconoces a un viejo amigo? No tanto, o no habrías venido corriendo en cuanto he aparcado. Igual que en los viejos tiempos, ¿eh?

—¿Qué remedio me queda? —Cruzó los brazos sobre el pecho y lanzó otra mirada furtiva a un lado y otro del callejón desierto—. Di lo que tengas que decir y márchate antes de que alguien me vea contigo.

*Me vea y se pregunte qué estoy haciendo aquí fuera...*

—Conque te has vuelto quisquillosa, ¿eh? Pero yo sé que no lo eres tanto, ¿verdad? Te conocí cuando no eras tan fina y todavía eras mi Maggie.

Para consternación de Minerva, cruzó el callejón con el mismo paso decidido que antaño la había hecho fijarse en él. Y, por desgracia, seguía siendo tan misteriosamente guapo como entonces.

*Pero no tanto como Langley*, se descubrió pensando. Porque, mientras que el barón era alegre y encantador, aquel hombre destilaba un turbio misterio.

Se detuvo ante ella y le sonrió. Aquella sonrisa habría hecho que se le parara el corazón doce años antes. Pero ésa era la ventaja de que pasara el tiempo y de alcanzar una edad en la que la mirada juvenil daba paso a una lucidez que le permitía a una ver más allá del espejismo de un rostro enigmático y una mirada soñadora.

Porque Gerald Adlington ya no encerraba ningún misterio. No para ella. Todo lo que antaño le había parecido tan excitante, tan enigmático en él, se había desvelado con suma facilidad: Gerald carecía de corazón y de sentido de la lealtad.

Y nunca la había querido.

Pero eso no significaba que no pudiera juguetear con ella. Que no pudiera jugar al gato y al ratón. Aquel juego lo conocía muy bien.

—Bueno, Margaret Owens, puedes ponerte de punta en blanco y llamarte por el título que quieras, que en el fondo los dos sabemos que siempre serás la hija bastarda del viejo Gilston. Mi fogosa Maggie. Mi queridísima esposa.

Desde su puesto junto a la ventana de la salita, Langley vio a lady Standon cruzar a hurtadillas el jardín, como una ladrona. ¿Por qué iba a encontrarse con el «pintor» en las cuadras? Langley había pasado demasiados años desvelando secretos ajenos como para no empezar a preguntarse qué estaba escondiendo Minerva Sterling.

—De modo que usted también tiene sus secretos, ¿no es así, lady Standon? —se preguntó en voz baja.

Oyó detrás de él el chirrido delator del suelo del pasillo y un instante después la voz de una mujer puso fin a sus cavilaciones.

—*Schatzi*, ¿cómo es posible que te interese algo de este horrible lugar?

Helga. Debería haber imaginado que su renuencia a salir tan temprano no era más que una excusa. En efecto, cabía suponer que, si alguien era un ave madrugadora, era precisamente aquella mujer, aguda de vista y lista para arrebatar cualquier cosa en la que pusiera sus miras.

Entró en la sala sin que mediara invitación.

—¿Estás solo? Dios mío, qué confiada es tu amada novia. Claro que ella no te conoce como yo.

Langley se volvió, pues no convenía dar largo rato la espalda a Wilhelmina, la margravina de Ansbach. La saludó educadamente con una inclinación de cabeza. No, no era mujer con la que conviniera jugar.

Ni a la que conviniera dar el más mínimo aliento.

—¿Dónde está? —preguntó Helga, mirando su sitio vacío en la mesa al tiempo que esbozaba lentamente una sonrisa.

—Si te refieres a mi prometida, ha salido a hablar con un obrero.

Helga levantó la mirada y ladeó la cabeza como si no hubiera oído bien.

—¿A hablar con un obrero? ¡Qué vulgaridad! —Se detuvo y pasó un dedo por el respaldo de la silla—. Y qué oportuno.

Luego rodeó la mesa moviéndose como una anguila, hacia él.

—Margravina —dijo Langley con toda la formalidad de que fue capaz.

—Helga —lo corrigió ella—. ¿Recuerdas cuando me llamabas así?

—Sí, lo recuerdo —repuso, y se apartó de ella, colocando una silla en su camino—. Creo que a tu marido le resultaba bastante ofensivo. —Se detuvo y la miró por encima del hombro—. Por cierto, ¿qué tal está el margrave?

—Muerto —contestó Helga sin señal alguna de remordimiento, ni de lástima.

—Cuánto lo siento —dijo Langley, refiriéndose más bien a sí mismo. Casi contaba con que el viejo apareciera con toda su pompa para llevar a su descarriada esposa de vuelta a Ansbach, al lugar que le correspondía.

—No es necesario que me des el pésame —contestó Helga, mirándose las uñas—. Era un cerdo.

Cierto. Pero aun así de vez en cuando había sido capaz de imponerse a su manipuladora esposa.

Durante aquella breve conversación, Helga había logrado acercarse.

—¿Qué te ha pasado, *Schatzi*?

—Nada. Como ves, estoy bien.

Ella meneó la cabeza.

—Has cambiado. No eres el mismo.

—El tiempo siempre se las arregla para obrar ese efecto sobre todos nosotros —repuso él—. Mírame. Estoy prometido...

—¡Bah! —contestó ella, desdeñando el lugar de lady Standon con un airoso ademán.

—Y tengo intención de retirarme al campo.

Helga se echó a reír. A carcajadas.

Langley hizo una mueca, pues por desgracia aquélla no era una de sus cualidades más favorecedoras.

—¡Oh, no, *Schatzi*! ¡Basta! ¡No puedes hablar en serio! —Se agarró al respaldo de una silla para sostenerse—. ¿Tú, en el campo? ¡Qué desperdicio! ¡Qué absurdo!

—No para mí —dijo él con una convicción que ni siquiera sabía poseer.

Porque mientras estaba allí parado, con la margravina, echó la vista atrás y lo que durante tantos años le había parecido divertido y estimulante le pareció de pronto insulso comparado con la posibilidad de instalarse de nuevo en su hogar, en Inglaterra. Los prados verdes y apacibles. Las granjas. Los muros de piedra bordeando las callejuelas. Había hecho el camino a caballo desde Dover como si despertara de un sueño.

—Puede que haya cambiado.

—Umm —dijo ella, reflexiva—. Sí, no hay duda. ¿Se puede saber qué te pasó en París?

Langley se volvió hacia ella.

—Bebí demasiado vino —respondió, bromeando sobre la noche que había cambiado el curso de su vida. Que había estado a punto de ser su fin. Una noche que apenas recordaba por más que lo intentaba. Esa noche era como una vela apagada; cuando se extinguía la luz, no recordaba el mundo de otra manera—. ¿Qué sabes tú de París?

—Lo que las demás, nada más. Que estabas allí y desapareciste. Los rumores eran terribles, querido. He soportado tres años de rumores. Que estabas muerto. Que habías ayudado a Bonaparte. —Escupió el nombre del emperador como un hueso de aceituna—. Pero yo nunca lo creí. Sabía...

Tan pronto las palabras salieron de su boca se detuvo, con la mirada fija en un lado de la cabeza de Langley. Alargó la mano y tocó la cicatriz que salía del arranque del pelo y, rodeando la oreja, llegaba casi hasta la parte de atrás de su cráneo.

Era allí donde lo habían golpeado para dejarlo luego por muerto.

—Eso no estaba ahí.

Helga se estremeció cuando separó su cabello y vio hasta dónde llegaba la cicatriz.

Langley le apartó la mano y se alejó de ella.

—Puede que no te fijaras bien. Me caí de pequeño, ¿sabes? Mientras aprendía a montar a caballo.

Helga se rió otra vez y retrocedió hacia la ventana. El sol de la mañana envolvió como una aureola su cabello rubio.

—Tú no te has caído de un caballo en toda tu vida. Yo diría más bien que tropezaste con un garrote. O que el garrote tropezó contigo. ¿Cuál de las dos cosas fue?

Puesto que no lo sabía, Langley no podía decírselo, pero aquella tanda de preguntas empezaba a incomodarle. Además, no confiaba en ella.

—¿Sabe, señora?, una de las razones por las que adoro a Minerva es que no me incordia preguntándome por mi pasado.

Helga sacudió la cabeza y miró por la ventana mientras sopesaba su respuesta. Y cuando se volvió para mirarlo, era evidente que había encontrado la respuesta perfecta.

—Quizá sea porque no quiere que hurgues demasiado en el suyo.

Señaló con la cabeza hacia el jardín.

A pesar de que sabía que era un error, Langley cruzó la habitación y echó un vistazo por la ventana.

Y lo que vio contestó a varias de las preguntas que se había formulado antes, y dejó en su lugar un montón de dudas por resolver.

—¡Suéltame, Gerald!

Minerva había intentado refugiarse en el jardín, pero él había sido más rápido y la había apresado entre sus brazos. Pero no por mucho tiempo. Minerva logró ponerle las manos en el pecho, lo apartó de un empujón y cerró la puerta del jardín para que estuvieran de nuevo a solas en el callejón, a salvo de miradas curiosas.

—Menuda forma de recibir a tu marido.

—Yo no soy tu esposa —grito, nunca lo había sido.

Aunque una vez había pensado que lo sería. Había estado locamente enamorada de él, hasta el punto de estar dispuesta a casarse. Hasta que su padre había llegado de Londres con la alarmante noticia de que iba a casarla con Philip Sterling, marqués de Standon y futuro duque de Hollindrake.

—Vaya, vaya —repuso Gerald—. Tengo una partida de matrimonio en la que dice que estoy casado con una tal Margaret Owens y los dos sabemos que ésa eres tú. —Se acercó a ella de nuevo, pero esta vez Minerva se escabulló y se volvió para mirarlo de frente—. ¿Quieres que cojamos un coche para ir al Norte, a Gilston House, a ver si algún sirviente recuerda cuál de las hijas del conde eres tú? Es una suerte para ti que esté tan al Norte que sea difícil viajar hasta allí a menudo.

—¿Qué estás haciendo aquí? —Minerva apretó los dientes—. ¿Sabe ella que has venido?

Ella, su hermana. La verdadera lady Minerva Hartley.

Gerald tuvo la delicadeza de parecer un poco avergonzado. Pero sólo un instante. A fin de cuentas, era Gerald.

—No, no lo sabe. Pero ¿cómo iba a saberlo? Ya no está, para que lo sepas.

Minerva entornó los párpados.

—¿Te ha dejado?

Eso explicaría su repentina aparición en su puerta.

Él se rió como si tal cosa fuera impensable. Y lo era, claro. Minnie había estado tan loca por Gerald como su hermana. Pero como hija legítima del conde, un individuo como Gerald Adlington se hallaba muy por debajo de su posición social. Y aquélla había sido la primera vez en que Minerva había podido aspirar a algo que estaba fuera del alcance de su egoísta y altanera hermana.

—¿Dónde está mi hermana? —insistió.

—Está muerta.

Aquella sencilla afirmación hizo que Minerva lo mirara de nuevo. ¿Su hermana, muerta? No, no podía ser cierto. Escudriñó la mirada burlona de Gerald en busca de algún brillo que denotara su engaño.

Y al observarlo con atención, se dio cuenta de algo revelador: no vestía de luto. Un escalofrío corrió por su espalda.

—¿Cuánto tiempo hace, Gerald? ¿Cuándo murió Minnie?

Gerald arrastró los pies mientras lo miraba y desvió los ojos.

—Cinco... puede que seis...

—¿Meses?

Él puso una expresión burlona.

—No, meses, no. Años. Hará unos seis años.

Minerva se tambaleó.

—Pero no me lo habías dicho...

—¿Y qué ibas a hacer, Maggie? ¿Ponerte un brazalete negro por ella? ¿Confesar la verdad? ¿Que te casaste con aquel señoritingo en su lugar? ¿Que sólo eres la bastarda de tu padre?

Minerva tembló por dentro. No de pena, pues sabía que su hermana jamás había pensado en ella, como no fuera por el dinero que Minerva le enviaba. No, Minnie no habría derramado una sola lágrima si ella hubiera muerto, salvo, quizá, porque su muerte habría puesto fin a los pagos regulares.

*Los pagos...* Si Minnie llevaba muerta todo ese tiempo...

Entornó los párpados.

—¡Cómo te atreves! —susurró, temiendo que, si daba rienda suelta a su ira y a la pena que comenzaba a insinuarse dentro de su corazón, volvería a ser de nuevo Margaret Owens y le daría a Gerald su merecido—. ¿Estaba muerta y has seguido aceptando el dinero?

—¿Y por qué no? Si vives entre algodones es gracias a mí. Si no, no valdrías un pimiento.

—¿Gracias a ti? —balbució—. Me cortejaste y luego te escapaste con mi hermana a mis espaldas. A espaldas de nuestro padre.

—Y por eso tú conseguiste tu título rimbombante. Un título estupendo, por cierto. Algo merezco por haberte sacado de la cocina y del cuarto del servicio donde te tenía tu padre.

¿Algo?

—¡Eso es un chantaje!

Gerald se encogió de hombros con indiferencia.

—Dicho así suena muy feo, Maggie, pero supongo que hay quien podría verlo de ese modo. Yo, no.

Tuvo la audacia de guiñarle un ojo.

—Sal de aquí —le espetó, señalando el callejón.

Él le bajó la mano bruscamente.

—No pienso marcharme sin mi dinero. Para eso he venido. Esta semana, cuando fui a Brighton a recoger el pago trimestral, ese abogado borrachín me dijo que tu cuenta estaba cerrada. Vacía. Eso no se hace, Maggie. Dejar a tu propia familia en la miseria.

De pronto entendía qué hacía allí Gerald. ¡Sus cuentas! Había olvidado por completo la parte de sus ingresos que solía transferir discretamente a un abogado de Brighton, quien a su vez se encargaba de entregar el dinero a su hermana.

Desde su destierro a la casa de Brook Street, sus cuentas habían sido canceladas, al igual que las de Elinor y Lucy. No había dinero que enviar. Ya no. Lo miró y sonrió.

—Me temo que me he enemistado con el nuevo duque y su esposa. Me han dejado sin asignación. No tengo dinero.

Gerald ladeó la cabeza y la miró atentamente.

—Pero ¿qué tontería es ésa? No pienso dejar que los de tu ralea me toméis el pelo.

—No le estoy engañando, señor Adlington, si es eso lo que está diciendo. En absoluto —le dijo con frialdad—. Tengo esta casa para vivir y poco más.

Gerald miró la casa.

—¿Hay algo de plata ahí dentro?

A Minerva se le agotó la paciencia.

—¡Santo cielo, bastantes apuros tengo ya con el duque! ¡No quiero más líos! ¿Y has visto bien la casa? Puedo asegurarte con toda franqueza que no hay nada de valor en ella. —Puso los brazos en jarras—. Tendrás que vivir conforme a tus medios. ¿Tu paga del Ejército no...?

Entonces reparó en algo que le había extrañado desde el principio, aparte de su repentina llegada: iba sin su uniforme.

—¡Has vendido tu puesto en el Ejército!

Sus palabras sonaron como un reproche. Porque, naturalmente, lo habría vendido. Y luego se habría gastado hasta el último penique.

¿Cómo había podido amarlo alguna vez? ¿Cómo había podido considerarlo un héroe? De nuevo, sin saber por qué, pensó en lord Langley y en lo distinto que era. Langley era un libertino y un seductor, sí, pero no era del todo un granuja, un hombre capaz de vivir a expensas de las mujeres.

—¿Y qué si lo vendí? Eso no es asunto tuyo. Me sigues debiendo mi paga, eso es lo que importa. —Movió la mandíbula hacia adelante y hacia atrás—. ¿Tienes joyas?

Minerva suspiró, exasperada.

—No. Todas las joyas de los Sterling pertenecen a la duquesa.

Incluidos los diamantes Sterling, que Minerva había olvidado entregar. Por suerte para ella, la duquesa de Hollindrake parecía desconocer que tenía derecho a ellos. Y si no se los había entregado a su legítima propietaria, menos aún iba a entregárselos a Gerald Adlington.

Ni siquiera para guardar su secreto. Prefería entregárselos a la duquesa, lo cual era casi lo mismo.

—Vamos, Maggie —insistió él—. Sigues siendo una preciosidad. ¿No hay nadie a quien puedas echar el guante? ¿Otro de esos carcamales que sufra del corazón y tenga un pie en la tumba, igual que el último? Creo que ahora mismo te vendría muy a mano.

Lo que le vendría muy a mano sería la pistola de Thomas-William.

Minerva se maldijo por no haberlo pensado antes. Sobre todo ahora que Gerald la estaba presionando para que se casara. ¿Por qué diantres todo el mundo en Londres parecía empeñado en verla casada?

Cielo santo, aquel rufián era igual que tía Bedelia. Peor, quizá.

—Me temo, señor Adlington, que nuestro acuerdo ha terminado.

Fue a pasar por su lado, pero la agarró del codo y la sujetó con fuerza.

Minerva vio con estupefacción que levantaba la otra mano como si se dispusiera a propinarle un golpe furioso.

—Escúchame, señoritinga —le susurró al oído violentamente, escupiéndole las palabras—. Vas a conseguirme el dinero y se acabaron las tonterías, o iré a casa de ese duque y le contaré quién eres en realidad. Luego le enseñaré mi partida de matrimonio, la que dice que estoy casado con Margaret Owens, y exigiré que te entregue a mí.

La zarandeó, de propina, sólo para asegurarse de que le había entendido bien.

Y Minerva le había entendido, desde luego.

—No te atreverás, Gerald.

—Claro que me atreveré, no creas que no. ¿Y entonces qué, Maggie? ¿Qué harán los Sterling cuando descubran que han estado a punto de tener a una bastarda por duquesa? ¿Qué dirán cuando se enteren de que tu padre les dio el cambiazo hace años? ¿Crees que te dejarán volver a entrar en su casa? —Sacudió la cabeza—. Te echarán a la calle con lo puesto, y puede que ni eso.

Minerva se tambaleó ligeramente, sintiendo que le flaqueaban las rodillas. La pesadilla que había temido durante años estaba empezando a hacerse realidad.

—Así que, si no encuentras nada de valor en esa casa para darme lo que me debes —prosiguió Gerald—, ya puedes ir buscándote un marido, y rapidito.

Minerva intentó desasirse, pero su garra era como el tornillo de un herrero.

—Puede que haya... Quizás... Hay alguien.

—Ahora empiezas a entrar en razón —dijo él, aflojando un poco la mano—. No será una treta tuya, ¿verdad? ¿Sólo para darme largas?

—Hay una persona —insistió ella—. La verdad es que me he comprometido hace poco, pero casi nadie lo sabe.

Gerald la miró como si calculara hasta qué punto era sincera, y ella añadió con firmeza:

—Un barón. Bien situado.

Ignoraba si Langley tenía algún dinero propio, pero dudaba de que Adlington estuviera al corriente de ese detalle.

—¿Quién es?

—Lord Langley.

Como sospechaba, Adlington meneó la cabeza.

—No he oído hablar de él.

—¿Y por qué ibas a oír hablar de él? —replicó ella, desasiéndose por fin—. Es un hombre honrado.

Posiblemente era mucho decir, pero a fin de cuentas estaba hablando con Gerald.

Temió por un momento haberse precipitado. Se había acostumbrado a ser una marquesa, una dama, una mujer a la que ningún caballero se atrevería a golpear, ni siquiera a llevar la contraria. Pero para aquel hombre no era más que Margaret Owens, la hija ilegítima del conde de Gilston.

Vio sin embargo con sorpresa y alivio que Gerald le sonreía y bajaba la mano en lugar de agarrarla por debajo de la barbilla, como solía hacer cuando la había cortejado.

—Sigues teniendo fuego en las entrañas y la lengua bien afilada,

Maggie. Acabas de demostrar lo que decía siempre mi madre: «Pueden sacarla a una del sótano, pero el sótano siempre se queda dentro de una».

Algo dentro de Minerva se quebró. Durante todos aquellos años, mientras la trataban con la deferencia debida a una marquesa, a la hija de un conde, había olvidado lo que significaba no ser más que la bastarda de la cocina. En ese instante, sin embargo, lo recordó con un fogonazo que la sacudió por completo.

Agarró la manga de Gerald, lo miró a los ojos y dijo con todo el ardor que aún tenía en las entrañas:

—Y tú harás bien en recordar el dicho preferido de mi madre: «Si demasiado canta el gallo viejo, hora es de cortarle el pescuezo».

Le pareció por un instante que lo sentía temblar bajo sus dedos. *Bien*. Convenía que supiera que no había olvidado por completo su origen servil. Quizá su padre hubiera sido el amo y señor, el conde de su señorío, pero su madre... su madre había sido temible por otros motivos.

Gerald la miró fijamente. Luego soltó una risotada intranquila y apartó la manga de su mano.

—Cásate con ese barón tuyo, Maggie, y usa esa dulce boquita para algo que no sea soltar amenazas. Convéncelo para que te asigne una renta generosa. Me he acostumbrado a tu tren de vida.

Se inclinó ligeramente ante ella y se volvió para marcharse.

—Ah, y no creas que no voy a estar vigilándote, Maggie, mi niña. Intenta largarte sin mí y será tu ruina.

Minerva pasó unos instantes recomponiéndose mientras Adlington se perdía de vista.

Sabía, sin embargo, que no iría muy lejos. Si de algo estaba segura, era de que nada agradaba más a Gerald Adlington que el dinero.

—Maldito canalla —masculló al cruzar la puerta del jardín y enfilar el sendero.

—¿Problemas con el pintor?

Levantó la vista bruscamente y vio con horror que Langley estaba apoyado contra el quicio de la puerta, con cara de inocencia.

Con cara de excesiva inocencia.

—Nada que no pueda solventar —dijo, irguiéndose hasta quedar recta como una vara.

—¿Puedo ser de alguna ayuda?

Minerva vaciló y no se atrevió a mirarlo, pues Langley había formulado la pregunta con aquel aire suyo de candor. Y si algo había aprendido sobre aquel hombre en el poco tiempo que hacía que se conocían era que no tenía nada de cándido, ni de inocente.

Langley siempre tenía un plan. O estaba maquinando alguno.

—No, nada —respondió para ganar tiempo. O mintió, mejor dicho—. Si me disculpa, tengo que revisar mis cuentas. No me gusta descuidarlas. Se pasan por alto muchos detalles si no está una atenta a cada gasto.

—Práctica y minuciosa —repuso él, pensativo—. ¿Estás segura de que no puedo ayudarte? Quizá no se me den muy bien las cuentas, pero tengo otros talentos que tal vez te sean útiles.

Minerva no lo dudaba. Y a decir verdad, al lanzarle una ojeada y esbozar una tenue sonrisa, se preguntó si no conocería a alguien que pudiera fingir un accidente. Enseguida descartó la idea, sin embargo. Si se lo preguntaba, a él, o a Thomas-William, o a Lucy, tendría que explicarles por qué quería que Gerald Adlington acabara en el fondo del Támesis.

¿Y qué diría entonces?

*Estábamos prometidos hasta que se escapó en secreto con mi hermana y a mí me trajeron a Londres en lugar de Minnie.*

Porque sucedería exactamente lo que suponía Adlington: los Sterling la pondrían en la calle sin pensárselo dos veces. ¿Y qué decir de tía Bedelia? ¿Qué sería de ella si se descubría que su amada sobrina era hija ilegítima?

No, no podía hacer otra cosa que parar los pies a Adlington, y un modo de hacerlo era...

—A decir verdad, lord Langley —dijo, parándose en el escalón, a su lado—, hay algo que sí puede hacer por mí.

Él inclinó la cabeza.

—Lo que sea, milady.

—He estado pensando en su proposición...

—¿Sí?

La miró de soslayo.

—Sí —contestó apresuradamente, pues no quería entrar en detalles respecto a su cambio de opinión. Además, el poco tiempo que había pasado con lord Langley le había permitido descubrir que tenía vista de halcón para los pormenores. Igual que su hija, Felicity—. Y, por tanto, acepto su proposición...

Langley pareció a punto de decir algo, pero ella lo atajó levantado la mano.

—Sin embargo, tengo tres condiciones.

—¿Sólo tres? —bromeó él.

Minerva hizo caso omiso y continuó:

—No compartiré su cama.

—Mi cama del desván es bastante estrecha. Yo confiaba en que compartiéramos la tuya. Por el poco tiempo que pude disfrutar de ella, me pareció bastante cómoda.

Ella lo miró levantando una ceja, y él sacudió la cabeza.

—Si insistes. Nada de compartir la cama.

—Y no habrá más besos.

—¿No más besos? ¿Y cómo esperas que convenzamos a nadie, y menos aún a mis viejos compañeros de correrías, si no nos ven apasionadamente enamorados el uno del otro?

—Eso servirá para limpiar su mala reputación. Como usted mismo ha dicho, ha cambiado —repuso ella con mordacidad.

—Demasiado para mi gusto —masculló él, y de nuevo hizo una ademán—. Está bien, nada de besos. ¿Cuál es la tercera condición?

—Que no me avergonzará con una conducta inadecuada.

Langley se quedó callado un momento. Luego sus ojos brillaron, divertidos.

—¿Qué quiere decir exactamente, lady Standon?

Minerva frunció los labios y se pensó si darle otro empujón. El condenado sabía perfectamente a qué se refería, pero iba a obligarla a decirlo.

Pues bien, lo diría.

—No permitiré que mi prometido frecuente a otras señoras

mientras estemos comprometidos en matrimonio. Tengo que pensar en mi reputación, así como en la de mi familia.

—Y después de la boda, ¿seré libre entonces de ir de flor en flor?

—Lord Langley, este noviazgo es un acuerdo temporal.

—Bien, me alegra saberlo, ya que acabas de cortarme las alas por el momento.

—Sin duda podrá refrenarse unas pocas semanas.

—Si no queda otro remedio...

Se arrimó a ella con una sonrisa, como si se dispusiera a sellar su pacto con un beso.

—No, no queda otro remedio —replicó ella, empujándolo.

Langley se encogió de hombros, aparentemente impertérrito porque dijo:

—Yo también tengo mis condiciones.

Minerva, que estaba a punto de pasar a su lado y entrar en la casa, se detuvo, recelosa de inmediato.

—¿Y cuáles son esas condiciones?

—Que tú aceptes los mismos términos que me has impuesto. Que aceptes no compartir mi cama, que no me supliques más besos y, lo más importante, que no frecuentes a otros hombres.

Miró hacia la puerta del jardín que daba al callejón y enarcó una de sus elegantes cejas.

Minerva se quedó de piedra. ¡Santo Dios! ¿Qué había visto?

O, peor aún, ¿qué había oído?

Se quedó mirándolo un momento, esperando a que preguntara algo, a que dejara entrever lo que sabía, pero Langley se quedó allí parado, encantadoramente apuesto y en apariencia tan inocente como un corderillo.

En otras palabras, que no estaba dispuesto a enseñar sus cartas.

—De acuerdo —le dijo ella entre dientes—. Descuide, que cumpliré mi parte del trato.

—Eso espero —le oyó decir al pasar apresuradamente a su lado.

Langley vio entrar a lady Standon como si se diera a la fuga. Pero podía correr todo lo que quisiera, que él tenía intención de descubrir por qué le había mentido y por qué había aceptado de pronto su falso compromiso matrimonial.

Sospechaba que tenía algo que ver con las constantes maquinaciones de lady Chudley y aún más con el «pintor» del callejón. Un sujeto al que quería echar un vistazo más de cerca.

Cruzó el sendero del jardín, abrió la puerta y recorrió a toda prisa el callejón en la dirección por la que había visto alejarse al desconocido.

Porque, aunque se había dado prisa en bajar las escaleras y salir a hurtadillas al jardín para oír lo que decían, sólo había logrado entender lo último que aquel individuo le había dicho a lady Standon: «Será tu ruina».

¿Qué podía tener contra ella aquel sujeto que podía ser tan desastroso? Lady Standon no parecía de ese tipo de mujeres.

Luego pensó en el beso que se habían dado la noche anterior...

¿Quién hubiera imaginado que podía haber tanta pasión contenida en una mujer tan recta y formal?

Langley sacudió la cabeza. ¡Nada de besos! Qué idiotez. La dama ardía en deseos de que la besaran, aunque ella no lo supiera.

Lo cual era otro problema. Ciertamente, no era una viuda alegre que buscara escarceos amorosos aquí y allá y disfrutara de la libertad que le permitía su posición. Muy al contrario.

Todo lo que había oído contar a sus sirvientes durante la semana anterior, sumado a la impresión que había extraído de ella al conocerla, conducía a pensar que lady Standon llevaba una vida absolutamente irreprochable.

La perfecta señora respetable.

Langley, sin embargo, no estaba muy convencido. Ahora, no. A fin de cuentas, la había besado. Y sabía por experiencia que una respetabilidad mantenida con tanto celo solía ser únicamente un escudo tras el que protegerse.

Pero ¿protegerse de qué?

Había llegado a la esquina y estaba tan enfrascado en sus pensamientos que se tropezó con un tipo grandullón que venía de frente. Levantó la vista y vio a Thomas-William delante de él.

—Justo la persona que necesito —comentó, pensando en reclutarlo para averiguar quién podía ser el pintor de lady Standon.

Sin embargo, la investigación a la que pensaba someter a su flamante prometida se disolvió en cuanto Thomas-William dijo:

—Milord, creo que he encontrado a alguien que puede ayudarnos.

Miró hacia las concurridas calles de Londres por las que había desaparecido el «pintor». No había ni rastro del hombre.

No, al parecer lady Standon y sus secretos tendrían que esperar, de momento.

# *Capítulo* 6

«Lord Langley es tan disoluto como sospechábamos desde hace tiempo. Me quedé de piedra cuando lo conocí esta tarde en casa de lady Standon. Verdaderamente, no hay hombre más pícaro sobre la faz de la Tierra.

Pero ¿cómo va a mantenerlo entretenido una mujer tan sosa como Minerva Sterling, ahora que están prometidos? Sí, mi querida lady Finch, están prometidos en matrimonio. ¿Se imagina lo que dirá la duquesa de Hollindrake cuando se entere?»

Fragmento de una carta de lady Ratcliffe a lady Finch

Así que has decidido no huir —dijo Langley mientras Thomas-William y él cruzaban Londres para ir a reunirse con un posible contacto perteneciente al Foreign Office.

Thomas-William se encogió de hombros. No era muy dado a hablar. Los silencios eran su fuerte.

—Déjame adivinar —prosiguió Langley, recostándose en el asiento del simón—. Te diste cuenta de que, si volvías a casa de Lucy y le decías que no ibas a quedarte con lady Standon, tendrías que reconocer que te daba miedo estar en una casa llena de mujeres.

El sirviente exhaló un suspiro de fastidio y cruzó los brazos, con la vista fija en la ventanilla.

—Por lo visto, a usted no.

Langley le sonrió.

—Es mi elemento.

Thomas-William lo miró fijamente.

—¿Y va a casarse con ésa?

*Lady Standon.*

—Ah, así que te has enterado.

Thomas-William asintió escuetamente.

—No temas. La señora y yo tenemos un acuerdo. De eso no saldrá nada.

El sirviente levantó las cejas.

—¿Esa tía suya también forma parte del acuerdo?

—¿Quién, lady Chudley?

Thomas-William se encogió de hombros.

—Sí, ésa. Deje plantada a su sobrina y le cortará la cabeza.

—No pienso echarme atrás de manera deshonrosa.

Se detuvo un momento, pensando en lady Standon cuando había vuelto al jardín: trémula y asustada.

No, lo último que quería era aumentar sus motivos de angustia.

—Además, yo sé vérmelas con lady Chudley y las de su clase. A fin de cuentas, se la ve venir. O, mejor dicho, se la oye.

Al oír aquello, Thomas-William se rió un poco, pero su regocijo no duró mucho.

—Sí, pero eso no lo salvará de la señorita Lucy. Si le rompe el corazón a lady Standon, la señorita Lucy se encargará de liquidarlo. —Hizo una breve pausa—. Y a ella no la verá venir.

No, no la vería. Langley tuvo la prudencia de tomarse en serio la advertencia de Thomas-William, pues no era cosa de risa. No había en el Foreign Office un solo hombre entrenado por George Ellyson que, por bueno que fuese, no abrigara en el fondo de su corazón un terror secreto por la hija de su maestro.

—No temas por lady Standon —le dijo a su amigo—. Es demasiado sensata para caer presa de mi encanto.

El carruaje se detuvo y Thomas-William señaló hacia la puerta con la cabeza.

Llevado por la costumbre, Langley echó un rápido vistazo por la ventanilla para inspeccionar el lugar donde se disponía a apearse. Y lo que vio no le levantó el ánimo, precisamente.

—¿Aquí?

Thomas-William asintió con un gesto. Y como era prácticamente el único hombre en todo Londres del que se fiaba, Langley abrió la portezuela y salió. Al instante se dio cuenta de que estaban en uno de los barrios de peor fama de la ciudad. Detrás de él se habían erguido antaño una gran torre y un reloj que marcaban la confluencia de siete calles. Ahora, sin embargo, aquel lugar no era más que una guarida de ladrones. Incluso en pleno día reinaba en él una atmósfera turbia y sombría.

Era, además, el sitio perfecto para matar a un hombre sin dejar ni rastro. Y sin testigos, desde luego.

—¿Seven Dials? —dijo más en tono de sorna que de interrogación.

—A mi contacto le pareció lo mejor.

Al parecer, su cochero, al que habían tenido que pagar por adelantado para que les llevara a aquella dirección, no era de la misma opinión, pues el coche se alejó enseguida a toda velocidad.

—¿Tu contacto? —dijo Langley mientras paseaba la mirada entre el gentío que pululaba por allí, intentando adivinar quién podía ser.

En ese momento salió corriendo de entre las sombras una panda de golfillos callejeros que, como cíngaros, hicieron un corro a su alrededor y comenzaron a tirarle de la levita, dándole vueltas, gritándose los unos a los otros y mofándose de él.

—¡Eh, eh! —protestó Langley—. ¡Que ése es mi reloj! ¡Y ésa mi cartera! ¡Y ése era mi sombrero! —Intentó arrebatarle su chistera al pilluelo, se la habían hecho de encargo en París, pero éste fue más rápido y se quitó de su alcance enseñando al sonreír las mellas de los dientes—. ¿Y si me echaras una mano, Thomas-William?

El otro se quedó en la acera, riéndose.

Para cuando los ladronzuelos pararon, le habían vaciado los bolsillos y Langley se tambaleaba en medio del barro, perplejo y aturdido. Cuando por fin consiguió enfocar la mirada, descubrió que Thomas-William estaba en compañía de un individuo vestido con toscas calzas, camisa y chaqueta corrientes y un par de recias botas.

¿Quién era aquel hombre? ¿El guardián de los chiquillos, que había venido a rematar la faena?

Así fue, en cierto sentido. Pues el hombre, el joven, en realidad, como pudo advertir Langley cuando se echó hacia atrás el sombrero de ala ancha, le tendió la mano y dijo:

—Soy lord Andrew Stowe, al servicio de Su Majestad. Para mis agentes y para mí es un honor serle de ayuda.

Cuando Minerva llegó al refugio de su habitación, se había olvidado por completo de sus cuentas.

—¡Hombres! —masculló al entrar hecha una furia y cerrar de un portazo... al menos, hasta donde se cerraba la puerta sin las dichosas bisagras—. ¡Malditos sean todos!

Su padre, Gerald Adlington, el duque de Hollindrake, Thomas-William y... y...

Su lista llegó a su fin con un balbuceo cuando vio una levita de lana negra pulcramente doblada en la esquina de su cama.

Y sobre todo lord Langley, concluyó mientras cruzaba la habitación con paso resuelto, agarraba la levita olvidada y la arrojaba al suelo.

Se le pasó por la cabeza lanzarla por la ventana, que era lo que debería haber hecho con su dueño, pero entonces miró la dichosa prenda que había contribuido a ponerla en aquel brete y, en lugar de recogerla y arrojarla por la ventana, se detuvo, pues la levita de Langley había quedado abierta al caer al suelo y en el forro interior distinguió una extraña abertura.

Parecía un bolsillo, o un escondite en el que ocultar lo que uno no quería que se encontrara fácilmente.

*No, no debes*, se dijo. Husmear en los secretos ajenos era más bien cosa de Lucy que suya, argumentó.

Claro que...

Echó un vistazo a su alrededor; no hacía falta, pues estaba completamente sola, pero aun así no le gustaba fisgonear, se apartó de la cama y se sentó junto a la chaqueta. Deslizó la mano por la abertura y sacó un paquete delgado envuelto con un pañuelo con la inicial T y adornado con florecillas bordadas con sencillez en una esquina.

*T. ¿Quién es «T», milord?*, se preguntó. *¿Una antigua amante? ¿Una querida? ¿Una concubina? Alguien tan importante que has llevado este pañuelo algún tiempo, a juzgar por lo gastada que está la* *tela*. Desdobló cuidadosamente el pañuelito y encontró dentro un fajo de cartas atadas con una cinta azul clara.

Otro misterio, se dijo, pues la cinta deshilachada apenas conseguía mantener las cartas unidas. Saltaba a la vista que había sido atada y desatada en innumerables ocasiones. Las esquinas y los bordes ajados del papel amarillento denotaban asimismo que aquellas cartas habían sido leídas y releídas una y otra vez.

Fuera lo que fuese lo que contenían aquellas cartas, para lord Langley eran más preciosas que el oro y las gemas, pues Minerva comprendió sin sombra de duda que las había llevado consigo durante años, guardadas allí, en el bolsillo de la pechera, encima de su corazón.

Minerva se mordió el labio y observó las cartas que sostenía en las manos, pensando en lo que podían encerrar.

Y aunque se dijo que sin duda estarían relacionadas con la fama de libertino de Langley, al dar la vuelta al fajo descubrió que podía distinguir fácilmente el contenido de la carta de abajo y la misteriosa «T» que ocupaba un lugar tan destacado entre los afectos de Langley.

*Querido papá:*

*Felicity dice que no debo escribirte por este asunto, pero te ruego que vuelvas a Inglaterra y nos saques del colegio de la señorita Emery. Felicity dice que no puedes volver hasta que hayas limpiado tu nombre, pero es tan horrible estar aquí sin ti...*

Una punzada atravesó su pecho, pues había pensado lo peor de aquel hombre, en lugar de sospechar dónde residían sus verdaderos afectos. ¡Cuán difícil resultaba creer que Langley, el lord Langley de las amantes y las célebres aventuras amorosas, de fama demasiado escandalosa para hablar de ella, albergara un cariño tan tierno que llevara aquellas cartas en secreto!

No eran recuerdos de algún amor furtivo, ni el retrato de una exótica dama extranjera con los ojos pintados de kohl, sino las súplicas amorosamente escritas de su «T». La te de Thalia Langley. Su hija. La gemela de Felicity Langley.

No necesitó leer más, pero estuvo largo rato con el fajo de cartas en las manos mientras las palabras de Thalia resonaban en su cabeza.

*... hasta que hayas limpiado tu nombre...*

Aquella sola idea la hizo estremecerse, pues comprendió que lord Langley no había vuelto únicamente para poner patas arriba la alta sociedad londinense, sino para zanjar un asunto mucho más peligroso. Sin duda no había querido involucrar a sus hijas en las turbias ocupaciones que lo habían llevado lejos de Inglaterra. Lejos de ellas.

No, las había dejado en el colegio de la señorita Emery no sólo para limpiar su nombre, sino también el de ellas, y no había querido, desde luego, que se vieran mezcladas en sus manejos.

Aun así, eso no calmó sus nervios ni la hizo cambiar de opinión sobre él, pues comprendió sin sombra de duda que ahora se hallaba inmersa en sus enredos.

Le gustara o no.

Un rato después entró Agnes quejándose de que «no estuviera lista aún».

Minerva, que seguía sentada en el suelo, levantó la vista. ¿Lista para qué?

Entonces se acordó de que era martes y, por tanto, esa tarde recibía en casa.

Lo que significaba que durante las horas siguientes tendría que soportar la cháchara ociosa y los insípidos cumplidos de los cazafortunas y libertinos que, tras enterarse de que el conde de Clifton se había casado con Lucy y el duque de Parkerton con Elinor tras un noviazgo fugaz, se dejaban caer por su casa para ver qué tenían de especial las viudas Standon.

Y junto a aquellos sinvergüenzas estaría también el plantel habitual de viudos en busca de una segunda u, ¡horror de los horrores!, una tercera o cuarta esposa, amontonados como otros tantos troncos resecos. Aquellos roñosos llegaban con la bendición de la tía Bedelia, que les había asegurado que su queridísima sobrina era, de las tres viudas, la que más les convenía.

Pero incluso desde el segundo descansillo intuyó Minerva que ese martes sería distinto. Porque aún faltaba media hora larga para su «hora de visita», y ya se oía una algarabía procedente del salón de abajo.

Voces femeninas. Un bullicio de cloqueos y graznidos, como el de un gallinero lleno hasta los topes de aves parlanchinas.

—¡Pero, querida, ella no tiene *joie de vivre*! ¡Carece de estilo! Se aburrirá antes de que pase un mes —estaba diciendo tata Tasha.

—¡Sí, sí! ¡Exacto! Es un hombre del Continente. Un hombre de mundo —agregó tata Lucia—. No se casará con ella, porque acabaría con ella en... en... ¡Ay! ¿Cómo se dice en inglés *due... due*?

—*Deux semaines* —repuso Tasha en francés.

—En quince días, querida —agregó tía Bedelia—. Nosotros decimos «en quince días».

*Cuán amable por tu parte ayudarlas, tita*, se dijo Minerva desde lo alto de la escalera.

—¡Eso es! ¡En quince días! —terció la margravina—. O menos.

—Creo que mi sobrina les sorprenderá.

La tía Bedelia parecía extraordinariamente segura de sí misma.

Minerva notó un golpecito en el hombro y dio un respingo al saberse sorprendida escuchando a escondidas.

—¡Jamilla! —exclamó.

La princesa Jamilla Kounellas era otra de las amantes de lord Langley. Había llegado a Londres hacía casi un año, y desde entonces había vivido intermitentemente en la casa de Brook Street y escandalizado a la alta sociedad por lo estrafalario de sus modales y su vestimenta.

Pero Minerva siempre había sentido simpatía por tata Jamilla, pues aquella mujer no tenía pelos en la lengua.

—¡No puedo creer que Langley sea capaz de esto! ¡Y menos aún con ella! —se lamentó Tasha dentro del salón.

Jamilla levantó las cejas al oír su acento característico.

—¡Esa loba rusa se ha adueñado de mi habitación! —se quejó, ofendida, señalando con la cabeza hacia el salón—. ¡Bah! Debí imaginar que vendrían en cuanto se corriera la voz por Europa de que Langley estaba vivo.

Minerva se quedó inmóvil. Luego miró a Jamilla por encima del hombro.

—¿Tú sabías que estaba vivo?
Su rostro se iluminó.
—Sí, claro. Por eso vine a esta horrible ciudad el año pasado. Para decirles a mis queridas niñas que había hecho todo lo posible por sacar a su padre de la cárcel...
Minerva dio un paso atrás.
—¿Lord Langley estaba en la cárcel?
Jamilla agitó la mano al oír su pregunta.
—Naturalmente. ¿Dónde iba a estar todo este tiempo, si no?
*¿Dónde, en efecto?*, pensó Minerva, un poco perpleja. Pero aun así...
—¿Sabías que lord Langley estaba vivo y lo has mantenido en secreto? —preguntó, bastante asombrada, por cierto, pues Jamilla no era precisamente famosa por su discreción.
—Por supuesto que sí, aunque creía que había sido más discreta con los chantajes de los que me serví para sacarlo de prisión —añadió—, porque me temía esto. —Miró de nuevo escalera abajo y meneó la cabeza, como si acabara de descubrir que una jauría de perros callejeros acababa de entrar en la casa—. ¡Qué criaturas tan horribles! Y me temo, querida mía, que es imposible librarse de ellas.
*Igual que de ti*, se dijo Minerva, recordando todas las argucias que había usado la duquesa de Hollindrake para enviar, sin éxito, a Jamilla de vuelta a París. Ahora entendía un poco mejor, sin embargo, por qué se había quedado la antigua niñera.
—Has estado esperando a que volviera —dijo Minerva en tono de afirmación, más que de pregunta.
—Antes, quizá —reconoció Jamilla con la mirada fija en el piso de abajo—, pero ya no. Langley pertenece a mi pasado, y no es lo bastante rico para sufragar mis gustos. No, si me he quedado ha sido por mis queridas niñas, para verlas reunidas con su padre, y en cuanto Langley resuelva este embrollo... —Agitó de nuevo la mano, pero esta vez señalando hacia el salón— seguiré con mi vida.
«Embrollo» era la palabra que habría usado Minerva para describir la reunión que estaba teniendo lugar en su salón.
Desde abajo les llegó una voz estridente que resonó en el piso de arriba.

—Pero ¿casarse con ella? ¡Puaj! ¡Es espantoso! —estaba diciendo la margravina—. Dios mío, mi *Schatzi* apenas la conoce, y si la conociera de verdad... —La dama profirió un sonido descortés y Minerva casi pudo ver el ademán desdeñoso de sus dedos llenos de anillos—. Ella no podrá retenerlo. ¿Cómo va a retenerlo una mujer así?

—¿Casarse? —Jamilla miró a Minerva a los ojos—. ¿Langley va a casarse? ¿Qué está diciendo esa idiota?

—Lord Langley está prometido —repuso Minerva.

Esta vez fue Jamilla quien resopló.

—¿Langley, casarse? No es de ésos. No, a no ser que haya caído en la trampa de alguna ridícula criatura sin escrúpulos y de cuestionable...

—Está prometido conmigo —añadió Minerva—. Langley ha pedido mi mano.

Jamilla se quedó parada y luego sonrió de oreja a oreja.

—¡Ja! ¡Lady Standon, quién iba a imaginar que eras capaz de gastar bromas tan graciosas!

—Pero no estoy bromeando —le dijo Minerva.

—*Est-ce vrai?* —preguntó la princesa, volviendo a su lengua materna, como hacía cuando algo la desbordaba.

—Sí.

Jamilla miró hacia el salón.

—Langley ha de tener sus motivos —dijo en voz baja. Luego se animó y sonrió a Minerva—. ¿Y a las otras no les hace ninguna gracia?

—No, ninguna.

La antigua niñera se alegró.

—¡Ay, querida, qué maravilla para ti! —Miró a Minerva desde la coronilla del pelo castaño, recogido en un sencillo moño, a los insulsos escarpines de sus pies, pasando por el discreto vestido de tarde—. Pero tienen razón, desde luego —añadió—. ¿Cómo vas a conseguir que se quede a tu lado?

Langley comprendió de inmediato que en lord Andrew Stowe había encontrado a un aliado.

A pesar de ser tan joven, probablemente no tenía más de veinte años, lord Andrew era el último agente al que había entrenado Ellyson antes de morir, cinco años atrás. Y, siendo un Stowe, lord Andrew formaba parte de un largo linaje de hombres que habían servido lealmente a sus reyes y reinas. Tercer hijo del marqués de Drayton, no había alcanzado aún toda su estatura y sin embargo imponía respeto, incluso con aquel atuendo de rufián.

Tras estrechar con vehemencia la mano de Langley, lord Andrew lo invitó a tomar un trago y juntos se adentraron en las entrañas de Seven Dials, camino de los aposentos donde vivía el joven, seguidos por una hilera de golfillos.

Pero eso fue después de que lord Andrew ordenara a la pandilla de ladrones que devolvieran sus pertenencias a lord Langley.

—Por desgracia, en el Foreign Office había quienes me juzgaban demasiado joven para enviarme al Continente cuando acabé mis estudios con Ellyson. Pensaban que sería un estorbo —comentó el joven mientras indicaba a Langley y a Thomas-William que se sentaran a la mesa, en medio de la espaciosa habitación.

Se encogió de hombros al poner una botella y unos vasos sobre la mesa y comenzó a servirles la bebida.

—Fue por tu pelo —dijo Thomas-William, riendo.

Lord Andrew se pasó la mano por los rizos castaños oscuros.

—Supongo que parezco demasiado inglés. —Se rió—. Me dejaron aquí, para alivio de mi madre, aunque no tanto para el mío. Luego, después de un par de años merodeando por Whitehall...

—Dando la lata —agregó Thomas-William.

El joven sonrió.

—Sí, un poco, supongo. Pero conseguí esta misión. O me degradaron, dirían algunos.

Señaló con un ademán su amplio apartamento, que parecía una réplica de la sala de mapas de George Ellyson en Hampstead Heath, con la gran mesa en el medio, los estantes rebosantes de libros y una colección de objetos raros y caprichos aristocráticos esparcidos por la habitación: un globo terráqueo, el colmillo de algún animal colgado de la pared, unos cuantos grabados y pinturas. En todos los rincones había cómodas butacas y una gruesa y excelente alfombra mantenía a raya el frío de la tarima.

—¿Y cuál es esa misión? —inquirió Langley mientras miraba a su alrededor, fijándose particularmente en su público, los siete chiquillos dispersos por la habitación.

—Entrenar a mi tropa para el trabajo que se avecina —explicó lord Andrew, y guiñó un ojo a uno de los muchachos—. Ahora que habéis echado un buen vistazo a lord Langley, id arriba y seguid con vuestras lecciones. Creo que el señor Crunkshaft os está esperando.

Se oyeron gruñidos remolones y quejas en voz baja, pero subieron todos por una estrecha escalera situada al fondo de la habitación.

—Y ojo, Goldy, no quiero que vuelvas a birlarle el reloj de bolsillo al pobre Crunkshaft y a adelantarlo para que acaben antes las clases.

El pilluelo sonrió, y su sonrisa mellada brilló en la penumbra.

—¡Ah, y os habéis portado muy bien todos esta mañana! Estoy muy orgulloso de vosotros.

Subieron al trote las escaleras y a continuación se oyeron sus pasos por el piso de arriba.

Langley miró a lord Andrew cuando el último llegó al desván.

—¿Un equipo de niños de la calle?

Lord Andrew sonrió.

—Sí, y excelente, por cierto. Verá, van a ser sus guardianes, sus vigías, durante las próximas semanas, hasta que aclaremos este asunto.

—¿Mis qué? —balbució Langley.

Lord Andrew miró a Thomas-William.

—¿No se lo has explicado?

—Me pareció preferible que se lo explicaras tú.

—O sea, que me has dejado el trabajo sucio —bromeó lord Andrew.

El otro se encogió de hombros.

—Goldy y sus compañeros van a desplegarse por Brook Street o allá donde vaya, para asegurarse de que no hay nadie merodeando. Nadie se fijará en ellos. Así, si notan algo raro o sospechoso, podrán avisarle.

Langley miró de nuevo hacia la escalera del desván.

—¿Ese diablillo era una niña?

—Sí. En realidad, hay tres. Tres niñas y cuatro niños. Pero las niñas visten de niño, así están más seguras, aunque Goldy no me preocupa mucho. Siempre lleva una navaja, y corre el rumor por Seven Dials de que su padre era el mejor molinero de por aquí.

El barón miró de nuevo hacia la escalera, pues sabía que, en la jerga de Seven Dials, un «molinero» era un asesino. Pero, dejando eso a un lado, era una idea ridícula. Mantenerlo a salvo sirviéndose de niños.

*De niños capaces de rebanarle a uno el pescuezo...*

Aun así, miró inquisitivamente los ojos oscuros de Thomas-William. *¿Estás seguro?*

El hombretón se recostó en su silla, cruzó los brazos sobre el enorme pecho y pareció muy satisfecho.

—Bueno, milord, ¿en qué puedo servirle? —preguntó lord Andrew al tomar asiento. Aparentaba tener mucho más aplomo que cualquier muchacho de su edad.

Tras respirar hondo y recordar que, tal y como le había asegurado Thomas-William de camino hacia allí, no iba a tener mejor oportunidad que aquélla para limpiar su nombre, Langley explicó:

—Necesito acceder al Foreign Office, concretamente a los archivos de inteligencia llegados de París en los meses anteriores a mi agresión.

—¿Acceder a los archivos del Foreign Office? —Lord Andrew dejó escapar un silbido—. Sería una locura intentarlo.

Thomas-William soltó un bufido de asentimiento.

Pero Langley siguió en sus trece.

—Debo hacerlo, es la única solución.

Lord Andrew sacudió la cabeza.

—No siempre. George decía que había que empezar por el principio. Así que, antes de que decidamos lanzarnos a una muerte segura introduciéndonos en los archivos de Brownie, ¿qué recuerda usted de París, señor?

El barón se rascó un lado de la cabeza, donde había recibido el golpe aquella noche aciaga. Siempre le dolía cuando intentaba forzar sus recuerdos. Y, como de costumbre, no había mucho que recordar. Sólo fogonazos: el intenso hedor del callejón, el frío de los adoquines bajo sus dedos, y voces, un guirigay entre el que no lograba distinguir ni una sola palabra.

Cerrando los ojos, trató de soportar el dolor y extraer algo nuevo, cualquier cosa que pudiera serles de ayuda.

—Nada —dijo Thomas-William—. No recuerda nada.

Lord Andrew se apartó de la mesa y suspiró.

—Sería de ayuda, pero de todos modos quizá podamos dar con alguna otra pista.

Langley deseó poder compartir el optimismo del joven, pues en ese instante sentía en la cabeza un ruido atronador, como el de las campanas de San Pablo, que ahuyentaba cualquier idea coherente.

—¿Cómo hacía sus informes? —preguntó lord Andrew.

—En círculos diplomáticos se me conocía como el coleccionista de arte con muy poco gusto: un blanco fácil, por decirlo así. Compraba obras horrendas, de ésas que sólo compran los patanes o los advenedizos, y las mandaba a Inglaterra a través de Strout, quien las hacía llegar a Langley House para su almacenaje.

—Y con ellas iban sus informes —concluyó lord Andrew.

—Sí, exacto. Dentro de esculturas, detrás de cuadros... Obras de arte con tan poco valor que nadie se molestaría en robarlas.

—Una maniobra de distracción —dijo lord Andrew—. Para pasar la información de contrabando.

—Exacto —repuso lord Langley—. Pero cambiaba ligeramente las señas si la caja requería un examen más atento, por así decirlo, y mi arrendatario, el señor Harrow, se la hacía llegar a George para que extrajera los informes.

—¿Ese Harrow sabía lo de George? —preguntó lord Andrew.

Langley negó con la cabeza.

—No, lo único que sabía de George Ellyson era que también coleccionaba obras de arte.

—¿Qué es lo último que recuerda haber mandado? —preguntó el joven.

Langley hizo un gesto negativo con la cabeza.

—Ése es el problema, que no recuerdo qué fue lo último que mandé.

—Entonces puede que convenga empezar por ahí, por descubrir qué contenía el último envío —comentó el joven agente.

¡Por Dios, tenía razón! Langley se había olvidado casi por completo de aquellos envíos. ¿Era posible que hubiera mandado uno justo antes de ser atacado?

—Una vez averigüemos eso, podremos encararnos con el bueno de Brownie —estaba diciendo lord Andrew.

Thomas-William soltó un bufido.

—¿Qué ocurre? —preguntó lord Andrew, enderezándose en su asiento.

—Ya me he reunido con Brownie...

Thomas-William sacudió la cabeza.

—Bueno, sí, más bien asalté su carruaje anoche —puntualizó Langley—. Le puse una pistola entre ceja y ceja y le exigí respuestas.

Lord Andrew rompió a reír.

—¡Santo Dios, no se imagina cuántas veces he soñado con hacer eso mismo! Imagino que de todos modos no confesó, ni aunque le estuviera apuntando a la cara. Lo cual resulta un tanto sorprendente, teniendo en cuenta su bajeza.

Langley asintió con un gesto. Era muy cierto. La actitud de Brownie le había sorprendido, porque pensaba que, al hallarse en peligro de muerte, le confesaría todo lo que sabía.

De lo cual se deducía que estaba metido hasta el cuello en aquel asunto. Y que, como decía lord Andrew, tenía valor suficiente para intentar salvar el pellejo.

—Se me ocurrió darle un susto para que me contara lo que quería. Apretarle un poco las tuercas.

Langley recordó el asombro que había demostrado Brownie cuando se había quitado el pañuelo de la cara y había visto que el barón seguía vivo.

—Un poco de presión para ponerlo nervioso —repuso lord Andrew—. Veo que no estás de acuerdo, Thomas-William.

—Si salimos a la luz, podemos acabar todos muertos —contestó—. No es así como hay que hacer las cosas.

—Bien, sir Basil se volverá más peligroso ahora que está advertido —convino lord Andrew—, pero también es más probable que cometa un error, en su afán por acabar con usted.

—Exacto —contestó Langley—. Pienso tenerlo en vilo. Vigilarlo. Presionarlo un poco.

—Conseguirá que lo maten —refunfuñó Thomas-William.

—En eso puede ayudarnos mi tropa —dijo lord Andrew.

—Lo que necesito es acceder a esos archivos —insistió Langley, yendo directo al grano.

El joven agente meneó la cabeza y dejó escapar un suave silbido.

—Por husmear en esos archivos fue por lo que me mandaron aquí, a Seven Dials. Tiene usted razón al sospechar de Brownie. Circulan extraños rumores por la oficina, y él siempre está en medio.

Langley rodeó su vaso con una mano y se quedó mirando el líquido ambarino del interior.

—¿Qué rumores, exactamente?

Lord Andrew bajó la voz:

—Rumores de que Ellyson y usted estaban aliados con los franceses para dañar las relaciones de Inglaterra con el extranjero. Informes sellados y envíos con su nombre y el de Ellyson que llegaban directamente a Brownie o que pasaban por manos de Nottage y que luego eran silenciados y enterrados quién sabe dónde...

Langley levantó la vista.

—¿Nottage? ¿Nevilla Nottage? ¿Mi secretario?

—Sí, fueron los dos uña y carne después de que se informara de su desaparición —comenzó a explicar lord Andrew— y luego...

—¿Después de que se informara de mi desaparición? ¿Qué quiere decir? —preguntó Langley, irguiéndose en su silla mientras un escalofrío recorría su espalda—. Nottage murió en París, lo mataron en el mismo callejón donde me atacaron.

Thomas-William y el joven se miraron con perplejidad.

—Nottage no está muerto —le dijo lord Andrew.

Langley sacudió la cabeza.

—Murió, me lo dijo el guardia de la prisión.

Lord Andrew miró de nuevo a Thomas-William y volvió a fijar los ojos en Langley.

—Entonces es que le engañaron. Nottage fue quien volvió a Inglaterra trayendo la noticia de su muerte.

Langley intentó encajar la noticia.

—¿Me está diciendo que Neville Nottage está vivo?

—Sí —contestó lord Andrew con una especie de soplido—. Debería haber habido una investigación oficial sobre lo sucedido, pero no la hubo, sólo circularon un montón de rumores acerca de su presunta traición, de informes y envíos secretos, como le decía. Luego, de repente, Brownie fue elevado a la nobleza y Nottage heredó una pequeña fortuna de un tío lejano, y ahora viven en la abundancia.

—Nottage...

Langley masculló el nombre de su antiguo secretario como una maldición. Había confiado en aquel hombre durante casi una década, había llorado su muerte, y de pronto temía que su eficiente secretario hubiera aprovechado la experiencia acumulada durante los años que había trabajado a su sombra y le hubiera dado un fin perverso.

Aquello arrojaba nueva luz sobre sus tribulaciones.

Lord Andrew lo miró y añadió:

—Debo decir que el súbito ennoblecimiento de Brownie fue ya de por sí bastante extraño, pero cuando sir Basil se mudó a su nueva casa y su esposa comenzó a tener el aspecto de una de las queridas de mi padre, toda cubierta de rubíes y cosas por el estilo, en fin, aquello ya fue el colmo. Así que empecé a preguntarme cómo demonios podía permitirse ese tren de vida. Aquello apestaba a gato encerrado.

*Sí, en efecto*, se dijo Langley mientras dejaba continuar al joven.

—Y luego estaban las insinuaciones acerca de la deslealtad de George Ellyson. —Lord Andrew arrugó el entrecejo—. Ellyson estaba muerto y yo no iba a permitir que mancillaran su nombre. Fue para mí un padre, mucho más que el mío propio. Al menos me hablaba, cosa que mi padre apenas se ha dignado a hacer hasta el momento. No aprueba mi estilo de vida y todo eso.

Langley le lanzó una mirada y asintió.

—Sí, sé como son esas cosas.

—Pues no estaba dispuesto a permitir que difamaran a George Ellyson llamándolo traidor, así que empecé a hacer averiguaciones. A hacer demasiadas preguntas. —El joven sonrió—. Al bueno de Brownie no le gustaron, por eso hizo que me mandaran aquí. Seguramente supuso que, viviendo en este barrio, me matarían en menos de una semana. Así se libraría de mí con el mínimo de papeleo.

Thomas-William resopló de nuevo.

—Así es —continuó lord Andrew—. Por eso propongo que eliminemos a lord Langley.

Langley pestañeó y mirando al impertinente joven levantó una ceja.

—¿Cómo dice?

—Milord, creo que podemos hacer que Brownie descubra su juego si lo mandamos a usted al otro barrio.

—¿Quiere matarme? —preguntó Langley, mirando a Thomas-William.

¡Y el muy condenado estaba sonriendo!

—Exactamente —contestó lord Andrew con entusiasmo. Con demasiado entusiasmo, quizás—. Y conozco el modo perfecto de hacerlo.

Minerva, que había preferido hacer caso omiso del comentario de Jamilla acerca del atuendo que había elegido para recibir esa tarde, había bajado al salón y tomado asiento.

Ver a las «tatas» así reunidas, Lucia, Tasha y Helga, sonriéndole y saludándole amablemente, era como contemplar un nido de víboras que se retorcieran a su alrededor aguardando la oportunidad de atacar.

La tía Bedelia, por su parte, se mostraba de un extraño buen humor. La noticia del compromiso matrimonial de su sobrina parecía haber surtido sobre ella el efecto de una pócima mágica. La señora parecía revigorizada, como si la malicia y el veneno que la rodeaban fueran para ella luz solar y florecillas.

—¡Minerva, mi querida niña, ahí estás! Y en una tarde tan importante... Temía que fueras a esconderte arriba.

—¿Y eso por qué? —preguntó ella tras acomodarse en su sillón.

—Bueno, porque sabes que esta tarde va a venir mucha gente.

Tras decir esto, la tía Bedelia se atareó con la bandeja del té, recolocando tazas y platillos y mirando a todos lados, excepto a su sobrina.

Minerva, que la conocía, receló de inmediato.

—¿Qué has hecho?

—Puede que se lo haya mencionado a un par de amigas íntimas...

—¿Mencionado qué? —balbució Minerva. Porque tía Bedelia era

capaz de dar interminables rodeos si quería eludir un tema de conversación.

La señora tomó aire y suspiró.

—¡Pues tu compromiso con lord Langley, por supuesto!

Minerva gruñó. Su mayor miedo se había hecho realidad.

—No tenías por qué decir que era él.

—¡Santo cielo! ¿Cómo no iba a mencionar a lord Langley si decía que estabas prometida?

Minerva se hundió en el sillón, cerró los ojos y se llevó los dedos a las sienes. Por lo general empezaba a dolerle la cabeza al final de la tarde en que recibía en casa, no antes de que llegara el primer invitado.

—Parece usted disgustada, lady Standon —comentó tata Lucia, que, embutida en su llamativo vestido amarillo y naranja, muy escotado, parecía cualquier cosa menos una tata—. Yo pensaba que la sola mención de su boda con lord Langley la haría resplandecer.

—Si es que va a casarse con él, claro —ronroneó tata Tasha, que permanecía de pie en el rincón como un majestuoso gato negro.

—¡Oh, claro que va a casarse con él! —exclamó Jamilla desde la puerta, donde había esperado unos segundos para hacer su entrada.

—¡Tú! —siseó la margravina.

—Pues sí, Helga, querida —repuso Jamilla—. Aquí estoy. Y Tasha, tesoro, has tenido la desfachatez de ocupar mi habitación. Aunque de todos modos no te lo tengo en cuenta. Siempre has codiciado lo que era mío. No te preocupes, he hecho los cambios necesarios trasladando tus cosas al cuarto de atrás. Hay muchas corrientes y hace un frío espantoso, igual que en tu amado San Petersburgo. Te sentirás como en casa. —Lanzó una mirada a la duquesa italiana—. Lucia —dijo inclinando ligeramente la cabeza.

La duquesa imitó su gesto.

—Jamilla.

Para que el gélido saludo de la italiana no se irguiera como una amenaza, Jamilla añadió al instante:

—Querida, ese color no te favorece. ¿En qué estabas pensando?

—¿No? —preguntó Lucia, mirando su vestido a rayas.

—Aquí, en Inglaterra, no. O puede que sea esta horrible habitación. —Paseó la mirada por las paredes descoloridas y el papel despegado—. Te da un tono amarillento. Por un instante he pensado que eras tu madre.

La margravina se echó a reír, pero su risa se convirtió al instante en una tosecilla discreta.

Aun así, aquello bastó para que Lucia se levantara de un salto. Levantando airosamente la nariz, salió del salón con paso firme y majestuoso. Pero en cuanto llegó a la escalera pudieron oír el tamborileo apresurado de sus escarpines al correr al piso de arriba.

Jamilla se alisó la falda y se sentó en la silla que había desocupado la duquesa.

—¿Ya se conocían? —logró preguntar Minerva.

—Desde luego que sí —contestó Helga—. ¿Cómo íbamos a encontrar a Langley si no uníamos nuestras fuerzas?

Y al recorrer el salón con la mirada, Minerva advirtió lo mucho que se parecían aquellas mujeres, aunque no físicamente, pues eran todas tan distintas como un ramo de flores surtidas. Todas ellas poseían, sin embargo, la misma seguridad en sí mismas, lo que la princesa rusa había mencionado poco antes, ese *joie de vivre* que las hacía destacar a todas.

*Mientras que yo...* Minerva vaciló y miró hacia la puerta pensando que aún tenía tiempo de huir. Pero en ese momento sonó el timbre y vio entrar con horror a lady Wallerthwaite, una de las amigas predilectas de tía Bedelia y de las mayores chismosas de la alta sociedad londinense.

—¡Bedelia! —exclamó, llamando a su amiga—. ¿Cómo es que no me habías dicho que ibas a estar aquí?

—¿Y dónde, si no, iba a estar esta tarde, Aurelia? —contestó tranquilamente tía Bedelia.

¡Santo Dios! Si se lo había dicho a lady Wallerthwaite...

El timbre sonó una segunda vez, y una tercera, y media hora después el salón estaba lleno de invitados.

Más concretamente, de señoras. La noticia de que lord Langley había vuelto a Londres había hecho lanzarse a la calle a las curiosas, a las coquetas, a las viudas de dudosa virtud, y a unas cuantas señoras que jamás habían mostrado la menor conducta indecorosa. Pero al parecer la ligera posibilidad de ver en persona al afamado donjuán había bastado para que abandonaran sus bordados y pidieran sus carruajes, dispuestas a ir a Brook Street.

—¡Santo cielo, no sé qué va a ser de Mayfair! —se lamentó lady Finnemore cuando llegó, tras desalojar prácticamente a lady Ratcliffe de su asiento—. La calle está llena de golfillos. Uno de ellos hasta ha tenido el descaro de preguntarme la hora. ¡Como si el muy pícaro tuviera una cita a la que acudir! —Paseó la mirada por la estancia, calibrando a los invitados y haciendo lo que todas las demás: buscar indicios de lord Langley. Ella, sin embargo, fue mucho menos discreta que sus compañeras—. Y bien, ¿dónde está, lady Standon?

—¿Quién, lady Finnemore? —contestó Minerva al tiempo que imitaba la conducta de su tía poco antes y se ponía a recolocar las tazas y los platillos del té.

—Lord Langley, por supuesto —repuso la baronesa—. ¡No he venido a verla a usted!

—¿Lord Langley, aquí? —Minerva se fingió horrorizada. Bueno, no tuvo que fingirlo del todo. Toda aquella situación era una pesadilla—. No entiendo cómo puede usted pensar que tengo a un caballero en mi casa.

—Pero, mi querida niña, lo sabe ya todo Londres —terció lady Ratcliffe—. Que ha estado viviendo bajo su techo.

Ah, sí, ¿y de quién era culpa aquello? A Minerva no le costó adivinarlo. Fijó la mirada en su tía, que precisamente en ese momento estaba observando con gran atención las grietas de la escayola del techo.

Pero Minerva no había sido marquesa durante años sin adquirir una mirada fulminante capaz de parar los pies incluso a lady Ratcliffe.

—Me temo que le han informado mal —contestó con altivez—. Y me sorprende que una señora de su distinción se rebaje a escuchar tales chismorreos.

Se hizo un tenso silencio en la habitación hasta que Tasha comentó:

—No hay necesidad de esconderse, lady Standon. —Se volvió entonces a las chismosas reunidas en torno al salón y anunció—: Claro que Langley ha estado aquí. Está enamorado. No quiere separarse de lady Standon. Es su pasión.

Las otras «tatas» asintieron con la cabeza como si aquello fuera de lo más natural.

*En Inglaterra, no lo es*, quiso gritarles Minerva mientras las matronas comenzaron a cloquear entre ellas. Las damas inglesas no se dejan llevar por las pasiones.

—Siempre me ha parecido que los hombres locamente enamorados eran como lobos hambrientos e insaciables —prosiguió Tasha—. Una vez tuve un amante cosaco que se empeñaba en que todas las mañanas hiciéramos el amor encima de su...

—¿Más té, lady Finnemore? —preguntó Minerva, acercando la tetera a la taza de la señora.

Lady Finnemore la miró con enojo, y Minerva no supo si era por el giro escandaloso que había tomado la conversación, o porque la hubiera atajado.

—¡Cosacos! Me sorprende que todavía les dejes entrar en tu cama —repuso la margravina con un ademán desdeñoso—. Puede que no se te haya ocurrido fijarte en ellos, pero yo he tenido no uno, sino dos amantes de Colonia, y eran dos desvergonzados. De lo más satisfactorio. —Dejó escapar un suspiro semejante a un maullido y en el salón cesaron todas las conversaciones. Aunque no quedaban muchas. Tras captar por completo la atención de su público, la margravina añadió—: Hubo una noche en que... Ay, ¿cómo se llamaba el burgués que viajaba con el consejero francés? —Helga miró a Lucia—. ¿Tú te acuerdas?

—¿El gordo o el flaco de ojillos vidriosos? —preguntó la italiana, que había regresado envuelta en un vestido azul y se había interesado de inmediato por el tema de conversación.

—¿Tuvo usted un amante gordo? —balbució lady Ratcliffe, y casi enseguida se tapó la boca como si no pudiera creer lo que acababa de preguntar.

—¡Oh, no, mi querida señora! —exclamó la margravina—. El gordo era el francés. Mi amante tenía un cuerpo magnífico. ¿Quién iba a pensar que un comerciante podía tener ese tamaño de... de...? Ay, ¿cómo se dice en inglés? —Miró a tía Bedelia.

Minerva casi deseó que se le cayera la casa encima cuando vio que su tía contestaba a la margravina con la palabra que estaba buscando:

—«Miembro», mi querida margravina —dijo Bedelia mientras pasaba una bandeja de panecillos—. Creo que la palabra que busca es «miembro».

Varias matronas asintieron con la cabeza.

Helga sonrió, encantada.

—Creo que sería exacto afirmar que su miembro era equiparable en tamaño a sus enormes inversiones.

Lady Finnemore se rió como una colegiala.

—Lady Standon, ¿lord Langley tiene un buen...?

Y por si eso fuera poco, se abrió la puerta y entró Langley en persona. Una aparición imponente, a decir verdad.

Las señoras lo escudriñaron con la mirada, y a Minerva le dieron ganas de abofetearlas a todas. ¿De veras tenían que inspeccionarlo tan detenidamente a fin de calibrar sus... sus... virtudes?

Claro que, cuando lo miró, ella también quedó fascinada.

Fascinada por su cabello castaño claro, que llevaba recogido hacia atrás en una coleta pasada de moda, y por sus facciones clásicas, la mandíbula cortada a cincel, el profundo hoyuelo de su barbilla, las anchas espaldas... Alto y apuesto, no había en él ni un asomo de pereza. Su físico, por el contrario, revelaba su agilidad atlética, su potencia viril... o, mejor dicho, sus virtudes. Pero lo que más impresionaba a Minerva fue el brillo travieso que siempre parecía arder en sus ojos.

Como si tuviera un secreto que ansiaba compartir.

*Bien, puedo imaginarme cuál es ese secreto*, se dijo con fastidio mientras él sonreía a las damas reunidas en el salón, algunas de las cuales suspiraron sin pensar siquiera en el decoro. Lord Langley habría podido apartar a un gato de un plato de leche sirviéndose únicamente de la fuerza hipnótica de su mirada.

Minerva no comprendía por qué le molestaba tanto su aparición. Quizá no fuera su llegada lo que le molestaba, sino la reacción de las otras damas. Sintió que un extraño estremecimiento de inquietud recorría su espalda. Algo parecido a los celos.

Pero ella no estaba celosa. Ni lo más mínimo.

Sobre todo, porque él le reservó su sonrisa más deslumbrante para ella.

—Minerva, mi adorada —dijo como a propósito, posando los ojos sobre ella al tiempo que cruzaba la habitación con paso largo y firme—. ¡Cuán propio de ti no haberme recordado que esta tarde recibías! Habría dejado de ir a mi club para quedarme aquí.

Se inclinó, le dio un beso en la frente y a continuación dio media vuelta y saludó a las invitadas con una reverencia cuya elegancia, más propia del Continente, se veía pocas veces por allí.

—Ayyy.

Se oyó otro suspiro colectivo.

Mientras las señoras estaban ocupadas comentando la llegada de lord Langley, Minerva hizo lo posible por recomponerse. ¡Langley se lo había prometido! ¡Nada de besos!

Y sin embargo allí estaba, besándola. El contacto cálido y suave de sus labios la había dejado agitada y presa de la más completa turbación. Porque aquello no era más que un presagio de lo que había sucedido la víspera, cuando la había tomado en sus brazos y la había besado sin trabas, dejando sus extremidades lánguidas de deseo, sus entrañas trémulas y, peor aún, las pasiones que creía perdidas hacía mucho tiempo reavivadas y encrespadas por el ansia.

Pero lo más terrible de todo era que sólo había hecho falta el roce de sus labios en la frente para que despertara de nuevo. Como la habría despertado el diáfano toque de un clarín, el contacto de sus labios hizo cobrar vida a su cuerpo, a sus deseos. Sus muslos se tensaron, sus entrañas se derritieron, sus pezones se endurecieron.

Gruñó cuando Langley se situó a su lado como si aquél fuera el lugar que le correspondía, posando una mano sobre su hombro con ademán posesivo. Pero no pudo apartarle la mano, ni desasirse encogiendo los hombros, pues todas las miradas estaban fijas en ella. O, mejor dicho, en él.

Además, sentía un delicioso calorcillo que emanaba de sus dedos y se transmitía a su hombro y de allí, como por arte de magia, a todos sus miembros, un ardor embriagador que se desplegó dentro de ella y que de nuevo llamó clamorosamente a sus deseos a ocupar la primera línea de batalla, a reunir fuerzas y a avanzar desde donde ella los había tenido prisioneros todos esos años.

A decir verdad, no estaba segura de que hubiera apartado la mano de Langley ni aunque hubieran estado solos. Pero en cualquier caso había que mantener las apariencias, de modo que la dejó descansar allí y se mintió a sí misma diciéndose que no ejercía ningún poder sobre ella.

Ninguno en absoluto.

—¡Lord Langley, qué cosas hemos oído rumorear sobre usted! —exclamó lady Finnemore—. Que estaba muerto, nada menos. Y ahora aquí está. ¿Cómo es que ha vuelto a Londres?

La baronesa nunca perdía ocasión de husmear en la vida de los demás.

—Pensaba que la respuesta era obvia —contestó él, mirando a Minerva con una sonrisa.

—¿Cómo se conocieron? —se apresuró a preguntar lady Ratcliffe.

Minerva apretó los labios. Porque, aunque le habría encantado responder «Pues cayó dentro de mi habitación cuando intentaba allanar mi casa», semejante respuesta sellaría su destino para el resto de sus días.

Tendría que casarse con Langley. Estaría a su merced, como lo estaba en ese instante. La tentación que veía en su mirada se mofaría de ella cada mañana en la mesa del desayuno, como había sucedido horas antes, y el calor de su mano al tocar la de ella le quitaría el sentido...

Absorta en sus díscolos pensamientos, apenas oyó la tersa respuesta del barón:

—Nos conocimos el mes pasado. En el campo. En la finca del duque de Hollindrake. Estaba allí recuperándome del viaje de regreso a casa, y fue entonces cuando conocí a mi queridísima Minerva. Podría decirse que fue un bálsamo para mi alma.

Ella lo miró a los ojos, sobresaltada.

—Podría decirse así —masculló—, pero no era necesario.

—¿Qué dijo la duquesa sobre su evidente enamoramiento mutuo? —inquirió lady Finnemore, buscando a todas luces otro chismorreo que poner en circulación.

Como si las tatas no le hubieran dado ya suficientes.

Pero la señora había puesto el dedo en la llaga, aunque Minerva no hubiera reparado en ello hasta ese instante. ¿Cómo era posible que se hubiera olvidado de la hija del barón?

Santo cielo, ¿qué diría la duquesa de Hollindrake cuando se enterara de que su padre estaba prometido con una de las viudas Standon?

Minerva se estremeció, y se preguntó si todavía estaría a tiempo de coger el coche correo de la tarde con destino a Escocia. El pabellón de caza de la familia Sterling le parecía cada vez más un refugio acogedor, y no un destierro en el confín del mundo.

Incluso podía confiar en que cayera alguna tardía nevada primaveral que mantuviera a raya a la duquesa hasta junio por lo menos, cuando quizá su furia ya se habría aplacado.

*Un poco.*

—¿Felicity? Está encantada —dijo Langley, supliendo con su respuesta el silencio perplejo de Minerva—. Mi hija está contentísima de que haya encontrado el amor una vez más.

Tasha y Lucia empezaron a toser, pues ambas pensaban para sus adentros lo mismo que ya sospechaba Minerva: que la duquesa pondría el grito en el cielo cuando descubriera la repentina llegada de su padre y su aún más repentino compromiso matrimonial.

—La duquesita se alegrará tanto por ti, Langley querido... —ronroneó Tasha, sonriéndoles como si se imaginara a Felicity llevando a Minerva a rastras ante un pelotón de fusilamiento—. ¿Y cómo no va a alegrarse, cuando has encontrado semejante joya? Me sorprende que no te hayas escapado ya con lady Standon, aunque sólo sea para asegurártela.

Minerva miró a Langley con expresión escandalizada.

—No creo que...

—Lady Standon es siempre tan pudorosa al hablar de la pasión de ambos —comentó la margravina, dirigiéndose a la escandalizada matrona sentada a su lado—. Anoche mismo, cuando los dejamos juntos en su...

—Lady Finnemore, ¿ha probado los panecillos? —preguntó Minerva, empujando la bandeja hacia la señora al tiempo que atajaba el parloteo comprometedor de Helga.

—¿Anoche? —susurró la señora de todos modos, inmune a los panecillos.

Helga asintió con la cabeza y sonrió con aire pícaro, mirando a Langley.

—Es siempre tan pícaro, ¿no le parece?

Numerosas cabezas asintieron por todo el salón.

Minerva comenzó a redactar mentalmente una carta a los juzgados de Bow Street. «Estimados señores: Solicito su ayuda a fin de desalojar de mi casa a varias vagabundas de cuidado...»

—¿Y tiene usted planes para su estancia en Londres, lord Langley? —preguntó otra dama.

Minerva no lograba recordar su nombre, pero a decir verdad apenas conocía a la mayoría de las señoras que habían ido a visitarla esa tarde. La señora, de párpados pesados y labios protuberantes, hizo un ridículo mohín y agitó su abanico.

—Aparte de tomar esposa —añadió.

Las otras la corearon con sus risitas ahogadas y sus sonrisas.

Minerva añadió otro renglón a su carta: «Mi casa no tiene pérdida: está en Brook Street y parece un circo».

—Nada de particular —contestó él, sacudiéndose la pregunta de la dama como un hilillo prendido a la manga—, aunque he conseguido un palco para esta noche. Representan *El mercader de Brujas* en el teatro de Drury-Lane.

—¡Excelente! —declaró tía Bedelia—. Chudley y yo también iremos.

—Yo tengo otros planes —dijo Minerva, a pesar de que no tenía ninguno, como no fuera idear otro modo de echarlos a todos fuera.

—No puede ser, cariño mío —insistió Langley—. Me sentiré perdido si no asisto contigo a mi lado.

Minerva lo miró. *¿Perdido? ¿En serio? ¿Qué estará tramando?*

—¡Vamos, lady Standon, tiene que ir con lord Langley! Si no va, será la comidilla de todo el mundo —afirmó lady Finnemore.

*Y más aún lo seré si voy*, calculó Minerva.

Langley no se había dado por vencido aún.

—Además, es una de tus obras preferidas, tú misma me lo dijiste. Y Kean hace de mercader.

Le sonrió, y el destello de sus ojos azules y la curvatura maliciosa de sus labios dejaron a Minerva pasmada.

—¡Qué considerado! —le dijo lady Finnemore en un aparte a lady Ratcliffe—. Dudo que lord Finnemore sepa cuál es mi color favorito, cuanto más mi obra favorita.

A Minerva le dieron ganas de refunfuñar, pues el lindo discurso de Langley casi la había hecho creer que *El mercader de Brujas* era una de sus obras de teatro favoritas. En realidad le gustaba enormemente, como a media aristocracia londinense, y ahora todas aquellas cotillas creían que, en efecto, estaba al corriente de sus gustos.

Y haciendo tan poco que se conocían. Casi podía oír a Jamilla comentando: «Pero, querida, cuando dos personas están enamoradas, saben esas cosas la una de la otra».

En vista de que ella no respondía, porque, realmente, ¿qué podía contestar a semejante discurso?, Langley se volvió hacia su público.

—Lo que sospechaba. La he dejado sin habla. —Se rió y guiñó un ojo mirando a las señoras—. Espero mantenerla así el resto de nuestras vidas.

Y para demostrarlo, la besó de nuevo. Sus labios, cálidos y seductores, se posaron en su frente y permanecieron en ella un instante más de lo apropiado. Cuando se retiró despacio y de mala gana, hizo otra reverencia ante las señoras. Después, como si no pudiera refrenarse, como si fuera incapaz de resistirse a los encantos de Minerva, cogió su mano, se la llevó a sus labios hermosos y tersos y murmuró:

—Te dejo con tus invitadas, mi diosa, mi Minerva, y espero con ansia que llegue esta noche.

Clavó en ella una mirada abrasadora, como si no hablara de su visita al teatro, sino de otra cosa que sucedería después, de un encuentro mucho más íntimo.

Se hizo el silencio en el salón, como si ninguna de las presentes se atreviera a respirar o quisiera romper el encantamiento, como si estuvieran todas en el lugar de Minerva y aquel hombre estuviera hechizándolas a ellas y sólo a ellas.

Y Minerva, ¡que el cielo se apiadara de ella!, se estremeció, pues ningún hombre la había mirado nunca así, ni la había besado con aquella ansia. Y aunque era consciente de que Langley estaba haciendo todo aquello para convencer a las visitas de que la suya iba a ser una boda por amor, y aun sabiendo que las palabras del barón se repetirían de un extremo a otro de Londres antes de que aquella noche se alzara el telón, se descubrió, ¡que Dios la ayudara!, deseando que Langley no estuviera fingiendo.

Porque ¿cómo sería que un hombre tan guapo y seductor como él la deseara a una de veras?

# Capítulo 7

«Cuando un hombre hace una promesa a una dama, ten en cuenta que no tiene intención de cumplirla».

Consejo dado a Felicity por su tata Lucia

La casa de Brook Street era un hervidero de actividad mientras sus moradoras se preparaban para pasar la velada en el teatro. En su habitación, Minerva y Agnes, su doncella, hacían caso omiso del constante trotar de los sirvientes escalera arriba y escalera abajo y de las quejas a voces, principalmente de la margravina, acerca de la falta de agua caliente y de otras «cosas elementales».

De pie en su cuarto, mientras Agnes se afanaba a su alrededor, Minerva habría querido recordar a sus huéspedas que eran ellas quienes habían decidido alojarse allí y que, si no les gustaban las condiciones, podían tomar el primer barco que bajara por el Támesis. Ella misma consultaría encantada la hora a la que zarpaban los navíos.

Con destino a Botany Bay... o a la punta sur de África... o incluso a Java.

Tenía, sin embargo, otro problema mucho más acuciante que su deseo de librarse de las «tatas».

¿Qué narices iba a ponerse para ir al teatro? Mientras por los pasillos de su casa volaban quejas y órdenes, se dio cuenta de que estaba a punto de quedar absolutamente eclipsada. Y aunque nunca antes había prestado mucha atención a esas cosas, de repente...

¡Ah, aquel maldito hombre y sus besos y sus ojos brillantes! La tenía en un sinvivir. Y en realidad no había motivo para ello. Ni el más mínimo.

—¿Qué le parece el morado, señora? —preguntó Agnes mientras contemplaba con la cabeza ladeada los vestidos extendidos sobre la cama.

Minerva hizo un gesto negativo.

—No, creo que no sirve.

De todos modos, no había gran cosa donde elegir. Nunca había gastado mucho en su atuendo, para consternación de tía Bedelia.

—Pero es el que se pone siempre para ir al teatro —repuso Agnes, visiblemente perpleja por la repentina irritación de su señora.

Y ése era el problema: que siempre se ponía el vestido morado para ir al teatro. El azul, para ir a tertulias y recitales. Y el malva, para los bailes.

—Cielos, ninguno de éstos va a servir —dijo, apartándolos a un lado de la cama y dejándose caer en el hueco que había despejado. Pensó por un instante en enviarle una nota desesperada a Elinor pidiendo que le mandara el vestido carmesí, ése tan atrevido que se había puesto para que el duque de Parkerton se fijara en ella.

Pero no había tiempo, pensó al echar un vistazo al reloj de la chimenea. Ay, ¿por qué no lo había pensado antes?

Una llamada a la puerta la sacó bruscamente de su ensimismamiento y al levantar la vista vio entrar a Jamilla y a tata Brigid. Y, cómo no, a *Knuddles*, que entró al trote y miró los vestidos amontonados en la cama antes de subirse de un salto al colchón y acomodarse en medio de ellos, husmeándolos con desdén, como si unas sedas y unos brocados tan míseros apenas fueran dignos de su descanso, pero ¿qué remedio le quedaba a un pobre perro?

Poco después se quedó dormido y comenzó a roncar.

Jamilla entró airosamente y dedicó a sus vestidos el mismo desdén que el perrillo. Vestida ya para la velada con su extravagancia de siempre, se acercó majestuosamente, envuelta en una nube de exótico perfume.

—Es lo que te decía yo, Brigid —dijo mirando por encima del hombro a la mujer situada a su espalda—. Creo que hemos llegado justo a tiempo.

Para sorpresa de Minerva, la *contessa*, también ella vestida elegantemente para la velada, se acercó llevando en brazos un voluminoso vestido de seda.

—Considérelo mi regalo de bodas, lady Standon.

Le tendió su regalo y sonrió.

—No podría aceptarlo, *contessa* —repuso Minerva, negando con la cabeza mientras tata Brigid sacudía la seda de color esmeralda.

—¡Madre mía! —exclamó Agnes cuando la *contessa* levantó el vestido más llamativo y atrevido que habían visto nunca.

—Pero ¿cómo no va a aceptarlo, mi queridísima lady Standon? —Brigid hizo señas a su doncella para que entrara y la muchacha se puso manos a la obra, pasando el vestido por encima de la cabeza de Minerva—. Y a partir de ahora debes llamarme Brigid —añadió mientras observaba trabajar a su doncella.

—Háblale a lady Standon del caballero al que has conocido hoy —sugirió Jamilla al tiempo que guiñaba un ojo a Minerva y apartaba a *Knuddles* para sentarse en la cama.

—Ah, sí. —Brigid soltó una risilla—. Tu tía me ha presentado a un caballero elegantísimo. Un marqués, lo cual es bueno, ¿no?

—Muy bueno —contestó Minerva, un poco desorientada, mientras la doncella de Brigid la llevaba a empujones al tocador, la hacía sentarse en la silla y comenzaba a peinarla con una serie de movimientos bruscos y precisos. Unos instantes después, la sirvienta de cara agria había recogido su pelo con maña, y sin delicadeza, formando una cascada de rizos.

Entre tanto, Brigid, que a todas luces se había olvidado de Langley, siguió ensalzando a su nueva conquista.

—Según el libro de la duquesita —estaba diciendo—, es muy rico.

¿El libro de la duquesita? ¿Las *Crónicas de solteros* de Felicity Langley habían caído en manos de aquella mujer?

Intentó girarse, pero la doncella le espetó algo en alemán y dio un fuerte tirón a su pelo. Después de aquello, sólo se atrevió a lanzar una mirada de enojo a Jamilla.

—¡Cómo has podido!

—Pero si estaba en la habitación, sobre la repisa de la chimenea —contestó la princesa—. Yo sólo la he ayudado con la traducción.

¿Cómo podía haber olvidado que el infausto diario de casamentera de la duquesa seguía aún en la casa? Dejarlo al alcance de aquellas mujeres avariciosas y ansiosas por cazar un título era como ofrecerles las llaves del tesoro de la Torre de Londres.

—A mí me parece perfecto —comentó Brigid, admirándose en el alto espejo apoyado contra el rincón.

Su doncella, con un poco de ayuda de Agnes, le estrechó el vestido, se lo sujetó con alfileres y se lo cosió con unos cuantos puntos dados a toda prisa, hasta que Jamilla y Brigid se dieron por satisfechas con el resultado. Sacaron a continuación una cajita de afeites y supervisaron la labor de la doncella, que empolvó la cara de Minerva, añadió un poco de carmín a sus labios, le puso kohl en los ojos y acabó pidiendo con un ademán un par de zapatos de tacón alto. Por último, Agnes llevó los diamantes Sterling y suspiró con delectación al verlos puestos alrededor del cuello de su señora.

Minerva se sintió mareada por tantas atenciones. Por eso, y por la cháchara de Jamilla y Brigid, que comparaban sin tapujos a sus amantes pretéritos y a sus potenciales amantes, escogidos entre las páginas de las *Crónicas de solteros*, aunque la *contessa* parecía sinceramente prendada de aquel misterioso marqués.

—Y esta noche —dijo Brigid, volviendo a Minerva hacia el espejo de cuerpo entero del rincón—, todos los hombres que haya en el teatro envidiarán a Langley.

Seguro, se dijo ella con sorna, hasta que se miró en el espejo y no se reconoció. ¿Cómo le habían hecho aquello? ¿Cómo era posible que aquélla fuera ella?

Porque mirándola desde el espejo estaba «tata» Minerva: una auténtica diosa que se había alzado de entre las insulsas y mortecinas cenizas de la que otrora había sido lady Standon.

Parado al pie de la escalera, Langley escuchaba el tumulto de pasos que se oía en el piso de arriba y torcía el gesto cada vez que alguien gritaba a una criada o daba un portazo.

Había pasado buena parte de su vida seduciendo a mujeres, conocía sus matices, sabía cómo encantarlas y cuándo marcharse, pero a pesar de su mucha experiencia nunca había llegado a entender por qué rayos tardaban tanto en arreglarse.

Sobre todo, sabiendo lo rápido que eran capaces de desvestirse.

Echó una ojeada al reloj y suspiró. No disponían de mucho tiempo para llegar a Drury-Lane, pero ¿qué podía hacer? Ni a cambio de un ducado osaría subir a meter prisa a una sola de aquellas damas.

*¿Y a ella? ¿Con ella sí te atreverías?*

Sacudió la cabeza mientras el recuerdo de lady Standon embargaba sus pensamientos. Vestida con aquel horrendo camisón, nada menos. Y, sin embargo, cuando la había abrazado, ¡ah, qué curvas tan asombrosas habían descubierto sus manos! Y el beso que le había robado, sus labios carnosos y exuberantes, su rabia, y después el instante en que se había rendido y lo había sorprendido con el fuego soterrado que ardía dentro de ella. Intentó convencerse de que lo que había sentido, aquel arrebato de deseo, el ansia que lady Standon había despertado en él, era el propio de un hombre que llevaba solo mucho tiempo.

Pero ésa no era toda la verdad.

No explicaba, desde luego, lo sucedido esa tarde, cuando al entrar en el salón la había saludado con un beso delante de todas aquellas chismosas. La había besado no una, sino dos veces.

Su única excusa era que, al entrar, sólo la había visto a ella. Por un instante había pensado que estaba sola, pues era en ella donde se había posado su mirada.

Y donde había permanecido después.

Fija en lady Standon. Cuando por fin había reparado en las demás, había entendido también a qué obedecían su pose majestuosa, su barbilla levantada, la tensa línea de su frente. A sus ojos no era ya una simple marquesa: era Minerva, la diosa de la sabiduría... y de la guerra.

Pues por el destello de aguda inteligencia que veía en sus ojos había comprendido que lo culpaba a él de su embarazosa situación, como era lógico. Pero también creía haber vislumbrado un ardor, un asomo de la pasión que había saboreado apenas la noche anterior, y de repente se había sentido ansioso por beber de nuevo de aquellos labios, pese a haberle prometido que su acuerdo estaría presidido por la castidad.

Nada de lo cual debía, en todo caso, ocupar su cabeza cuando lo que tenía que hacer era ceñirse a la búsqueda de Nottage, que esa tarde no había dado resultado alguno. Su ex secretario había hecho el equipaje a toda prisa y abandonado sus habitaciones, y su casera ni siquiera lo había visto marcharse.

Lo cual la tenía muy enfadada, pues Nottage le debía el alquiler.

Todo eso indicaba, casi con toda probabilidad, que su ex secretario no pensaba volver.

Y hacía que su búsqueda, y sus pesquisas para conseguir las pruebas necesarias para limpiar su nombre de sospechas, fueran aún más urgentes.

Además de aumentar el riesgo que corría.

Él y quienes lo rodeaban.

*Incluida ella.* Miró de nuevo hacia arriba y su frente se arrugó formando profundos surcos. Hizo a un lado aquella idea, pues por primera vez en meses, no, en años, estaba muy cerca de limpiar su nombre, de recuperar su vida...

Sin embargo, aquel temor insidioso no se dejó ahuyentar por mucho tiempo.

—¿Van a salir? —preguntó Thomas-William, que había subido con sigilo por la escalera de servicio.

Langley apartó la mirada de la escalera que subía al piso de arriba.

—Sí —contestó.

—¿Le preocupa acaso lo que pueda ocurrirle?

Comprendió perfectamente a quién se refería Thomas-William.

A lady Standon.

—Esto no es París —dijo en voz alta, más para sí mismo que en respuesta a la pregunta de su amigo.

—No, pero es igual de peligroso. Dejarse ver es...

—Sí, lo sé —añadió Langley, atajándolo—. No es lo que le gustaba hacer a George, pero el plan de lord Andrew es excelente.

O quizás habría sido más acertado calificarlo de rápido y astuto.

Thomas-William soltó un bufido y meneó la cabeza. Nunca le

habían gustado las prisas, pero al menos tenía que apreciar la astucia del plan.

—Y si te preocupa la dama, no olvides que tiene tu dichosa pistola. Me amenazó con ella anoche —arguyó Langley—. Creo que harías mejor preocupándote por mí que por ella. Sabe cuidar de sí misma.

Antes de que Thomas-William pudiera contestar con otro sermón inspirado en Ellyson acerca de la conveniencia de trazar cuidadosamente cualquier estrategia, les interrumpió un estrépito de cristales rotos en el piso de arriba, seguido por una reprimenda de la margravina en no menos de tres idiomas.

Cuando la dama acabó, Thomas-William formuló otra pregunta:

—¿Cómo recuperará su honor si lady Standon sale herida en el intento? No hay excusa para sacrificarla por algo tan efímero.

Tras lanzar este último dardo, inclinó ligeramente la cabeza y se marchó, llevándose consigo parte del aplomo de Langley.

¡Malditos fueran Thomas-William y su sensibilidad de filósofo!

No tuvo, sin embargo, tiempo de pensar en ello ni de componer una réplica; en realidad, no había nada que responder. En ese instante sonó el timbre y como no acudió nadie a abrir, seguramente todos los criados de la casa se habían quedado sordos a fuerza de gritos, abrió el barón en persona.

—¡Swilly! —exclamó, tendiendo la mano a su antiguo compañero de colegio—. ¿Qué demonios haces tú aquí?

—¿Yo? ¡Eso debería decirlo yo! ¿Eres tú, Langley?

—Pues sí, en carne y hueso. —Se estrecharon la mano con entusiasmo y Langley le hizo pasar al vestíbulo casi tirando de él—. ¿Cómo es que has venido, Swilly?

—Ya no me llamo Swilly, amigo mío —repuso él—. Ahora soy Throssell. Heredé hará cinco años. Ese condenado tío mío parecía empeñado en convertirse en un verdadero Matusalén, pero por fin tuve ocasión de enterrarlo, y empuñé la pala con gran vigor.

Langley se rió.

—Te quedaste con el título y con ese montón de piedras viejas.

—Además de un buen montón de dinero —añadió Throssell sacando pecho—. Una cosa he de decir en favor de ese viejo chivo: vi-

vió mucho más de lo que le correspondía, pero resulta que era todo un rey Midas. Amontonaba oro de lo lindo. Y allí estaba, esperándome. Lo empleé bien, eso sí, arreglando las perreras. Las dejó en un estado calamitoso. Increíble, ¿no crees?

El barón dio una palmada en la espalda a su amigo, pues Swilly, como era conocido en tiempos del colegio, siempre había andado escaso de fondos y había tenido grandes esperanzas de que su tío se muriera «en cualquier momento». Siempre había sido, además, un apasionado de los perros, de modo que no era de extrañar que hubiera dedicado sus primeros desvelos a las perreras de Throssell Castle.

—Me alegro por ti, pero eso no explica qué haces aquí, nada menos.

—Estoy pasando la temporada en Londres —explicó el marqués—. La verdad es que nunca se me había ocurrido tomar esposa, pero por lo visto un marqués ha de tenerla. Al menos, eso me dice mi madre sin cesar. —Se miró en el espejo y se atusó distraídamente la agreste cabellera castaña—. Así que esta mañana, cuando me topé con lady Chudley y me presentó a una de esas chicas extranjeras que iban con ella, una condesa con el perrillo más raro que he visto nunca, con trazas de ratonero, diría yo, pero que me aspen si no tenía cara de mono ese pequeñajo... La chica me llamó la atención.

Langley sacudió la cabeza.

—¿Brigid?

—No, no, creo que el perro no se llamaba así. *Noodles*, o algo por el estilo. Me costó entender lo que decía la chica, pero afirmaba que el perrillo procedía de un largo linaje de sementales que habían pertenecido nada menos que a... que a...

Chasqueó los dedos mientras intentaba recordar el nombre.

Langley cerró los ojos.

—María Antonieta.

—Sí, sí. Pero, claro, tú ya lo sabes. Como has pasado tanto tiempo en el Continente y esas cosas... —Throssell arrastró un poco los pies y miró escalera arriba—. Me gustaron sus trazas, su buen porte, así que la invité a ir conmigo al teatro esta noche.

Langley casi temía preguntar si se refería a *Knuddles* o a Brigid. Pero obtuvo la respuesta cuando la dama en cuestión bajó por la escalera.

—Milord Throssell, ¿es usted? Vaya, casi no lo reconozco. Está tan resplandeciente...

Brigid hablaba con el arrobo de una adolescente enamorada, y para asombro de Langley, Swilly, no, Throssell, se sonrojó.

El pobre hombre intentó dar con alguna respuesta mientras Brigid, con el pelo rojo cayéndole como una catarata de rizos sobre el hombro desnudo y el vestido ceñido a sus curvas como si su doncella se lo hubiera pintado sobre la piel, bajaba las escaleras. Y aunque Langley sabía que la margravina prefería los caballos y los perros a la vida en la ciudad, en lo tocante a causar sensación, era capaz de dejar patidifuso a un hombre cuando se vestía con intención de seducirlo.

—Confío en no haberle hecho esperar —dijo al detenerse ante Throssell.

Langley, que sabía por qué había enmudecido su amigo, le dio una palmada en la espalda y susurró:

—Cógela de la mano, Swilly.

—¿Qué? Ah, sí, supongo —balbució y, tomando la mano enguantada de Brigid, se la llevó a los labios—. Milady, está usted divina —logró decir con una voz que sonó mucho más sofisticada de lo que Langley esperaba de él—. ¿Nos vamos? —preguntó mientras la conducía hacia la puerta.

—¿Le importa que llevemos a mis amigas? —preguntó ella—. El carruaje de Langley es muy pequeño para todas y me preocuparía un poco que fueran tan apretadas.

Langley siguió la mirada de Swilly escaleras arriba. Paradas en diversos escalones estaban las antiguas niñeras de sus hijas: Jamilla, Lucia, Tasha y Helga. Era un espectáculo espléndido: los vestidos multicolores, el destello de las joyas y los vertiginosos escotes.

Swilly sólo logró tartamudear:

—Pu-pu-pues yo-yo-yo...

Eso fue suficiente para Brigid.

—Vengan, señoras. Lord Throssell está encantado de contar con nuestra compañía.

Las señoras bajaron la escalera y se pusieron en fila detrás de Brigid y su conquista.

—Si lo prefieres, *Schatzi* —dijo Helga—, puedo quedarme y hacerte compañía.

—No, creo que ésta es la noche de Throssell —dijo Langley—. Enseguida voy.

Helga siguió adelante, un poco ceñuda.

Tasha y Lucia no dijeron nada al pasar por su lado. Claro que ninguna de las dos necesitaba articular palabra para comunicar lo que estaban pensando. Ofreciendo, mejor dicho. Entre el contoneo de las caderas de Tasha y las miradas ardientes de Lucia, era probable que a Swilly fuera a darle una apoplejía.

Claro que el marqués de Throssell también estaba a punto de convertirse en el hombre más envidiado de todo Londres.

Jamilla guiñó un ojo al pasar junto a Langley.

—Disfruta de tu viaje con lady Standon.

—Sí, querido —gritó Brigid por la ventanilla del elegante carruaje de Throssell—. Disfruta del trayecto hasta el teatro.

Langley comprendió entonces lo que acababa de pasar. Brigid y Jamilla se habían compinchado y habían engatusado a las otras para que Minerva y él tuvieran el carruaje del duque para ellos solos.

*¿Para ellos solos?*

Quizá no fuera muy buena idea. Minerva tenía aún la pistola de Thomas-William guardada en alguna parte.

Y, además, él la había besado esa tarde. Dos veces. Delante de testigos. Y le había prometido solemnemente que no...

Quizás hubiera habido una chispa de pasión en su mirada, sí, pero él no había olvidado que su ceño fruncido recordaba a la ira de una diosa.

Aun así, no era más que una viuda londinense, se recordó. Mucho menos peligrosa que Brigid y sus venenos, Tasha y sus cosacos y Helga y sus amenazas de clavarle una pica en la cintura... o más abajo.

¿Qué tenía que temer de lady Standon?

Oyó detrás de sí un leve susurro de sedas y al darse la vuelta descubrió que el carruaje solitario no era la única estratagema de

Brigid y Jamilla: habían obrado sobre lady Standon su magia de casamenteras, y por su vida que él, Ellis, barón de Langley, el donjuán que había seducido y hechizado a todas las beldades del Continente, se descubrió de pronto tan pasmado y balbuciente como Swilly.

¡Ah, qué bien lo conocían!, se dijo mientras su orgullo viril alzaba el vuelo y la dama bajaba las escaleras lenta y cuidadosamente, un paso tras otro.

Los escarpines de tacón alto asomaban por debajo de la falda, permitiéndole atisbar las esbeltas piernas enfundadas en seda que se escondían debajo. El vestido, de color verde esmeralda, brillaba con la hondura hipnótica de una piedra preciosa, y al deslizar la vista más arriba Langley se descubrió boquiabierto.

Su figura, antes oculta por vestidos pudorosos, había quedado al descubierto ceñida en seda. Ningún hombre que la mirara dudaría de sus curvas, de las delicias que encerraba su cuerpo. Unas caderas que cualquier hombre querría hacer suyas, una cintura por la que pasar el brazo, unos pechos grandes y redondos que harían sollozar de envidia a la propia Afrodita... y a cualquier hombre que no pudiera poseerla. Hacerla suya. Llevarla a su cama.

La mujer de la escalera no era ya una simple viuda. Una matrona londinense. Era, en el pleno sentido de la palabra, una diosa hecha carne.

Su cabello, castaño claro a la luz del día, parecía ahora más cobrizo, cepillado y recogido en una tentadora cascada de rizos que caía desde la diadema enjoyada colocada sobre su coronilla. Así pintada y engalanada, parecía estar descendiendo de un altar elevado, del mismo Monte Olimpo, y no por los endebles escalones de la casa en la que reinaba.

Sí, Jamilla y Brigid habían hecho lo que mejor se les daba: habían conspirado para convertir a Minerva en una tentación a la que no podía resistirse. En una mujer a la que debía hacer suya.

Por la que entregaría su corazón, su honor, su propia vida con tal de poseerla.

Sin embargo, debía resistirse. Juró que se resistiría. Él no era Swilly. No era un gañán. Era lord Langley, el rompecorazones, y no se dejaría embaucar por trucos que no eran otra cosa que artimañas de cortesana.

Al menos, eso fue lo que se dijo hasta que tomó la mano de Minerva, se la llevó a los labios y se encontró completamente hechizado.

A Minerva, por su parte, le habría gustado recordarle que había prometido no besarla. Pero aquél no parecía el momento más oportuno para echarle una reprimenda.

Además, le estaba costando Dios y ayuda sostenerse sobre los zapatos de tacón alto de Brigid. ¿Cómo conseguía ella contonearse tan seductoramente subida en aquellos zancos?

Y con aquel atuendo no estaba del todo segura de que Langley no fuera a echarse a reír al verla emperejilada como una prostituta cara.

Se sintió como tal cuando Langley besó largamente sus dedos, pues sintió un hormigueo en las entrañas y el impulso de mostrarse tan apasionada como la mujer cuyo reflejo había visto poco antes en el espejo.

Aquella mujer a la que, pese a ser ella misma, apenas había reconocido.

A decir verdad, ¿a quién iba a engañar? Todo el mundo vería más allá de su transformación y se daría cuenta de que, detrás de las sedas y el maquillaje, sólo era Minerva, lady Standon.

Ciertamente, no engañaría a un redomado donjuán como lord Langley.

Y no es que ansiara sus atenciones, muy al contrario. Pero sólo por una vez sería agradable que la admiraran y contemplaran su cuerpo lujuriosamente...

Pero ¿en qué estaba pensando? Ella no podía ser tan deseable como Brigid, con su llamativa melena roja y sus facciones divinas, ni como Tasha, tan rubia y delicada, ni como Lucia, con su mirada atrayente.

No, todo aquello era una temeridad. Debía girar sobre sus talones, con mucho cuidado, y huir escalera arriba, lavarse la cara y ponerse de nuevo su insulso vestido morado.

Eso es exactamente lo que debería haber hecho, igual que la noche anterior debería haber mantenido la puerta cerrada.

Pero entonces cometió el error de mirar los brillantes ojos azules de Langley y vio reflejado en ellos algo que jamás habría imaginado.

El ardor que recorrió el cuerpo de Langley cuando sus labios tocaron los dedos de lady Standon lo dejó tambaleante.

Fue sólo un beso, un saludo, y de pronto, sin embargo, se convirtió en otra cosa. Su suave perfume a rosas, el temblor de sus dedos, el modo en que se mecía sobre sus escarpines de tacón alto. Todo ello sacudió a Langley por completo, como si hubiera caído bajo las ruedas de un coche correo.

¡Ay, Dios, la deseaba! Olvidados habían quedado el teatro y sus planes. Sólo quería levantarla en brazos, subir las escaleras y pasar el resto de la noche desnudándola, desvelando cada matiz, cada curva de su cuerpo, el modo en que podía hacer cantar de placer a aquella hechicera.

Sintió una opresión en el pecho, y su cuerpo... En fin, le daba vergüenza confesar en qué estado se hallaba. Era igual que Swilly.

Pero ¿cómo podía ser? Había besado a incontables mujeres en las dos décadas anteriores, desde la muerte de Franny, y ninguna de ellas le había hecho sentirse así.

Y cuando miró a lady Standon a los ojos, perfilados de kohl de modo que tenían un aire exótico e irresistible, aguzó la mirada y habría jurado ver aquel fuego, aquella pasión escondida dentro de su alma.

Como el brillo lejano de una vela destinada a guiarlo a casa, aquella llama parecía tentarlo a acercarse, a escuchar con atención, parecía desafiarlo a intentar domeñarla.

En aquel instante, las agoreras palabras de Thomas-William resonaron como un eco en su mente.

«No hay excusa para sacrificarla por algo tan efímero.»

Porque mientras que Jamilla o Brigid, Tasha o Lucia, y especialmente Helga conocían los riesgos y las reglas de aquel juego, dudaba que lady Standon los conociera.

Apartando la mirada con esfuerzo, hizo caso omiso de la tensión que notaba en el pecho y dijo:

—¿Nos vamos, lady Standon?

Convenía que salieran de la casa, antes de que cediera a sus inclinaciones y a su fama de libertino.

No por ello, sin embargo, tenía que soltar su mano.

—Sí, me parece muy bien —repuso ella, y su tono formal y comedido fue la nota justa para recordarle que su compromiso no era real, sino una simple añagaza.

*Pero no tendría por qué serlo...*

¡Maldición, estaba perdido si empezaba a pensar así! Con falso compromiso o sin él, tenía que mantener la cabeza despejada.

*Quizá sea porque es la primera vez que te prometes en matrimonio.*

Y así era, en efecto, se dijo mientras caminaban en silencio hacia el carruaje. En el caso de Franny, su cortejo había sido una especie de torbellino fugaz en la época en que recibió su primera misión, un puesto en Constantinopla. Siempre había sospechado que el padre de ella, lord Hawstone, se había servido de su influencia para que, siendo un joven barón con poco más que su nombre, lo enviaran a un destino tan lejano. Sin embargo, cuando él había sugerido, medio enamorado, medio en broma, que ella, la señorita Frances Hawstone, lo acompañara, ella se había apresurado a aceptar.

Se habían escapado esa misma noche y les había casado el capitán del barco, pese a que no habían publicado las amonestaciones y eran ambos menores de edad. Era mejor casarlos enseguida, le había dicho a su sobrecargo, que dar lugar a un escándalo mayor cuando, meses después, atracaran en algún lejano puerto extranjero y la señorita estuviera ya visiblemente embarazada.

Así pues, se habían casado sin alboroto, ni tonterías. Y sin un verdadero noviazgo. Eran solamente dos adolescentes locamente enamorados y en exceso románticos que no habían pensado en lo que estaban haciendo.

Así pues, ¿por qué veintitantos años después de aquello se turbaba como Swilly mientras que lady Standon mantenía su perfecta compostura sentada frente a él en el carruaje?

Respiró hondo y tocó en el techo para que el conductor se pusiera en marcha.

—Estás preciosa.

Ella sacudió la cabeza con ademán levemente desdeñoso.

—Es la verdad —insistió él.

—Es por el vestido y los diamantes. Nada de lo cual es mío.

—No estoy de acuerdo —repuso Langley—. El vestido realza a la perfección tu figura. —Se inclinó hacia delante—. Mucho mejor que ese camisón que usas.

—¡Langley! —exclamó ella—. ¡Me dio su palabra!

Langley... Lo había llamado «Langley», no «milord», ni «señor», ni cualquiera otro de los varios apodos poco halagüeños que podría haberle dedicado.

Y al igual que el hecho de coger su mano y besar la punta de sus dedos, le gustó oírle emplear su título de un modo tan familiar.

—¿Me oye? —preguntó ella—. Me lo prometió. Nada de escándalos. Y eso incluye referirse a situaciones que otros podrían malinterpretar.

—Bien, a ver si me ha quedado claro —dijo Langley—. Nada de besos y nada de insinuaciones.

—Exacto —le dijo con las manos cruzadas delante de sí—. Por esta tarde le disculpo, pero nada más.

Si estaba dispuesta a disculpar aquellos deslices...

—Si insistes —contestó él.

—Insisto.

—Pero estás guapísima esta noche.

Ella arrugó el ceño como si no le creyera.

—¿No me he pasado de la raya? Temo parecer una... una...

—¿Una qué?

Minerva se inclinó hacia delante.

—Una cortesana. O una furcia. La concubina de un caballero.

Langley se echó hacia atrás y sonrió.

—Lady Standon, me escandaliza usted. ¿Dónde has oído tales palabras? ¿Cómo es que sabes de la existencia de esas mujeres?

—Abrí la puerta ayer noche y mi casa se llenó de ellas —contestó ella con mordacidad.

Ahí lo había pillado.

—Puede que los diamantes sean demasiado —repuso él—. Pero son muy bonitos, y la luz de la dama que los lleva los hacen brillar aún más.

Sus galanterías la hicieron resoplar.

—Nunca había oído más tonterías.

A Langley le sorprendió un poco su incredulidad. No sabía si alguna vez había conocido a una mujer que no adorara que le dieran a comer halagos como si fueran pedacitos de frutas confitadas.

—Entonces es que no te han cortejado como es debido, aunque esos diamantes parezcan indicar lo contrario. ¿Quién te los ha prestado? ¿Tasha? ¿O Lucia?

Ella se llevó los dedos a la garganta, donde temblaron nerviosamente sobre las gemas.

—Ninguna de las dos. Seguramente no debería llevarlos.

Langley nunca había oído algo que sonara más a confesión. Aun así añadió en son de broma:

—Dudo que los hayas robado.

Y se rió al pensarlo, hasta que ella se sonrojó y se puso a mirar por la ventanilla.

La risa de Langley se cortó en seco.

—Lady Standon, ¿qué fechoría ha cometido? ¿Acaso he descubierto su secreto más oscuro?

Minerva lo miró con los ojos desorbitados.

*Así pues, tienes secretos*, se dijo él, pensando en su misterioso «pintor».

—Ya que quiere saberlo...

—Quiero, en efecto —repuso él.

—Son los diamantes Sterling —explicó Minerva.

—Ah, una herencia familiar. Me sorprende, teniendo en cuenta lo que sé de los Sterling, que te permitieran quedártelos cuando murió tu marido. Me habría parecido más lógico que...

«Que se los llevaran con el resto de la herencia familiar», iba a decir.

Pero los ojos de Minerva se agrandaron aún más, y Langley comprendió que no hacía falta que lo dijera en voz alta.

—¡Dios santo, Minerva! Eres una pillina. ¡Te los quedaste cuando el viejo Sterling estiró la pata!

Aquello la hizo enderezarse en su asiento.

—Yo no hice tal cosa. Se los entregué a la siguiente lady Standon. Elinor los llevó en su boda con Edward.

Langley cruzó los brazos sobre el pecho y se recostó, ladeando una ceja.

—Entonces, ¿cómo es que ahora los tienes tú?

—¡Ah, santo cielo! —dijo ella, arrugando el ceño al verse pillada—. Los diamantes pertenecen a la esposa del heredero, que con el tiempo se convertirá en la duquesa de Hollindrake. Pero cuando Lucy Ellyson se casó con Archie se decidió que...

Langley lo adivinó enseguida.

—Que era preferible esconder los diamantes a entregárselos a una niña mimada hija de un ladrón.

Minerva apretó los labios y asintió con la cabeza.

Pero allí había algo más, aparte de una novia poco recomendable.

—Pero Lucy no se convirtió en duquesa —se dijo él en voz alta—. Archie murió y entonces Felicity... —Se paró en seco. ¡Santo Dios, se suponía que aquellos diamantes debían adornar el cuello de su hija! Entonces, sus sospechas fueron un paso más allá—. ¿Debo suponer que Felicity no sabe nada de los diamantes Sterling?

Minerva se miró los guantes y tiró de ellos.

—Es posible que nadie se lo haya dicho. Creo que ha estado muy ocupada desde que se casó con el duque.

—¿Y no has tenido oportunidad de llevárselos?

—No —replicó—. ¿Y por qué iba a hacerlo? ¡Fue ella quien nos desterró a Elinor, a Lucy y a mí a esa casa en ruinas, quien hizo que nos retiraran nuestra asignación, quien lo ha echado todo a perder! —Se hundió en su asiento, cruzó los brazos y deslizó una mano hasta los diamantes, cubriéndolos con gesto posesivo—. Así que no, no se los he dado.

Langley apretó los labios para no echarse a reír. Sabía que debería sentirse ofendido, al menos en nombre de Felicity, pero no lo estaba. No se hacía ilusiones respecto a su hija, que había sido mandona, obstinada y una redomada casamentera desde niña. Una vez había dibujado un diagrama para la reina de Nápoles con los príncipes y princesas ingleses y europeos con los que era probable que se casaran sus hijos, para regocijo de la soberana y espanto del embajador inglés.

—No hace falta que la tomes conmigo —le dijo—. Por mí no lo sabrá Felicity. Lo único que digo, *madame* Robajoyas, es que los diamantes van mejor con tu color de pelo que con el rubio de mi hija.

Le guiñó un ojo, y le satisfizo ver que se sonrojaba al oír su cumplido.

—Gracias. Porque la verdad es que me encantan.

Langley se rió.

—Entonces deberías ponértelos más a menudo.

Minerva se mordió el labio y miró por la ventanilla, y Langley se dio cuenta de otra cosa.

—Pero ya lo haces, ¿verdad? Te los pones bastante a menudo.

—Es usted el mismo diablo, Langley —le regañó ella. Luego hizo una pausa y añadió—: Sí, reconozco que me los he puesto un par de veces cuando me encontraba un poco decaída. Sólo para mí.

Hubo algo en su forma de decirlo que hizo que Langley se la imaginara lascivamente llevando los diamantes Sterling y poco más. Sin embargo, sospechaba también que, si se lo sugería, la severa lady Standon le daría un tirón de orejas.

Quizá, de todos modos, mereciera la pena correr ese riesgo, porque de repente se descubrió absorto en el recuerdo de los besos que había hurtado de sus labios, de cómo había cogido su mano y del calor de sus dedos, que transmitían sacudidas de deseo a través de su cuerpo.

Los diamantes Sterling eran sólo la pasión visible de la dama que tenía ante él. Porque, al igual que las frías piedras, cuando le daba la luz adecuada, Minerva ardía desde dentro con aquel mismo fulgor deslumbrante.

—¿Qué representan esta noche? —preguntó, rompiendo el tenso silencio que se había adueñado del carruaje mientras él pensaba en lo imposible, imaginándosela desnuda, adornada únicamente con los diamantes.

Apenas la oyó.

—¿Lord Langley? —insistió ella—. La obra. ¿Qué representan esta noche?

—Eh, *El mercader de Brujas* —respondió él rápidamente para cambiar el curso de sus pensamientos.

De sus díscolos pensamientos.

—Ah, sí, ya lo dijo esta tarde. Qué extraño que lo haya olvidado.

Miró afuera con el cordel del bolso enrollado en los dedos.

—Kean hace el papel de mercader —agregó él, aunque sólo fuera para no ver desnuda a la dama que tenía sentada ante sí. Desnuda, bajo él. Gritando su nombre.

*¡Langley, ah, Langley! ¡Sí, Langley, ah, sí!*

—¿Milord? ¿Se encuentra bien?

—Eh, sí, sí, claro —logró decir él.

—Como le iba diciendo, lo vi actuar hace un par de semanas —prosiguió ella, visiblemente aliviada por tener algo de lo que hablar—. Es una función magnífica. Confío en que disfrute de ella.

Langley asintió con un gesto.

—Seguro que sí. He oído hablar mucho de Kean, así que voy a verlo actuar por fin con cierto placer culpable. Me encanta el teatro, ¿sabe?

Minerva apartó la mirada de la ventanilla y la fijó en él.

—¿Sí?

No hacía falta que pareciera tan sorprendida.

—Sí, así es, lady Standon.

—Es solo que no creía que usted...

Se detuvo ahí, pero a Langley no le costó adivinar lo que había estado a punto de decir. El rubor de sus mejillas y su mirada nerviosa por la ventanilla fueron prueba suficiente.

—Lo creas o no, tengo otros intereses, aparte de seducir viudas y mantener sonados romances.

—Yo no pensaba eso —replicó ella.

Con excesiva precipitación. Porque también se sentó más erguida y lo miró con un poco de rabia desde sus ojos pintados de kohl, como si lo desafiara a llevarle la contraria.

¡Si supiera lo tentadora y deseable que estaba cuando se enfadaba!

Peligrosamente tentadora y deseable.

—Bueno, puede que sí —reconoció—. Pero debo decir en mi defensa que una oye contar tantas cosas acerca de los hombres y sus...

¿Había oído habladurías sobre él? Bien, aquello podía ser interesante. Langley levantó una ceja, y con eso bastó para hacerla confesar.

—Bueno, una oye hablar de sus... talentos, y cuesta creer que tales personas tengan tiempo para otras aficiones.

—¿Me está diciendo, lady Standon, que he pasado la mayor parte de mi vida adulta perfeccionando mis talentos, como usted los llama, hasta el punto de no haber tenido tiempo para frivolidades tales como el teatro?

Minerva arrugó el entrecejo.

—Quizá sí.

Langley se reclinó en su asiento y cruzó los brazos.

—Confío en que el rey no haya oído esos rumores —masculló más para sí mismo que para ella.

Aquello pareció sobresaltar a Minerva, que de pronto perdió su actitud remilgada.

—¿El rey? ¿Qué tiene que ver el rey en todo esto?

—Mi buena señora, pese a lo que afirmen las malas lenguas, he pasado más de veinte años al servicio de Su Majestad. Si el rey pensara que lo único que he hecho en ese tiempo ha sido retozar por el Continente y cobrar mi salario a cambio únicamente de mis talentos...

—Bueno, dicho así...

—No he sido yo. Ha sido usted.

Ella apretó los labios.

—Bueno, supongo que sí, ¿no?

—Sí.

—Entonces, ¿no es cierto? —preguntó—. ¿Lo que cuentan de usted?

—Primero tendrás que decirme qué cuentan de mí.

Langley vio con delectación que se sonrojaba. Le gustaba mucho que se pusiera colorada. A Helga no había forma de pillarla sonrojándose. Ni a Tasha, si a eso iba.

—Milord, no me gusta hacerme eco de habladurías.

Apartó del regazo las manos remilgadamente cruzadas y cruzó los brazos en actitud desafiante.

—Pero por lo que se ve no es reacia a escucharlas.

—¡Es usted incorregible!

—Lo mismo podría decirse de usted, lady Standon —replicó él—. ¿Alguna vez ha mostrado su disconformidad con esas habladurías? ¿Se ha negado a escucharlas? ¿Se ha marchado?

—Es de mala educación levantarse e irse cuando alguien te está contando una anécdota —le contestó, y sus manos volvieron a ocupar su respetable lugar sobre su regazo—. Además, entonces ni siquiera lo conocía.

—Sí, desde luego, es mucho más educado permitir que la reputación de un hombre inocente quede mancillada por informaciones de tercera mano...

—Usted no es precisamente inocente, señor. Tengo la casa llena de invitadas que lo demuestran.

Langley miró tranquilamente por la ventanilla al contestar:

—Aun así, sospecho que le gustaba oír hablar de mis aventuras.

—¿Yo? ¡Nunca!

Se volvió para enfrentar su mirada indignada.

—¿Nunca?

—En absoluto —afirmó ella mientras sus dedos enrollaban y desenrollaban el cordel del bolsito—. Desde luego que no.

Luego se quedó callada unos instantes mientras se alisaba la falda.

—Señora, es usted una embustera —repuso Langley y, sentándose en el asiento de enfrente, volvió a agarrarla de la mano. Sólo para provocarla, no porque se estuviera muriendo por tocarla otra vez.

No, no era por eso. En absoluto.

—Te gustaba oír hablar de mis hazañas porque tu vida era insulsa y carente de pasión —afirmó mientras ella intentaba apartar la mano de la suya. Pero Langley siguió agarrándola y, para remachar lo que quería decir, le pasó el brazo por la cintura y la sentó encima de él—. Ansiabas conocer el ardor, tener un amante, que te besaran hasta perder el sentido, que te llevaran a lugares remotos sin mirar atrás.

Minerva abrió la boca para protestar, pero sus labios sólo temblaron un poco.

—¿Cómo lo...?

—Sé leer el pensamiento —bromeó él, observando cómo se sonrojaban de nuevo sus mejillas.

—¡Qué idiotez! —logró balbucir ella.

—No del todo. —Langley se inclinó hacia ella, respiró hondo junto a su cuello y dejó que su suave perfume a rosas invadiera sus sentidos—. En eso consistía mi labor, milady. No en seducir a viudas, ni en coleccionar amantes, aunque eso ayudaba a menudo a ocultar lo que me traía entre manos. A lo que de verdad me dedicaba era a conocer a mis oponentes. Conocer sus deseos, sus anhelos. Descubrir sus secretos.

Minerva se estremeció al oírle susurrar esa palabra.

—¿Y cree que ha descubierto el mío? ¿Me cree una romántica que ansía escapar con algún aventurero?

—Sí.

Sus ojos se agrandaron un poco.

—Eso es ridículo.

Langley se inclinó más aún hacia ella.

—Vamos, lady Standon. ¿Tan ridículo es? ¿De veras? Los dos sabemos la verdad.

Ella se estremeció ligeramente. Tembló, en realidad.

—¿Cómo se ha dado cuenta? —confesó.

Langley notó que le había costado.

—Apenas me conoce —añadió ella.

De haberse tratado de cualquier otra mujer, Langley le habría dicho en tono coqueto que había muchas cosas que un hombre podía deducir del beso de una dama, pero ésa no era toda la verdad. Y sabía que a lady Standon, aquella diosa de la sabiduría hecha carne palpitante, no le gustaba que la tomaran por tonta.

Era consciente, además, de que le estaba ocultando algo, pero eso no pensaba decírselo. Así pues, le dijo lo que sabía.

—Tienes dos libros sacados de la biblioteca pública. *Las capitales de Europa* y *El misterioso harén de Constantinopla*. Un libro de viajes y una novela bastante subida de tono de origen francés. El primero sugiere que te gustaría dejar atrás Londres, y respecto al segundo no haré ningún comentario, sólo que dice mucho de tus deseos insatisfechos.

—Mis deseos insatis... —Ella sacudió la cabeza como si intentara romper el hechizo que iba tejiéndose mágicamente a su alrededor—. Yo no tengo tales...

Langley le puso un dedo sobre los labios.

—Claro que sí. Yo conozco tu secreto.

Minerva entornó los párpados con aire desafiante. Langley, sin embargo, la sintió temblar.

—¿Y cuál crees que es?

—Que, por más que digas lo contrario, ardes en deseos de que te bese. Nada te gustaría más que mandar al garete tu promesa.

# Capítulo 8

«Claro que, ¿qué dama quiere que un hombre cumpla su palabra?»
Consejo dado a Felicity Langley por su tata Lucia

A Minerva le dio un vuelco el corazón. El calor del dedo de Langley acarició sus labios como una promesa del fuego que podía prender entre ellos sólo con que ella dijera una palabra. Sí.

*Por favor, señor, béseme*, quiso suplicarle. Sí, por favor.

¡Y que la partiera un rayo si Langley no veía el deseo reflejado en sus ojos! ¡Aquel demonio encantador, aquel maldito! Era como si de veras pudiera leerle el pensamiento, pues había posado la mano sobre sus riñones y estaba acariciándola, apaciguándola, atrayéndola hacia sí hasta que quedó apretada contra su pecho.

Sus senos, que el escandaloso vestido de Brigid apenas ocultaban, se irguieron aún más y sus pezones duros se apretaron contra el fino paño de su chaqueta.

Langley miró su corpiño y, cuando fijó los ojos en los de ella, Minerva comprendió sin duda alguna que el brillo avaricioso de su mirada no se debía a los diamantes que adornaban su cuello.

Supo en ese instante, como sólo lo sabe una mujer, que la deseaba. Que la quería para sí. Que ansiaba verla desnuda y tendida en su cama para poder explorar cada curva de su cuerpo, cada uno de sus deseos.

La mano de Langley, que había abandonado sus labios, Minerva no recordaba cuándo, cubría ahora uno de sus pechos, y su pulgar acariciaba su pezón en círculos. Siguió mirándola a los ojos como si la retara a detenerlo. Y al ver que no lo hacía, se inclinó hacia delante y Minerva pensó que iba a besarla, lo deseó, mejor dicho, pero él ladeó la cabeza y el susurro de su aliento, cálido y arrebatador, bañó su piel cuando frotó la nariz contra su cuello, contra el lóbulo de su oreja, contra su pelo.

Minerva abrió la boca para quejarse... para protestar... quizá sólo para intentar respirar... y lo único que salió fue algo que no había oído nunca antes.

—¡Aaaah! —jadeó—. ¡Ah, Langley!

¡Santo Dios! ¿Qué era eso?

Y cuando él sacó del vestido uno de sus pechos y lo rodeó con los dedos, acariciándolo hasta que el pezón se puso duro de deseo, volvió a hacerlo:

—¡Aaaah!

No podía evitarlo, no podía refrenarse. Aquel hombre estaba encendiendo todos los deseos que había mantenido a raya durante años.

Desde siempre, a decir verdad...

¿Por qué su ardor salía a la luz precisamente ahora? O, mejor dicho, a la oscuridad, mientras Langley y ella se mecían dentro del carruaje que recorría traqueteando las calles a oscuras de Londres.

Él le murmuró algo, pero Minerva no le entendió, pues sus manos, que recorrían ansiosamente su cuerpo, prendían un rastro de deseo allá donde iban, en su espalda, en sus pechos. Luego la hicieron moverse, tiraron de ella.

Se tumbó de espaldas sobre el asiento y Langley se colocó sobre ella. Su cuerpo era duro, durísimo, pero en vez de escandalizarse, como debía, pues nunca había estado así con un hombre, su carne pareció cobrar vida y vibrar con el mismo anhelo inconsciente que los gemidos provocados por sus ardientes caricias.

Un soplo de fresca brisa nocturna recorrió sus piernas, y al mirar abajo vio que él le había subido el vestido hasta desnudar sus piernas enfundadas en las medias.

La noche era fría, pero sus caricias parecían de fuego cuando deslizó los dedos por su muslo, sobre sus ligas, y se detuvo luego brevemente antes de rozar los rizos de su pubis.

Minerva gimió otra vez. ¿Cómo era posible que una sola caricia pudiera dejar a su paso un ansia tan embriagadora?

Él volvió a murmurar algo junto a su cuello, sobre sus pechos, al tiempo que seguía explorándola con los dedos, despacio, precavidamente al principio, como si probara la temperatura del agua y luego...

Las caderas de Minerva se arquearon por voluntad propia cuando la tocó donde ningún hombre la había tocado así, al menos no para darle placer.

Y era aquél un placer tan pecaminoso...

Una oleada de pasión torturante recorrió su cuerpo cuando los dedos de Langley encontraron lo que andaban buscando y comenzaron a acariciarla en círculos, a provocarla, a frotarla.

Esta vez, cuando Minerva abrió los labios para gemir, de ellos no salió nada, pues no podía respirar. No podía pensar. Sólo podía sentir, palpitando su cuerpo de deseo. De un deseo feroz, ansioso, por que aquello nunca acabara.

Langley le lamió los pezones, se los chupó mientras ella comenzaba a subir y bajar las caderas siguiendo el movimiento de su mano.

Sus caderas se levantaron más aún, se restregaron contra él buscando más, ansiando más. Su cuerpo bullía de deseo. Después, levantó las caderas en busca del crescendo final, de la descarga definitiva.

—¡Langley! —jadeó—. ¡Langley! —Y entonces se deshizo, se desmoronó, la embargaron las olas, dejándola sin aire, boqueando, aferrada a él sin ningún pudor—. ¡Ah, Langley!

Se quedó allí, tendida, un rato, comprendiendo que aquello era por lo que se armaba tanto revuelo. Ah, sí, ahora lo entendía.

Los ojos maliciosos de Langley brillaron en medio de la penumbra del carruaje.

—¿Sigues aún empeñada en eso? —preguntó.

*¿Empeñada en qué?* Minerva lo miró, aturdida y lánguida.

—¿Sigues? —le susurró él al oído, y su cálido aliento la dejó temblando, Minerva no supo si por efecto de su apasionada explosión de placer o por las ganas de que lo hiciera de nuevo.

*Ah, sí, otra vez*, le suplicó su cuerpo esponjado y falto de uso. *Una y otra vez.*

Entonces se acordó de lo que había dicho Langley justo antes de dar comienzo a aquella diablura.

«Que, por más que digas lo contrario, ardes en deseos de que te bese. Nada te gustaría más que mandar al garete tu promesa.»

¡Santo cielo! ¿Qué había prometido? Entre sus brazos, con sus labios mordisqueándole el lóbulo de la oreja, no acertaba a pensar con claridad.

*No besarlo y no compartir su cama.*

Y allí estaba, vencida por completo. O casi.

—¿Y bien? —murmuró él—. ¿Insistes?

Ah, Minerva sabía qué le estaba preguntando. ¿Rompería su promesa y lo besaría?

Se incorporó, lo cual fue difícil, pues Langley seguía sujetándola, la abrazaba aún como si pudiera, respondiendo a una sola palabra suya, devolverla a aquel estado de delicioso estupor y esta vez dejarla por completo desmadejada...

Sospechaba que el célebre lord Langley podía quitarle el vestido más aprisa que la más experta doncella. La estrechura de un carruaje en marcha apenas sería un estorbo para un donjuán como él.

Y, por más que aborreciera admitirlo, aunque sólo fuera ante sí misma, quería estar desnuda. Bajo él. Y que la besara. Que la devorara con los labios. Que la colmara por completo...

Porque su colección de novelas francesas le había proporcionado un conocimiento bastante exhaustivo de lo que debía ocurrir entre amantes, si bien tenía que reconocer que aquellas páginas desmerecían mucho comparadas con la práctica.

Ahora que había atisbado cómo podía ser, el efecto que podían surtir las caricias, los labios y el cuerpo de un hombre sobre el de una mujer, un efecto que su marido nunca había sido capaz de surtir sobre el suyo, quería más y... en fin, más.

Lo quería todo.

Pero para conseguirlo tendría que romper su promesa, y cuando vio el brillo seductor y confiado de los ojos de Langley, aquel destello de arrogancia que parecía decir que era capaz de hacer con ella lo que se le antojase, algo saltó dentro de ella.

Y no para bien.

—No, no pienso hacerlo —le dijo, apartándose de él.

Pero Langley no la dejó ir muy lejos: alargó el brazo y la atrajo hacia sí, como si no quisiera que olvidara ni por un instante lo que acababa de suceder entre ellos.

Como si pudiera olvidarlo...

—No quiero besarte, ni compartir tu cama —mintió Minerva.

Pero aquel demonio inteligente y libertino, aquel diplomático de la seducción, sonrió.

—Y no lo has hecho. Porque este carruaje no es una cama.

Minerva abrió la boca formando un amplio círculo, dispuesta a protestar, pero él añadió:

—Y yo no te he besado.

No, no la había besado, comprendió Minerva. Y en ese momento supo que Langley se había limitado a abrir la caja de Pandora el ancho de una rendija, que había mucho más por descubrir, muchas más cosas que aquel hombre podía darle, enseñarle, ofrecerle como una tentación.

—Sólo hace falta una palabra, milady —le susurró al oído mientras sus manos seguían obrando su seductora magia sobre ella.

Minerva deseó gritar «¡Sí!» y rendirse a él. Y estuvo en un tris de hacerlo, pues él bajó la cabeza y hizo amago de apoderarse de sus labios, y el cuerpo de Minerva comenzó a vibrar de nuevo, cobrando vida bajo sus diestras caricias. Se moría de ganas de más, deliraba presa de un ansia apasionada.

Langley había vuelto a ponerla en aquel estado rápidamente, y debía estar furiosa con él, pero sólo sentía un anhelo desesperado de más y más.

Pero justo antes de apoderarse de sus labios, Langley se retiró.

—Qué mala suerte para los dos que no pueda hacerlo.

Minerva estuvo a punto de decir: «¿Por qué narices no?» A punto. Porque, justo antes de que aquella frase grosera y nada propia de una dama saliera de sus labios, se acordó de que era la marquesa de Standon y de que, por tanto, no decía esas cosas.

—Lo prometí —remachó él—. Igual que tú. Y no quiero forzarte a incumplir tu palabra. No quiero verte suplicar que te bese...

¿Incumplir su palabra? ¿Suplicar? Minerva rechinó los dientes. ¿Y qué había de su promesa?

El muy engreído y presuntuoso...

—Usted, señor... usted... —balbució mientras intentaba apartarlo empujándolo.

Lo intentaba. Porque él no la soltó. La sujetó como si todavía no se hubiera decidido del todo. Como si aún pudiera intentar...

El cuerpo de Minerva se agitó, protestando. *¡Santo Dios! ¡No seas tonta! ¡Bésalo!*

El muy granuja sonrió en ese preciso momento, como si, tal y como había afirmado poco antes, pudiera leerle el pensamiento. Como si supiera exactamente cuánto lo deseaba.

¡Aquel hombre era el mismísimo diablo! Esta vez, Minerva se desasió de sus brazos empleando todas sus fuerzas y cruzó el carruaje para ocupar el sitio en el que antes se había sentado Langley.

Pero al ver que él seguía sonriéndole, se indignó más aún. Bien, si él podía resistirse, ella también, faltaría más. Se puso a enderezarse el vestido y a colocarse el pelo en su sitio, y procuró en lo posible que sus emociones fueran tan respetables como su apariencia externa.

—No vas a convencer a nadie de que estamos felizmente comprometidos si te quedas ahí sentada, mirándome con cara de enfado.

—Yo no tengo cara de enfado —replicó ella. Estaba mucho más que enfadada. Estaba furiosa. Rabiosa.

*Frustrada.*

Y lo peor de todo era que estaba más furiosa y rabiosa consigo misma que con él.

Y ni por todos los diamantes Sterling habría reconocido que, más que por cualquier otra cosa, estaba enfadada por no haberse arriesgado a descubrir la verdad sobre sus legendarias proezas eróticas.

Le lanzó una mirada y estuvo a punto de suspirar. ¿Por qué tenía que ser tan guapo? Tenía el pelo castaño todo revuelto, ¿se lo había hecho ella?, la corbata atada con un lazo travieso y complicado, los ojos azules brillantes, como siempre, llenos de malicia y picardía.

Una picardía embriagadora, irresistible, incomparable a cualquier otro atractivo, pues sus ojos prometían placeres inefables para cualquier dama que atrajera la atención de su mirada vagabunda.

*Placeres inefables...*

Minerva sintió que su férrea determinación se tambaleaba. Sin embargo, ahora que había probado un bocado, quizá no pararía hasta ahogarse en sus brazos.

Pero, fueran cuales fuesen sus caprichosas cavilaciones, se interrumpieron bruscamente cuando el carruaje se detuvo delante del teatro. Unos segundos después, se abrió la portezuela.

Langley salió delante de ella y se volvió para ofrecerle la mano. Le sonrió y movió las cejas como si la invitara a sonreír a ella también.

—Recuerda que nos amamos con locura, con pasión —le susurró al oído.

¡Ah! ¿Por qué tenía que decirlo así?

—En efecto —contestó al tiempo que componía una sonrisa forzada y tomaba su mano para apearse del carruaje, sólo para descubrir que buena parte de la alta sociedad londinense los miraba boquiabierta.

—Y que pese a nuestros mutuos deseos —añadió Langley en voz baja—, confío en que puedas cumplir nuestro acuerdo y tu palabra.

*¿Que ella pudiera cumplir su palabra?* ¡Pero qué arrogante era aquel hombre!

—Puedo cumplirla siempre y cuando usted cumpla la suya —replicó mientras sonreía a lady Finnemore, que debía de haber estado esperando su llegada en la escalinata del teatro y se abría paso a empujones para ir a saludarlos.

—Confía en mí, yo puedo —afirmó Langley, saludando con la cabeza a un hombre que se había inclinado escuetamente ante él.

—Ah, pero no confío en usted —repuso Minerva, tambaleándose sobre sus talones tras recibir un empujón.

—Procuraré recordarlo la próxima vez que te arrojes en mis brazos —susurró suavemente Langley para que sólo ella pudiera oírlo.

Pero antes de que Minerva pudiera responder o echarle la reprimenda que merecía, el muy granuja se volvió hacia un caballero de aspecto distinguido.

—¡Sir Basil, qué alegría volver a verlo, y tan pronto! He de suponer que esta preciosidad es su hija. ¿No? ¿Su esposa? Nunca hubiera... ¿Conocen ustedes a mi prometida, lady Standon?

Mientras saludaba a Brownie, Langley escudriñó discretamente el gentío que los rodeaba. Aquella aglomeración le ponía nervioso, pues había sido en medio de una muchedumbre parecida cuando le habían atacado en París.

París... No pudo sofocar el escalofrío que recorrió su espalda, el presentimiento de que aquello estaba ocurriendo otra vez.

*Esto es Londres*, se dijo mientras sonreía a lady Standon y hacía lo posible para acallar los temores y el nerviosismo que solían acompañar a aquellos retazos de su memoria. *No tienes nada que temer.*

Justo entonces alguien tropezó con Minerva y ella se tambaleó, meciéndose sobre sus tacones. Langley la agarró con facilidad, sujetándola por el codo mientras con la otra mano la enlazaba por la cintura y la apretaba contra sí.

*Sólo para impedir que se caiga*, se dijo, sorprendido por la sensación de celos que oprimió de pronto su pecho, sobre todo al ver el número de cabezas que se giraban para mirarla.

Igual que la había mirado él poco antes.

*¡Ah, sí! Ahora os fijáis en ella, idiotas*, quiso decirles, pero en lugar de hacerlo compuso una sonrisa satisfecha y llena de viril arrogancia que parecía decir: *¿Cómo es que una joya tan rara os ha pasado desapercibida? Pues bien, ahora es mía.*

No lo era, en realidad, pero el resto de Londres no lo sabía. Y había estado a punto de ser suya en el carruaje.

Santo cielo, ¿cómo era posible que aquella viuda obstinada, pragmática y deliciosa lo tuviera en vilo? Sobre todo teniendo en cuenta que, tal y como a Thomas-William le gustaba recordarle, tenía asuntos mucho más importantes de los que ocuparse.

Como, por ejemplo, descubrir quién había intentado matarlo en París.

Una persona que con toda probabilidad todavía ansiaba su muerte. Miró hacia atrás y descubrió la mirada de sir Basil fija en su espalda.

Con razón sentía aún en los huesos el frío de París.

—¿Flores, milord? —gritó una niña justo antes de que llegaran a la puerta, y le tiró de la manga—. ¿Flores para la señora?

Langley estaba a punto de apartar a la muchacha sin contemplaciones cuando un destello de su cabello rubio rojizo y una sonrisa a la que le faltaba un diente atrajeron su atención.

¡Goldy!

Se detuvo un momento, dejando que Minerva se adelantara con Jamilla y Brigid, que habían estado esperando su llegada, y se inclinó para dar una moneda a la pequeña.

Y mientras él fingía elegir un ramillete de flores de azahar, Goldy le susurró:

—Ese tipo, el que se da prisa en entrar...

Langley miró de reojo en aquella dirección y vislumbró una figura alta con gabán oscuro.

—Le ha dado a escondidas una nota a la señora —concluyó la muchacha.

Langley miró primero a Goldy, asombrado por lo que había visto, y luego a Minerva, que en ese instante estaba guardando furtivamente una hojita de papel en su bolso.

¿Qué era aquello? Levantó luego la mirada hacia la puerta por la que acababa de entrar aquel individuo. Un hombre más o menos de la misma altura y la misma constitución que el «pintor».

Quizá debería haber dedicado un poco más de tiempo a reflexionar sobre su repentino cambio de opinión.

A fin de cuentas, ¿en qué podía beneficiar a lady Standon la farsa de su compromiso matrimonial? ¿Por qué había accedido a desempeñar su papel en ella?

¿Y quién era el «pintor» con el que se había reunido en el callejón, y por qué aquel encuentro la había impelido a cambiar de idea tan bruscamente? Langley no dudaba de que aquel desconocido era el responsable de que hubiera aceptado su oferta.

Pero ¿por qué?

—¡Ah, éste es perfecto! —le dijo a la niña cuando escogió un ramillete. Con las flores en la mano, salió en pos de su prometida mientras la voz alegre de Goldy gritaba a los rezagados:

—¡Flores! ¡Una dama no es una dama sin sus flores!

—O sin sus secretos —masculló Langley en voz baja.

Ni siquiera la magia que obraba Kean sobre el escenario consiguió retener la atención del público mientras un torbellino de habladurías y especulaciones recorría las butacas como un mensaje pasado de mano en mano. El palco de lord Langley, ocupado por sus ex amantes y su flamante prometida, una de las componentes del célebre trío de viudas Standon, constituía un escándalo delicioso, repleto de posibilidades y fuente inagotable de conjeturas.

En otras palabras, la velada fue un gran éxito.

Para todo el mundo, excepto para Minerva, que se pasó el primer acto rebulléndose en su asiento, intentando decidir cómo iba a dar esquinazo a lord Langley en el intermedio para ir a reunirse con Adlington, como le exigía su nota.

Cuando se removió de nuevo, lord Langley se inclinó hacia ella.

—¿Aburrida?

—En absoluto —le susurró—. Estoy encantada.

—Entonces convendría que dejaras de retorcer el cordel de tu bolso. Vas a romperlo y, además ¿dónde guardarás lo que quiera que las damas guardáis en esos chismes?

Posó una mano sobre la de ella, y sobre su bolso, y Minerva sólo pudo envararse y mirar fijamente hacia delante.

No se atrevió a lanzarle una mirada para intentar deducir qué había querido decir con eso. Y menos aún teniendo en cuenta que en el carruaje había tenido la clara impresión de que Langley la traspasaba con la mirada, conocía todos sus secretos.

Todos sus deseos... Desde luego, había hecho un excelente trabajo a la hora de descubrir, o más bien de desatar sus deseos.

Un intenso rubor cubrió su cara cuando se acordó de lo lujuriosa que se había mostrado, casi desnuda bajo él, mientras sus dedos extraían de ella como de un instrumento las notas más deliciosas de la pasión, y de con cuánta facilidad había caído bajo la seducción de su hechizo. Se esponjó por dentro y se removió de nuevo en su butaca, intentando encontrar una postura cómoda.

Langley se inclinó de nuevo hacia ella.

—¿Tienes calor? Pareces sofocada. —Le sonrió y guiñó un ojo.

¡Sería arrogante! ¡Creía que estaba fantaseando con él, el muy impertinente! Poco importaba que así fuera en realidad.

—¿Le importaría prestar atención a la obra? —replicó, señalando el escenario.

—Prefiero mirar la que se está desarrollando aquí arriba.

Minerva lo miró. ¿Qué se traía ahora entre manos? La observaba como si supiera que guardaba aquella nota dentro del bolso. Minerva apartó la mirada y volvió a fijarla en Kean. Y en la obra. Cualquier cosa con tal de no mirar al hombre sentado a su lado.

¡Ay, Dios! Se estaba comportando como una mema. Langley no sabía lo que había en su bolso, claro que no. No podía haber visto a Adlington poniéndole aquella horrible nota en la mano, ni a ella escondiéndola.

Y tampoco conocía todos sus secretos.

Aunque era muy capaz de descubrirlos o de hacer unas cuantas conjeturas muy acertadas, sin perder por ello sus buenos modales. Eso no significaba, sin embargo, que pudiera subestimarlo: sospechaba que era un adversario peligroso. No había más que ver cómo le había sonsacado lo de los diamantes Sterling.

*Mejor el collar que otros asuntos*, se dijo Minerva, clavando los dedos entre los puntos de su bolsito tejido.

Langley no había apartado la mano de la suya, ni parecía tener intención de hacerlo. El calor de sus dedos se difundió por su mano y su brazo, y aunque sabía que debía apartarse de aquel contacto embriagador, no fue capaz de hacerlo.

Quería que le cogiera la mano, que la tocara.

Y, aunque no estuviera dispuesta a reconocerlo, quería que hiciera mucho más que eso.

Se removió en su asiento y apartó la mano de la de lord Langley.

—¿Qué sucede? —le susurró él, cogiendo el ramillete de flores de azahar que le había comprado y oliéndolo con delectación—. Creía que te encantaba el teatro.

—Y me encanta —contestó Minerva, y le quitó las flores—. Pero me distrae que todo el mundo nos mire a nosotros en vez de mirar el escenario.

—¿Nos están mirando? —preguntó Langley con la voz rebosante de candorosa sorpresa, como si no hubiera reparado en los murmullos y los dedos que los señalaban indiscretamente.

—¿Y cómo no iban a mirarnos? —Minerva sacudió la cabeza—. Este palco es como el circo Astley.

Langley miró hacia atrás.

—¿Qué? ¿Acaso a la margravina le ha dado otra vez por montar a caballo desnuda mientras yo estaba mirando a Kean?

Le guiñó un ojo, se arrellanó en su asiento y fijó la mirada en los actores como si no hubiera otra cosa con la que entretenerse.

Minerva apretó los labios para no echarse a reír. ¡Ah, diablo de hombre! Era verdaderamente incorregible.

Pero Langley no había acabado.

—Si todo el mundo mira hacia aquí, no es solamente por tus invitadas —dijo en voz baja.

—Sus invitadas —puntualizó ella.

Langley alargó el brazo y volvió a tomarla de la mano. Y esta vez se la sujetó con fuerza, para que no pudiera desasirse. Al menos, no sin hacer una escena.

—Nuestras invitadas.

*¡Nuestras invitadas!* A Minerva le dieron ganas de tirarle de las orejas. No había nada «nuestro». Sólo un compromiso falso, aquel cenagal en el que se había metido sin quererlo.

O, mejor dicho, en el que Langley le había hecho caer, porque en todo aquello ella era la víctima inocente. O al menos lo había sido hasta aquel trayecto en carruaje.

Aunque, a juzgar por las miradas irónicas que le habían lanzado Jamilla y Brigid al reunirse con ella en la escalinata del teatro, cabía suponer que habían adivinado la verdad.

Confiaba en que nadie más la hubiera adivinado.

No, ¿verdad? Se enderezó en su butaca y escudriñó los rostros que la miraban.

—¿Qué pasa ahora? —Langley se arrimó, inclinándose hacia ella—. El señor Frisk acaba de hacer a la señorita Kelly una proposición de matrimonio formal. Pero ese pobre caballero rural no conseguirá su mano.

Minerva sacudió la cabeza.

—¿Quién es el señor Frisk?

Langley sonrió con indulgencia.

—¿No estás prestando atención a la obra?

¿La obra? Miró hacia el escenario, donde la actriz estaba tomando de la mano al joven y declarándole su amor. Ah, ése señor Frisk.

—¿Cómo voy a prestar atención si todo el mundo mira este palco? —dijo en su defensa.

—No están mirando este palco —repuso Langley.

—¿No?

—No —añadió sacudiendo levemente la cabeza—. Te están mirando a ti.

—¿A mí? —Soltó un suspiro—. Está usted loco.

—Por ti —dijo, y sonrió como lo que era: un barón lleno de perversidad.

Esta vez, a Minerva no le importó hacer una escena. Apartó la mano.

—¿Quiere parar de una vez?

—¿Por qué?

Alargó tercamente el brazo y volvió a agarrarla de la mano.

¡Y ay si el corazón de Minerva no dio un pequeño traspié al sentir de nuevo su contacto!

—Nosotros también estamos representando un papel, ¿recuerdas?

—Que miren la obra —contestó ella agriamente.

Langley apretó suavemente sus dedos, y eso bastó para que se le acelerara de nuevo el corazón.

—Parece que todo Londres tiene ganas de un romance —dijo, y sus ojos brillaron con una expresión que parecía decir «Igual que yo».

*Diablo de hombre. Sabe perfectamente lo guapo, lo encantador, lo mundano que es...* Minerva apretó los labios. *Pero sólo está actuando, representando un papel para que toda la alta sociedad lo vea.*

No la deseaba. ¿A ella, a una insulsa viuda londinense? No, imposible.

*¡Ah, pero si así fuera...!*

Sofocó el extraño suspiro que estuvo a punto de escapar de sus labios y se recordó una sola cosa: que se trataba de lord Langley. Y si no bastaba con eso para aplastar sus ridículas fantasías, estaba claro que necesitaba recordarse que aquel hombre era el padre de la duquesa de Hollindrake. Cuando Felicity se enterara del inesperado compromiso de su padre, se armaría un buen lío.

Respiró hondo, hizo caso omiso de los dedos de Langley, que todavía sujetaban los suyos, y miró a su alrededor, escudriñando a la muchedumbre. Pero enseguida lamentó haberlo hecho.

Porque allí estaba Gerald, observándola. No a ella exactamente. Su mirada avariciosa estaba fija un poco más abajo. En los diamantes Sterling, para ser exactos. Lo más probable era que estuviera sopesando mentalmente las piedras y calculando su precio.

¡Y ella que le había dicho que no tenía nada de valor! ¡Ah, tonta, tonta, tonta! ¿Por qué se los había puesto?

¡Ojalá supiera la respuesta! Por la misma razón por la que le gustaba ponérselos de madrugada, cuando estaba completamente sola y se hacía ilusiones de ser bella, amada y deseada.

Porque quería arder con el mismo fuego que aquellas gemas cuando les daba la luz precisa, tal y como había dicho Langley poco antes.

Aun así, no había podido imaginar el ardor que él había encendido durante su trayecto en carruaje. Ahora no le quedaba más que preguntarse cómo iba a apagar aquel fuego.

Porque, al igual que su decisión de ponerse los diamantes esa noche, aquello tendría repercusiones, como prometía tenerlas la aciaga nota escondida en su bolso.

Todo tenía consecuencias. *Siempre.*

Lo sabía mejor que nadie la hija bastarda de un conde que se hacía pasar por marquesa. Seguramente mejor incluso que el propio Langley.

# Capítulo 9

«Nunca guardes en tu bolso nada que no quieras que descubra tu querida mamá, o incluso tu mejor amiga y confidente. Y guardarlo en el corpiño tampoco es buena idea. Ahí sin duda lo descubrirá tu amante.»

Consejo dado a Felicity Langley por su tata Brigid

Cuando cayó el telón en el intermedio, lady Standon apartó la mano de la de Langley, se levantó de un salto y dijo atropelladamente:

—Sí, bueno, ya está. Enseguida vuelvo.

Langley la agarró del codo.

—No hace falta que te vayas sin mí, querida mía. —Vio las diversas emociones que desfilaron por sus ojos pintados de kohl: exasperación, alarma y rencor. No, estaba claro que no quería que la acompañara—. Puedo ir a buscar lo que quieras.

—No quiero nada —le dijo, intentando desasirse sin conseguirlo.

Langley debía soltarla, dejarla con sus intrigas, pues bien sabía Dios que ya tenía suficientes problemas a los que enfrentarse, pero algo dentro de él le atenazaba el corazón.

*Tienes que ayudarla*, parecía decirle. *Debes ayudarla.*

Esas palabras resonaban en su cabeza como el susurro del apuntador recordando el diálogo a un actor olvidadizo.

No quería, sin embargo, sentirse impelido a hacer lo correcto, lo más honorable.

Deja que se marche y concéntrate en mantener a sir Basil en ascuas, se dijo, recordando los planes que había hecho con Thomas-William y lord Andrew.

Incluido el que debía dar comienzo esa noche.

Pero entonces intervino Tasha, metiéndose entre Minerva y él con la agilidad de un gato.

—Querido, hay ocasiones en que una dama no necesita la compañía de un hombre —le dijo arqueando las cejas como si dijera: «En ciertas circunstancias». Arrancó a Minerva de su lado y la condujo al pasillo—. Venga, lady Standon. Los hombres, incluso Langley, pueden ser tan obtusos respecto a las necesidades de una dama...

Se marcharon ambas y Langley las vio alejarse con los labios fruncidos en una mueca de exasperación. Pero no debía enojarse, debía sentirse aliviado. De ese modo podría concentrarse en lo que tenía que hacer. Sin embargo, al llegar a la puerta Minerva lo miró furtivamente por encima del hombro: Langley nunca había visto una mirada tan culpable como aquélla, y eso bastó para que su curiosidad se desbocara.

¿Qué demonios se traía entre manos lady Standon?

Luego, al mirar a su alrededor, reparó en algo que podía responder a su pregunta.

Su bolso.

Había caído al suelo al levantarse Minerva, y allí se había quedado, olvidado.

Entonces se agachó a recogerlo y lo dejó ostensiblemente en el lugar que le correspondía, la butaca de Minerva, pero entre tanto deslizó los dedos dentro y sacó la nota que ella había ocultado.

La abrió a hurtadillas y la leyó.

*Se acabó el tiempo. Reúnete conmigo en el intermedio. O si no...*

Langley resopló. ¡Santo Dios! ¿O si no? ¿Qué clase de patán escribía tales memeces melodramáticas?

Se le ocurrieron diversos motivos para justificar semejante exigencia: deudas de juego, una ofensa o un desaire, una aventura amorosa que había acabado mal. Éste último lo descartó tan pronto lo hubo pensado. Era una idea ridícula.

¿La orgullosa y severa lady Standon metida en un sórdido escarceo amoroso? Resopló y desechó aquella idea.

Además, pensar en Minerva con otro hombre le produjo un vacío en el estómago. No alcanzaba a entender por qué, pero no le gustaba la idea. Ni lo más mínimo.

Arrugó el papel, se lo guardó en el bolsillo y se abrió paso entre la gente, decidido a olvidarse de aquella distracción. Es decir, hasta que un caballero corpulento le cortó el paso.

—¡Langley! ¡Es usted! Había oído que había vuelto a Londres.

—¡Lord Chudley! ¡Vaya, hacía años! Me alegro de verlo, señor —contestó Langley tendiéndole la mano.

—Aparte esa mano, bribón. No pienso estrechársela —declaró Chudley—. Para mí es hombre muerto.

—Así que es ése —dijo Adlington con desdén al mirar por encima del hombro de Minerva.

Ella miró hacia el otro lado del vestíbulo, donde Langley acababa de salir por la puerta de su palco.

—Déjame. ¡Déjame ya! —dijo, intentando alejarse—. Antes de que nos vea.

Gerald atajó su huída casi de inmediato agarrándola del codo y tirando de ella.

—¿Y qué si nos ve? No parece gran cosa —dijo—. Además, he oído que es un traidor.

Minerva contuvo la respiración. Porque aunque no conocía muy bien a Langley, santo cielo, en realidad apenas lo conocía, no podía creer que fuera un traidor.

Pero antes de que pudiera refutar aquella infamia, Adlington añadió:

—¿A eso estás jugando, Maggie? ¿Piensas casarte con él para luego verlo colgar de una horca?

Se apartó, horrorizada por aquella sugerencia, y logró desasir su brazo.

Adlington chasqueó la lengua.

—Es mala idea, mi niña. A los traidores se lo quitan todo. Casarse con uno no da beneficios.

*No da beneficios...* ¡Cuánto le habría gustado en ese momento tener en sus manos la pistola de Thomas-William! Ni siquiera se hallaría en aquel brete si Gerald no pensara únicamente en el beneficio.

—Me marcharé de Londres si no paras —dijo en tono amenazador.

—No, nada de eso —repuso él—. No, hasta que me des mi dinero. —Miró su escote y meneó la cabeza—. «Nada de valor», dice. Serás embustera. Con esos diamantes hasta un rey viviría a lo grande.

—El dinero nunca ha sido tuyo, era para Minnie —puntualizó Minerva mientras veía con cierto alivio que lord Chudley le cortaba el paso a Langley y le hacía detenerse. De momento—. Y tampoco lo son estos diamantes. Pertenecen a la familia Sterling. Son de la duquesa, para que lo sepas.

—Una duquesa seguramente no echará de menos un par de fruslerías.

*¿Fruslerías?* Sólo un idiota como Gerald llamaría «fruslerías» a aquellas piedras.

—Entonces es que eres tonto. La duquesa de Hollindrake irá en persona a darte caza —le dijo. *Después de liquidarme por haber perdido las joyas de la familia.*

Adlington se inclinó hacia ella.

—Podríamos irnos los dos, Maggie. Coger el collar y largarnos.

Lo miró con desdén e intentó escapar, pero la tenía bien sujeta, con la espalda pegada a la pared y una mano apoyada justo por encima de su hombro.

—Podríamos ir a América —añadió—. Antes te apetecía. Podría apetecerte otra vez.

Ella respondió con un bufido poco elegante.

—Prefiero pasar el resto de mi vida en el penal de Newgate.

Gerald ignoró su sarcasmo como si no fuera dirigido a él.

—Estarías mucho mejor en Boston. O en Nueva York. O quizás en el Sur. Allí hay mucho terreno, eso tengo entendido, y con esos diamantes podríamos comprar un reino entero y toda la ayuda que necesitemos.

—¿Esclavos? ¿Serías capaz de comprar esclavos?

No era capaz de concebir tal cosa. Pero al parecer a Adlington no le repugnaba la idea.

—Has olvidado lo que es vivir sin una casa llena de criadas y cocineras y un montón de petimetres a tu servicio. Cambiarías de idea en un periquete si volvieran a arrojarte a las cocinas. —Bufó como si aquello fuera de lo más gracioso. Luego se inclinó hacia ella y agregó en voz baja—: Además, a aquella gentuza no le importará que seas o no la bastarda de un conde. Puede que hasta te hagan reina de la canalla.

—Lo dudo, si voy contigo —replicó ella con sorna.

Gerald se inclinó aún más.

—Te has vuelto muy engreída, Maggie. Ese título se te ha subido a la cabeza. Pero ¿qué pasará cuando te echen a la calle? Estarás en el arroyo, donde habrías estado si yo no te hubiera despejado el camino para que te casaras con ese viejo verde. —Sonrió lascivamente y Minerva comprendió de inmediato quién había reemplazado a su difunto marido como el mayor viejo verde de todo Londres—. Ven conmigo ahora mismo, Maggie —añadió Gerald en tono persuasivo—. Sólo di una palabra.

Ella se apartó lo mejor que pudo.

—¿Qué te parece ésta? «¡No!» O, para ser más precisa, «¡nunca!» —¿De veras la creía tan estúpida?—. Te gastarías el dinero que sacaras del collar antes de llegar a Plymouth. —Hizo una pausa al ver que él arrugaba la frente, delatándose—. Es eso, ¿verdad? Estás endeudado hasta el cuello, ¿no es eso? Y con alguien que no es tan comprensivo como mi hermana.

—Eso no es asunto tuyo —siseó Gerald rechinando los dientes como un lobo, y su rostro de volvió de un intenso tono rojo.

Pero, por más que la zahiriera recordándole su origen humilde, parecía haber olvidado de dónde procedía. Porque Minerva no sólo era la hija natural del conde.

—Como decía siempre mi madre: «Puede que yo no sea más que una mujer, pero un hombre tiene que comer y tiene que dormir». —Se irguió sobre sus altos tacones para mirarlo casi a los ojos—. Tenga cuidado, señor Adlington, con lo que cena mañana por la noche y con dónde se echa a dormir.

Gerald palideció, pero antes de que le diera tiempo a responder a sus amenazas, una voz potente les detuvo. Atajó, de hecho, todas las conversaciones del vestíbulo.

—¡Le exijo satisfacción, Langley! ¡Se la exijo! —gritó lord Chudley.

Se volvieron todos hacia él, incluso Adlington.

Minerva aprovechó la distracción para escapar de Gerald.

—Chudley, no hay motivo para... —estaba diciendo Langley.

—¡Maldita sea! ¿Va a rehusar un desafío como un cobarde?

Todo el mundo contuvo el aliento.

Brigid, que se hallaba cerca de Langley y lord Chudley, con Throssell revoloteando celosamente a su lado, cortó el paso a Minerva cuando se disponía a meterse en la refriega.

—Sus padrinos, señor. ¡Nómbrelos! —bramó Chudley.

¿Padrinos? ¿Acaso el marido de tía Bedelia se había vuelto loco? Entonces pareció cundir la locura, Langley asintió con la cabeza y el vestíbulo se convirtió en un hervidero.

¡Un duelo!

¡Santo cielo! Primero un chantaje y ahora esto... Minerva descubrió que su vida, antes tan pacífica, había sido arrollada de pronto por la marea del escándalo.

Empezaba a pensar que quizás una tranquila celda en Newgate fuera un paréntesis reparador.

Gerald Adlington se disponía a salir tras su presa cuando una señora le tocó en la manga con el abanico.

—Disculpe, ¿estaba usted hablando con esa dama?

—¿Y a usted qué le importa? —replicó sin mirarla, haciendo lo posible por no perder de vista a Maggie. ¡Zorra! No le haría esos desplantes si supiera que había sido idea suya que el conde la mandara a ella en lugar de a su hermana para casarse con Philip Sterling.

Todo un golpe de genio, aquél, aunque estuviera mal que él lo dijera. El hecho de que Maggie estuviera tan cerca de las arcas de los Sterling les había procurado a él y a su novia, inútil, de repente, una provisión inagotable de ganancias ilícitas.

Sobre todo después de que el viejo conde dejara claro que no pensaba dar ni un chelín a su descarriada hija legítima y su flamante marido, ni siquiera cuando estirara la pata.

Inservible, eso se había vuelto Minnie de repente. Claro que ¿acaso no lo eran casi todas las mujeres? Excepto cuando uno quería... Observó el contoneo de las caderas de Maggie, la curva de su trasero mientras se alejaba, y gruñó un poco. Ella siempre se las había arreglado para excitarlo. Y las putas de Londres eran muy caras. Quizá debiera encontrar el modo de llevársela a ella y a sus condenados diamantes y largarse a América.

Pero aquello tendría que esperar, pues la pájara empenachada que tenía a su lado se había puesto muy pesada:

—Me gustaría hablar un momento con usted en privado —estaba diciendo, y esta vez lo agarró del brazo y tiró de él hacia un entrante del pasillo.

Gerald la miró con dureza y descubrió en sus ojos una mirada tan implacable como la suya. Al instante comprendió quién era: una de aquellas extranjeras tan elegantes de las que se rumoreaba que habían sido las queridas de Langley.

—Deje de mirarme como un pez y cierre la boca —le dijo ella, dándole otro codazo—. Si sabe lo que le conviene, escuchará lo que tengo que decirle.

Gerald se enfadó al oírla hablar así. Estaba claro que a Langley le gustaban mandonas. Qué idiota. A él, por su parte, las pájaras le gustaban un poco más sumisas.

—¿Qué quiere? —preguntó, sacando pecho y mirándola desde su altura.

A fin de cuentas, era sólo una mujer.

Ella echó una lenta ojeada a Minerva y dijo:

—Creo que tenemos intereses comunes de los que es necesario ocuparse. Tenemos mucho que ganar si cooperamos.

A Gerald le gustó cómo sonaba aquello.

—¿Qué tiene en la cabeza?

Y ella se lo contó.

—Creía que habías dicho que te encargarías de esto —dijo Neville Nottage, apareciendo detrás de sir Basil sin apartar la vista del creciente alboroto que habían armado lord Langley y aquel viejo necio del vizconde Chudley.

—¿Qué demonios haces aquí? Cuando nos despedimos en Whitehall, te dije que te escondieras. Mejor aún, que te marcharas de Londres —replicó sir Basil mientras lo llevaba hacia un rincón, a pesar de que nadie les miraba. Estaban todos demasiado ocupados observando el escándalo, cada vez más violento.

—No estoy de acuerdo —dijo Nottage—. Cada día que Langley sigue con vida, corremos más peligro.

Se subió las solapas del gabán y se bajó el ala del sombrero.

—Muy pronto será acusado de traición y dejará de importar lo que sepa —dijo sir Basil, mirando su programa de mano como si buscara algo interesante en el siguiente acto.

—¿Cuándo? —inquirió Nottage.

—¿Cuándo qué?

Sir Basil observó los aspavientos que hacía lord Chudley.

—¿Cuándo van a detenerlo? Detesto esconderme como un repugnante cobarde.

—A fines de esta semana —le dijo sir Basil.

Nottage sacudió la cabeza con vehemencia.

—¡No! Hay que eliminarlo enseguida.

—No estaríamos hablando de esto si hubieras acabado el trabajo en París. A fin de cuentas, dijiste que estaba muerto. Que en París se habían acabado nuestras preocupaciones.

—Habría jurado... —masculló Nottage, y miró furtivamente hacia atrás, dando la espalda a la multitud.

*Sí, bueno, pues te equivocaste, ¿no?*, se dijo sir Basil, harto de vivir en el punto de mira del barón. Porque, en efecto, allí estaba lord Langley, todavía vivo y aparentemente indestructible.

Aunque quizá no por mucho tiempo.

—Puede que esto nos convenga —dijo en voz alta—. Lord Chudley es un tirador excelente, a pesar de su edad. Él se encargará de zanjar este asunto en nuestro lugar. Además, Langley no tiene pruebas contra nosotros. Recuerda que acudió a mí en busca de ayuda.

Sir Basil resopló y volvió a echar un vistazo al programa.

—Conozco a Langley —refunfuñó Nottage—. Está jugando contigo. Y aunque no tenga pruebas, ¿y si descubre algo antes de que Chudley lo mande al otro barrio?

—No encontrará nada. He borrado muy bien mi rastro. Ojalá pudiera decir lo mismo de ti.

Nottage se puso colorado. Peligrosamente colorado. Pero sir Basil tenía confianza en su propia posición.

No quedaba nada que pudiera inculparlo, excepto unas cuantas sospechas y las envidias que despertaba siempre el hecho de ascender en el escalafón como lo había hecho él.

—Está ese cargamento desaparecido —insistió Nottage.

—Sí, el que se perdió. Pero si nosotros no podemos encontrarlo, ¿por qué crees que Langley será capaz de dar con él como por arte de magia?

—Porque es Langley —contestó Nottage, y miró a su antiguo mentor con los párpados entornados—. Escúchame bien, Brownie, no voy a dejar que me cuelguen por esto. A mí, no. No tenemos más remedio que parar los pies a ese hombre. Sin dilación.

Se volvió para marcharse, pero sir Basil le cortó el paso.

—Deja de balar como un cordero. Lo tengo todo controlado. Si no actuamos con cautela y prudencia, caeremos los dos.

—Lamento disentir. No creo que tengas nada controlado —replicó su cómplice—. Ni estómago para hacer lo que es preciso. Es fácil ordenar su asesinato cuando está al otro lado del Canal, pero no tienes agallas para matar a un hombre cuando lo tienes delante de las narices, ¿verdad, Brownie?

—Estas cosas hay que hacerlas con conocimiento. Hay mucho en juego.

—Mi buen amigo, éste no es momento para ser cauto ni razonable —repuso Nottage—. Langley debe morir. Inmediatamente.

Sir Basil se estremeció y apretó los dientes. ¿Qué quería Nottage que hiciera? ¿Sacar una pistola y disparar al barón delante de toda la aristocracia londinense? ¡Qué idea tan ridícula! Esas cosas requerían una cuidadosa planificación, reflexión, buscar el momento preciso...

—Ya me parecía —comentó Nottage con desdén. Se inclinó hacia él y susurró—: Es hora de que te apartes. Yo te enseñaré cómo se hacen las cosas en la práctica.

—¿Como hiciste en París? —respondió sir Basil mostrando un asomo de coraje.

Pero era demasiado tarde: Nottage se había escabullido ya entre el gentío, moviéndose como una anguila entre el público excitado que regresaba a toda prisa a sus butacas para el siguiente acto, con intención no de ver la obra, sino de comentar los detalles más sabrosos de la escena que acababa de desarrollarse ante sus ojos en el vestíbulo.

Nadie reparó en Nottage, pero así era él: conocido y sin embargo fácil de olvidar.

Ya solo, sir Basil se enfureció al verlo salir por la puerta con todo descaro para perderse en la noche, donde con toda probabilidad planeaba poner en escena, por su cuenta, un mortífero acto final.

—¿Un duelo? —le dijo Minerva al barón cuando salieron del teatro de Drury-Lane—. ¿De veras? ¿Así es como evita usted un escándalo, Langley?

—No se me puede culpar a mí del sentido del honor de Chudley —replicó él—. Ni éste es momento para hablar de ello.

Langley levantó la vista y señaló con la cabeza al gentío boquiabierto que se abría para dejarles pasar. Cogió la mano de Minerva, la puso sobre su manga y comenzó a descender lenta y estudiadamente por la escalera.

Minerva también levantó la vista y al instante sus dedos se crisparon alrededor del ramillete de flores de azahar.

¡Santo cielo! Parecía que todo el mundo en el teatro, hubiera presenciado la discusión o no, se había alineado en la escalera para verlos marchar, por si acaso les ofrecían una escena de propina.

—¿Qué creen que va a ocurrir? —preguntó en voz baja mientras pasaban entre la gente y Langley sujetaba firmemente su mano sobre la manga de su levita.

«No hace falta que me agarre así», habría querido decirle ella. No iba a soltarse.

—Quizás estén esperando que otro marido ofendido dé un paso adelante y también me desafíe en duelo.

—¿Cuántos más hay? —inquirió ella, y se detuvo en el bordillo mientras él hacía una seña a su carruaje. El cochero se detuvo frente a ellos y Langley bajó a la calzada y le abrió la portezuela a Minerva.

—Apuesto a que más de los que te gustaría —bromeó.

*Sí, tú tómatelo a broma*, pensó ella al acercarse al carruaje. Había llovido mientras estaban en el teatro y había charcos por todas partes. No quería estropear los elegantes escarpines de tata Brigid, porque, teniendo en cuenta que le habían cortado drásticamente su asignación, sabía que no le sería fácil reemplazar unos zapatos de factura tan fina, igual que el vestido si se manchaba el bajo.

Por suerte llegó impoluta junto a Langley y estaba a punto de entrar en el seco reducto del carruaje de los Hollindrake cuando vio que la florista de un rato antes, sus rizos cobrizos eran inconfundibles, subía corriendo por la calle por la que había llegado el carruaje, sorteando al gentío y los caballos con el rostro contraído en una mueca de terror.

Pasaba algo terrible, pero Minerva no sabía qué. Sintió que una sacudida recorría su espina dorsal como si su vida entera estuviera a punto de dar un vuelco.

Entonces le pareció que a su alrededor todo se detenía, como si las manos del Destino frenaran los segundos que normalmente pasaban tan deprisa. La niña gritó algo, pero, entre el alboroto que los rodeaba, Minerva no entendió qué. La muchacha, sin embargo, al ver que Minerva se había fijado en ella, señaló hacia arriba.

Minerva se giró y al ver lo que había asustado a la pequeña se le paró el corazón.

El cochero se había erguido en su asiento, sólo que no era el hombre que solía conducir el carruaje de los Hollindrake, sino un desconocido cubierto con una máscara, con el sombrero calado sobre la frente y las solapas del gabán levantadas. No había duda de lo que se proponía: había sacado una pistola del interior del gabán y estaba apuntando.

Apuntando directamente a lord Langley, que, de espaldas a él, ignoraba lo que estaba a punto de suceder.

Minerva se giró de nuevo, esta vez para mirar a Langley. Pero el espanto la había aturdido, la había dejado sin habla. Y allí estaba el barón, sonriéndole, seguramente dispuesto a gastar otra broma llena de coquetería acerca de su mala reputación. En esa fracción de segundo, Minerva comprendió que ni siquiera tenía tiempo de avisarle.

Sólo de salvarlo.

Agarrándolo por las solapas, lo empujó hacia la muchedumbre en el instante en que el cochero disparaba.

Cayeron los dos al suelo, Minerva encima de él, chapoteando en el barro. Las señoras chillaron y los hombres gritaron aterrorizados cuando los caballos, encabritados, echaron a correr calle abajo intentando escapar del caos.

Langley la estrechaba con fuerza entre sus brazos. La apretó contra sí, no sólo por la impresión, sino impulsado también por un ansia posesiva que ella notó en la médula de los huesos. Sus ojos, desprovistos de pronto de su habitual alegría, encerraban un brillo muy distinto: un brillo de asombro, de perplejidad, de temor y, después, de furia desatada.

—¿Estás herida? —preguntó con voz crispada y cortante.

Ella negó con la cabeza. Milagrosamente, no lo estaba.

—¿Y tú?

—No —contestó Langley mientras se enderezaba y la ayudaba a levantarse con sorprendente rapidez. Salió a la calzada y observó con los ojos entornados el carruaje, que dobló la esquina a toda velocidad. Después se volvió para mirarla—. ¿Lo has visto? ¿Quién era?

—No lo sé. No era el cochero de siempre. El que nos ha traído antes.

Langley miró calle abajo. Luego regresó a su lado y la estrechó entre sus brazos.

—¡Podrías haber muerto! —dijo en tono de reproche—. ¿Cómo se te ha ocurrido? ¡Boba, locuela!

¡Pero bueno! Minerva se encrespó al oírle. Acababa de impedir que le hirieran de un disparo ¿y se permitía echarle la bronca?

—He hecho lo que me ha parecido mejor. Ha sido la niña, la florista, quien me ha avisado...

No pudo acabar la frase porque sus ojos se llenaron de pronto de lágrimas. Miró en derredor buscando a la niña, pero se había perdido de vista.

Langley apartó los largos rizos que habían escapado de su peinado, antes perfecto y seductor.

—Minerva, tienes más agallas que cualquier mujer que yo haya conocido, y ahora te debo la vida.

Ella se tragó el nudo que tenía en la garganta. Temía que se convirtiera en un sollozo.

Aquél no era precisamente el cumplido más elocuente que había oído, ¿agallas?, pero le traspasó el corazón igual que la visión de su precioso ramillete de flores de azahar, que yacía pisoteado y olvidado en el barro de la calle.

Él mismo podía haber acabado así, comprendió de pronto. O ella. Muerta en el barro, perdida para siempre. ¡Ay, Dios! ¿Cómo se había complicado tanto su vida?

Por primera vez desde su noche de bodas, se echó a llorar. Y lo que era peor, en público. Lloraba a moco tendido.

¡Ah, que el diablo se la llevara! No estaba llorando por un ramillete de flores de azahar. ¿Verdad?

Langley la agarró y la atrajo hacia sí.

—¿Seguro que no estás herida? ¿Seguro que estás bien?

Minerva se apretó contra él. Descubrió el intenso consuelo de sentirse abrazada.

—¿Cómo se te ha ocurrido? —le susurró él al oído.

—Quería salvarte para lord Chudley, imagino —repuso ella mientras se enjugaba los ojos.

—No merezco el esfuerzo —le dijo él.

—Sí, ya lo veo —mintió ella—. No volverá a ocurrir.

Pero suponía que, teniendo a su lado a un hombre como Langley, sí volvería a ocurrir.

# Capítulo 10

«¡Los hombres y su honor! ¡Qué idea tan noble! ¡Y las molestias que se toman para protegerlo! Lástima que no se preocupen tanto por el honor de una dama, pues son capaces de llegar a extremos calamitosos para tenerla en su cama.»

Consejo dado a Felicity Langley por su tata Lucia

A la mañana siguiente, cuando bajó del piso de arriba, Minerva seguía aún aturdida por lo sucedido la noche anterior. ¿Cómo había llegado su vida a aquella situación?

Chudley había desafiado a lord Langley a un duelo. Y luego a Langley le habían disparado y ella, ella nada menos, le había salvado la vida.

Y aunque delante de las demás había quitado importancia al asunto diciendo que no había sido más que un robo fallido, culpa suya por llevar los diamantes Sterling en público, sospechaba que aquella intentona de asesinato contra lord Langley no había sido un simple atraco.

A las tatas, por su parte, tampoco les pareció plausible. Se habían puesto a mirar por las ventanillas del carruaje o a mirarse entre sí, menos a ella, como si la compadecieran por ser tan boba.

Sabían, lo mismo que lo sabía ahora Minerva, que Langley era un enigma peligroso.

Coqueto y libertino, sí. Según todos los indicios, un granuja capaz de enamorar a cualquier mujer que lo conociera.

Y, sin embargo, había estado viviendo en su casa en secreto. A lo que había que sumar los rumores acerca de su muerte y su supuesta traición. Pero él sólo había sido un diplomático, nada más.

¿No? Ciertamente, su estancia en una prisión francesa sugería otra cosa.

Se quedó parada un instante, mordisqueándose el labio mientras intentaba dar sentido a todo aquello, pero no logró quitarse de la cabeza el reto de Chudley.

Era tan ridículo, tan inconcebible... ¡Y ella que consideraba al quinto marido de tía Bedelia un hombre más bien torpón y predecible! Por eso, hasta la noche anterior, le había extrañado que tía Bedelia lo hubiera elegido por marido. Pero al parecer su tía había visto el corazón de león que latía bajo la adocenada apariencia del vizconde, aunque nadie más lo hubiera hecho.

Pero ¿un duelo? Lord Chudley debía de rondar los setenta años, como mínimo. ¿Y qué maldad había hecho lord Langley para que lord Chudley le guardara un rencor tan profundo, y durante tanto tiempo?

Deteniéndose en el descansillo, llegó a la única conclusión posible. Se trataba, naturalmente, de una mujer. Santo cielo, teniendo en cuenta la edad de Chudley, Langley debía de llevar aún pantalones cortos cuando había cometido la ofensa.

Aunque de todos modos no era una idea descabellada. A nadie que conociera a Langley le extrañaría que el barón fuera capaz de embelesar a las mujeres incluso a tan tierna edad. El muy sinvergüenza.

Menos mal que no había tenido hijos, sólo hijas.

Sus hijas... A Minerva se le aceleró un poco el corazón al pensar en las cartas que Langley guardaba en su levita, descoloridas y manoseadas, y evidentemente tan queridas para él.

Querido papá...

Fuera lo que fuese Langley, no cabía duda de que sus hijas lo adoraban y él las quería con todo su corazón.

Pero por suerte no había tenido hijos varones.

Entonces, sin saber por qué, se imaginó a un par de niños de cabello castaño, como su padre, e igual de encantadores. Altos y fuertes, con un brillo de malicia y de alegría en los ojos azules mientras cruzaban corriendo un ancho prado salpicado de campanillas de invierno, echando una carrera para ver quién alcanzaba primero a su madre, a ella.

Por primera vez en su vida ardió en deseos de tener familia. De arrodillarse y abrazar contra su pecho a un hijo, de revolverle el pelo y respirar hondo para sentir el olor salobre de un niño de cara lozana y fresca, todo él campos en flor, truchas y caballos y un montón de cosas de las que seguramente una madre no quería ni oír hablar.

Minerva, que nunca había deseado tener hijos, que nunca se había sentido a gusto con los niños, de pronto anhelaba con toda su alma el refugio de un hogar y una familia. En su ensoñación aparecían un par de niños y un hombre que permanecía a su lado, un hombre al que veía con toda claridad, con su cabello castaño dorado y sus ojos azules, y al que deseaba intensamente.

Se agarró a la barandilla para no dejarse caer sobre el escalón.

No quería nada de aquello: un hogar, hijos, un marido de verdad... No, ella sabía que no era así. No podía querer aquello.

Un ruido de pasos en el vestíbulo de abajo puso fin a sus cavilaciones. Por suerte, pensó, hasta que oyó los fragmentos de conversación que llegaban hasta lo alto de la escalera.

—Sí, caballeros, creo que todo está en orden.

¡Langley! Tenía unas cuantas cosas que decirle esa mañana. Después del desafío de Chudley, la velada había sido caótica y más tarde, tras su intento de asesinato, había hecho entrar a Minerva y a las otras en el carruaje de lord Throssell, había ordenado que las llevaran a casa y se había perdido en la noche.

—Entonces, ¿estamos de acuerdo, milord? —preguntó una voz grave que Minerva no reconoció.

—Sí, dentro de dos días, en Primrose Hill, al amanecer —repuso Langley.

¿En Primrose Hill al amanecer? Minerva se estremeció y se inclinó sobre la barandilla, intentando ver a Langley. Aquello sólo podía significar que pensaba seguir adelante con el duelo. ¿Acaso no le bastaba con que le hubieran disparado ya una vez esa semana?

¡Un duelo, nada menos! Por encima de su cadáver...

O del suyo, pensó amargamente.

—Me acompañará Swilly, además de Thomas-William —prosiguió Langley.

Se oyeron pasos de nuevo y después un murmullo de voces y el chirrido de la puerta principal al abrirse.

¿Eso era todo? ¿Unas cuantas palabras civilizadas respecto a lo que sólo podía considerarse un homicidio organizado cortésmente?

En su casa, no, desde luego.

Pero para cuando Minerva dio media vuelta y acabó de bajar el último tramo de escaleras, el vestíbulo estaba desierto y sólo consiguió atisbar los faldones de la levita de Langley cuando éste entró en el comedor.

—¿Quiénes eran esos hombres? —preguntó cuando le dio alcance.

Langley se había acomodado en su silla y estaba ya atacando su desayuno a medio comer, interrumpido sin duda por la llegada de aquella visita. No se levantó al entrar Minerva.

Por lo visto, una interrupción del desayuno era más que suficiente.

—Los padrinos de Chudley —contestó como si estuviera comentando el triste aspecto de sus huevos, ya fríos.

¡Los padrinos! ¡Ah, aquello era una locura! Aunque al parecer no para lord Chudley ni para su falso prometido, que seguía sentado tan tranquilo, dando buena cuenta de su desayuno.

—Langley, no puede hacer esto —le dijo, mirándolo de frente desde el otro extremo de la mesa. Le tranquilizaba tener el ancho de la mesa entre ambos, aunque no fuera una mesa muy ancha.

—Debo hacerlo, por supuesto. Me han desafiado.

—¿Desafiado? ¡Esto es un disparate, eso es lo que es!

—Para Chudley, no —repuso él—. Es una cuestión de honor.

—¿Va a prestarse a ese... a ese asesinato... sólo para satisfacer el honor de un viejo?

Langley levantó los ojos y la miró fijamente.

—Sí, así es. Le informo, lady Standon, de que a veces el honor es lo único que se tiene en esta vida.

Y no hablaba de Chudley, Minerva lo entendió intuitivamente, y algo en el brillo solemne de su mirada, en la calma con la que se expresaba, le dio que pensar, le hizo imposible respirar.

El honor... Ella había vivido sin ese concepto toda su vida, y sin embargo tenía ante sí a un hombre que se aferraba a él con ambas manos, que lo valoraba por encima de todas las cosas, que lo ostentaba con el mismo orgullo con que otros lucían una levita de hechura perfecta.

Pero aún así, los resultados finales en algo tan etéreo como el honor... Cerró los ojos por un momento tratando de borrar la visión de cualquier hombre, o de ambos, tirados en la cumbre de Primrose Hill en medio de un charco de sangre.

—Langley, por favor...

—Eso me gusta —dijo él con suavidad.

Minerva se quedó parada un instante.

—¿Qué le gusta?

No entendía qué tenía de agradable una discusión acerca de su posible muerte en un duelo.

—Me gusta que me llames «Langley» —confesó con una sonrisa—. Es encantador.

—No debería ser tan informal —dijo, y se dio cuenta de que, en efecto, lo estaba tratando con total familiaridad. Lo había llamado así desde...

Desde anoche en el carruaje. Levantó los ojos y lo encontró sonriéndole con aire travieso, como si él estuviera pensando lo mismo. Recordando con cierta delectación aquel breve encuentro, a juzgar por su dichosa sonrisa.

—No volveré a cometer ese error —le informó ella, sin saber si hablaba de su nombre o de su escarceo en el carruaje.

—Estamos prometidos en matrimonio —le recordó Langley—. Y eres viuda. Ambas cosas son perfectamente aceptables.

—No lo estamos en realidad —replicó ella—. Prometidos, quiero decir —añadió rápidamente.

En cuanto a lo que era aceptable y respetable, lo sucedido la noche anterior superaba con creces los límites de ambas categorías.

—Pero eso nadie lo sabe.

Cogió otra tostada de la fuente y comenzó a untarla con mantequilla. Cuando acabó, miró a Minerva. Saltaba a la vista que no estaba dispuesto a continuar la conversación hasta que ella accediera a seguir llamándolo así.

—Lord Langley...

—Tst, tst.

Chasqueó la lengua, señalándola con una tostada.

—Langley, entonces —dijo ella a regañadientes—. Por favor, por favor, no lo haga. Me prometió que no pondría en entredicho mi reputación si seguíamos adelante con nuestro acuerdo...

—Y hasta ahora he cumplido mi parte. —Hizo una pausa, ladeó la cabeza y la miró atentamente—. ¿Ha cumplido usted la suya, milady?

Aquella mirada penetrante fue derecha al corazón de Minerva.

—¿No ha habido otros hombres? —insistió él.

—¡No! —balbució Minerva—. ¿Cuándo iba a...?

Pero se paró en seco al recordar su encuentro con Adlington. ¿Cómo podía haberlo olvidado?

Y aunque ella pudiera, Langley no. Debía de haberla visto con Gerald y...

Minerva se enderezó. En realidad, no había nada que ver. Además, Langley no podía haberse fijado en que estaba hablando con Adlington. Estaba demasiado ocupado discutiendo con Chudley.

Lo cual significaba que aquello era un farol.

—No hay ningún otro hombre en mi vida —afirmó.

—Me alegro —contestó él, liberándola de su escrutinio—. Porque debo informarte de que soy más bien celoso.

—¿De veras? ¿Y eso importará mucho cuando esté muerto?

Langley le sonrió.

—¿Te preocupa mi seguridad?

—Ni lo más mínimo —contestó Minerva, dando unos pasos por la habitación. Se detuvo, se volvió hacia él y lo señaló meneando un dedo—. Pero si muere en el duelo, seré yo quien tenga que soportar el escándalo.

—No se me puede hacer responsable del desafío de Chudley, ni de que haya tenido que hacerlo en medio del teatro de Drury-Lane.

Minerva apretó los labios. En eso tenía razón. Pero aun así...

—¿Y por qué era necesario un duelo?

Langley hizo un ademán para quitarle hierro al asunto y volvió a concentrarse en su desayuno.

—¡Langley!
—Minerva alargó el brazo por encima de la mesa y apartó su plato.
Él dejó su servilleta sobre la mesa.
—Ya que quieres saberlo...
—Quiero, en efecto.
—Santo Dios, mujer, fue hace quince años, ¿de veras es necesario todo esto?
Echó mano de la tetera, pero Minerva la apartó rápidamente de su alcance.
Langley respiró hondo, se recostó en su silla y cruzó los brazos.
—En aquella época estaba destinado en Nápoles y Chudley y su esposa, no tu tía, sino su segunda esposa, estaban allí. Ella era una jovencita sin dos dedos de frente que flirteaba impúdicamente con todos los hombres de la corte.
—¿Incluido usted?
—Sí, incluido yo —contestó meneando la cabeza—. Luego, una noche, Chudley vio a su díscola esposa con un hombre en el jardín, pero no distinguió quién era él. Así que, cuando le preguntó a su esposa quién era su amante, en lugar de confesar la verdad, ella le dijo que era yo.
—¿Y por qué hizo eso? —preguntó Minerva.
—Porque, ya que quieres saberlo...
—Quiero, en efecto.
—Yo la había rechazado en más de una ocasión y ella era una jovenzuela muy mezquina. —Se pasó la mano por el pelo y sacudió la cabeza como si intentara borrar aquel recuerdo—. No me interesaba. Además, habría sido un imbécil si hubiera tonteado con ella, teniendo en cuenta la fama de Chudley con las pistolas.
—¿La rechazó por alguna razón en concreto?
Langley soltó un suspiro exasperado.
—En contra de lo que afirman las malas lenguas a las que tanto crédito pareces conceder, no me he acostado con todas las mujeres a las que conozco. Además, no era mi tipo. No creo que haya nacido mujer más tonta y vanidosa que ésa. —Hizo una pausa, se inclinó hacia delante y agarró su plato—. Lo de vanidosa no me importa, pero jamás he podido sufrir a una necia.

Volvió a atacar su desayuno con aire desafiante, como si la retara a refutar su versión de los hechos.

Minerva dio un paso atrás y pensó en lo que había dicho. Luego miró hacia arriba y pensó en sus ex amantes, que dormían aún a pierna suelta en el primer piso. Todas ellas eran vanidosas, desde luego, pero, tal y como había dicho Langley, ninguna era tonta. Calculadoras, sí. Traicioneras, desde luego. Pero ¿tontas? No, en absoluto.

Y ella tampoco lo era. Comprendió que, al igual que en lo relativo a su honor, estaba diciendo la verdad. Ignoraba cómo o por qué lo sabía, pero habría apostado su honra a que así era.

La poca que poseía.

—Para evitar un escándalo de proporciones gigantescas —prosiguió él—, me destinaron a toda prisa a París. Por eso, y porque se había declarado la paz y el Foreign Office quería aprovechar el momento para recavar toda la información secreta que pudiera sobre Napoleón. Así que la ofensa y el desafío de Chudley han estado pendientes todo este tiempo, aunque he de reconocer que yo lo había olvidado por completo, al menos hasta ayer.

Minerva suspiró, exasperada por la situación. ¿Un pecadillo de hacía quince años? ¡Ah, jamás entendería a los hombres!

Apartó su silla y se dejó caer en ella. Ni siquiera quería pensar en las consecuencias que podía tener semejante temeridad.

—No me crees —dijo Langley, que había malinterpretado su desaliento. Y que, si Minerva no hubiera sabido que eso era imposible, parecía un poco ofendido.

Lo miró, se fijó en su frente fruncida, en su aire de indignación.

—La verdad es que sí, le creo, eso es lo que me tiene en vilo.

Aquello sorprendió a Langley, cuyos ojos se dilataron como si la estuviera viendo por primera vez.

—¿Me crees?

Minerva asintió con un gesto, cogió la tetera y sirvió una taza para él y otra para ella. El té no estaba ardiendo, como debía, y llevaba demasiado tiempo en infusión, pero no le extrañó, dadas las circunstancias.

—¿Por qué? —preguntó Langley con calma al rodear la taza con sus manos.

—No lo sé —confesó Minerva, al principio incapaz de mirarlo. Luego, sin embargo, se obligó a fijar la mirada en él—. Pero así es.

Y en lo hondo de su corazón, aquellas palabras adquirieron un significado completamente distinto.

Langley no sabía qué era más desconcertante: si que lady Standon le creyera o que su corazón se hubiera acelerado al mirarlo ella a los ojos. Y no sólo se había acelerado, sino que latía con violencia y resonaba como si estuviera aplaudiendo.

Porque no podía tratarse de otra cosa. De eso, desde luego, no.

Sabía que debía decir algo, pero ignoraba qué se le decía a una dama cuando tu corazón se ponía a latir desbocado.

Sabía, sin embargo, que dijera lo que dijese, tenía que decirlo en serio.

—Minerva, yo...

Su confesión se interrumpió bruscamente cuando sonó la campanilla de la puerta principal, y no con el tintineo habitual, sino como si fueran a arrancarla de su soporte.

Se lanzaron una mirada que venía a decir lo mismo.

Tía Bedelia.

Con toda probabilidad se habría pasado la noche intentando sin éxito convencer a su esposo de que desistiera de aquel disparate, y ahora venía a Brook Street para proseguir su campaña.

Cuando el timbre sonó otra vez, Langley se levantó de un salto. Sabiendo lo que sabía de lady Chudley, estaba seguro de que no volvería a molestarse en llamar.

—Ésa es la señal para que me vaya.

—¿Para que se vaya? —protestó Minerva, levantándose también—. No puede dejarme sola con ella.

Y, tal y como había predicho Langley, la puerta se abrió de golpe.

—¿Dónde está?

Miraron los dos hacia la puerta.

—Es su tía, milady, no la mía —dijo Langley a modo de disculpa.

Minerva le cortó el paso.

—¿Qué se deduce de su preciado honor si huye usted para no enfrentarse a mi tía?

—Que mi honor no se porta siempre como es debido —bromeó él. Luego se inclinó hacia delante y, mirando fijamente sus labios, pensó a medias en besarla. Pero se refrenó y dijo—: En fin, lo prometí.

Aquello bastó para distraer a Minerva, y Langley aprovechó la ocasión para escabullirse y escapar por el pasillo, camino de la cocina, en el instante en que lady Chudley doblaba la esquina.

Siguió bajando a toda prisa por la escalera de atrás, llegó a la cocina y tenía previsto cruzar los dominios de la señora Hutchinson para salir por la escalera de servicio que subía a Brook Street cuando vio algo que puso fin a su huida.

La cocina estaba ocupada por la señora Hutchinson, Thomas-William y uno de los golfillos de lord Andrew, todos ellos sentados en taburetes, junto al montaplatos que subía los platos al comedor.

—¿Qué demonios...? —comenzó a preguntar.

—¡Chitón! —dijo la señora Hutchinson, llevándose un dedo a los labios—. Está a punto de empezar el siguiente asalto.

Al acercarse, oyó claramente a lady Chudley diciendo:

—¡Esto es una calamidad, Minerva! ¡Debes poner fin a este despropósito!

¡Adiós, el hueco entre los tabiques hacía llegar la conversación con toda claridad hasta la cocina para que todos la oyeran!

¡Aquello sí que era espionaje, y de la peor especie!

Pero antes de que se oyera algo más procedente del piso de arriba, la incorregible ama de llaves se inclinó hacia Thomas-William y le dio un codazo en las costillas.

—Me debes dos chelines, tú. Te dije que estaría aquí en un periquete en cuanto llegara esa urraca.

Thomas-William, por su parte, lanzó a Langley una mirada mordaz, no muy distinta a la que le había dedicado lady Standon cuando se había puesto en pie, dispuesto a escapar.

—Señor —dijo el niño—, me ha mandado lord Andrew con el carruaje...

—¡Chist! —le dijeron Langley y la señora Hutchinson al mismo tiempo.

—Pero tengo que... —insistió el chiquillo.

Se detuvo, sin embargo, al ver que nadie le estaba escuchando. Soltó un suspiro, se acomodó en su taburete y sacudió la cabeza.

Pero Langley no se dio cuenta, porque en ese momento les llegó desde arriba la voz crispada de lady Standon:

—No veo qué puedo hacer...

—¿Que qué puedes hacer? —chilló lady Chudley—. Yo te diré lo que puedes hacer...

—Va a haber un pequeño retraso en nuestros planes —le susurró Langley al muchacho.

Y como en lo tocante a aquellas prácticas no tenía ni pizca de honor y sí mucho ingenio, acercó un taburete y se dispuso a escuchar como una redomada chismosa.

—Haré que lo arresten —declaró tía Bedelia, de pie todavía junto a la cabecera de la mesa, como si estuviera presidiendo la Cámara de los Lores.

—¿A quién? ¿A lord Chudley? —preguntó Minerva cuando, dándose por vencida, volvió a sentarse y empujó a un lado el plato que había abandonado lord Langley.

—¡Claro que no! —balbució su tía—. ¡A ese sinvergüenza de tu prometido! Él tiene la culpa de todo esto. ¿En qué estaría pensando yo, dar mi bendición para semejante enlace? ¡Ese hombre es un escándalo!

—¿Un escándalo? ¡No fue él quien lanzó un desafío absurdo en medio del teatro de Drury-Lane! —replicó Minerva, y le extrañó su propia vehemencia.

¡Dios misericordioso, estaba defendiendo a Langley!

—¿Y por qué no iba a retarle Chudley? Reconozco que cuando le provocan puede ser una fiera, aunque por lo general suele reservar sus rugidos para momentos más íntimos.

La tía Bedelia se sentó, sacó su pañuelo y comenzó a abanicarse un poco.

Minerva la miró sorprendida. ¿Había oído bien? Pues sí, a juzgar por lo arrebolada que estaba su tía.

Ojalá no hubiera oído aquello.

—Por favor, tía Bedelia, no discutamos por el cómo y el porqué de este lío.

*Y, por favor, no me des más detalles íntimos sobre tu matrimonio con Chudley. Va a costarme horrores quitarme de la cabeza la imagen de Chudley rugiendo en vuestra alcoba.*

—Intentemos unir fuerzas para encontrar una solución.

—¿Encontrar una solución a qué, querida? —preguntó Tasha al entrar en el comedor. Echó una ojeada al aparador y cogió sólo una tostada.

—Al duelo —terció Lucia, que había entrado detrás de la princesa rusa y señaló a Minerva agitando una mano—. ¡Qué raros sois los ingleses! Siempre dispuestos a discutir... y también a censurar una solución que es de lo más sensata.

Suspiró y ella también cogió un plato.

—Un duelo es un momento maravilloso para un hombre —comentó Helga, que había llegado tras Lucia—. Su crudeza, su valentía, su valor... No temáis, mi *Schatzi* atravesará de un balazo a ese carcamal y acabará con él en un abrir y cerrar de ojos.

Chasqueó los dedos y se sentó a la mesa, mirando a su alrededor en busca de un criado que le llevara un plato.

—Para que se entere, mi querida margravina —comenzó a decir la tía Bedelia, ofuscada por la indignación—, mi Chudley es un tirador de primera. Es muy probable que mande a la tumba a ese golfo de Langley.

—Puede intentarlo, querida. Puede intentarlo —repuso Tasha, estirando el brazo y dándole unas palmaditas en la mano como si le diera ya el pésame—. Pero como dice la margravina, Langley es un granuja incorregible. Me temo que Chudley ha retado a quien no debía.

En ésas entró Brigid con *Knuddles* a sus pies.

—Claro que ha retado a quien no debía. A fin de cuentas, ¿qué hizo Langley? ¿Coquetear con su esposa? —Soltó un soplido poco elegante, como si tal cosa fuera una nadería y no mereciera tantas molestias—. Pero lo lamento por usted, lady Chudley. De veras. Dudo que con su tono de piel le siente bien el negro.

Minerva miró de reojo a su tía y, al ver que parecía a punto de echarles un buen rapapolvo a todas, decidió meterse en la refriega y anunció:

—No va a morir nadie. No hará falta ponerse de luto.

Las «tatas» se miraron entre sí y suspiraron al unísno, como si dijeran: «¡Ah, estos ingleses!»

Minerva dio unos zapatazos en el suelo y cruzó los brazos.

—Lo digo en serio. No habrá duelo. Langley no seguirá adelante con esto. Me ha prometido que no me expondría a un escándalo y no lo hará.

Tasha meneó la cabeza.

—Si tanto le preocupaba el escándalo, lady Standon, ¿por qué se comprometió con el barón?

—Sí, eso, ¿por qué se comprometió con él, lady Standon? —repitió la margravina.

Minerva advirtió que se había convertido en el centro de todas las miradas. Incluso de la de *Knuddles*, seguramente.

—Bueno... porque... yo diría...

Lucia hizo un ademán desdeñoso.

—No diga más. Está enamorada de él. Cómo no. Todas las mujeres se enamoran de Langley, aunque sea un sinvergüenza.

Todas asintieron, excepto tía Bedelia, cuya opinión acerca del prometido de Minerva no era ya tan entusiasta.

Y aunque a Minerva le habría gustado negar la afirmación de las «tatas», que estaba enamorada de Langley, se limitó a esbozar una sonrisa melancólica.

—No quiero que ninguno de los dos salga herido. Igual que mi tía.

—Naturalmente, nadie quiere que muera un buen hombre —comentó Brigid—, pero ¿cómo se les detiene cuando se les sube así la sangre a la cabeza?

Lucia, siempre tan italiana, se encogió de hombros al oírla.

—Bueno, si quieren detener a Langley... —comenzó a decir la margravina.

—Quiero —insistió Minerva.

—Siempre podría envenenarlo. —Como había perdido la esperanza de que apareciera un sirviente, se levantó y llenó un plato con huevos y salchichas—. Pídale ayuda a Brigid. Es la experta.

—¿Envenenarlo? —exclamó Minerva.

—No tanto como para matarlo, lady Standon —dijo Brigid. Lanzó un trozo de tocino a su perrillo con cara de mono y le hizo unas carantoñas cuando lo atrapó al vuelo—. Sólo lo justo para tenerlo en cama un día o dos.

—Si su caballo empezara a cojear de repente, no podría llegar a tiempo —sugirió Tasha.

—Escóndale las pistolas —añadió Lucia.

—Átelo —propuso la margravina. Al ver que las otras la miraban, torció el gesto—. Como si nunca hubierais atado a un hombre.

Asintieron todas, incluida tía Bedelia, y Minerva apenas daba crédito a lo que estaba oyendo.

—Sigo pensando que lo mejor es mandar arrestar a ese granuja. Que lo encierren en Newgate y tiren la llave —afirmó tía Bedelia.

—¿Acusado de qué, señora mía? —preguntó Tasha—. Ustedes los ingleses adoran las acusaciones. ¿Acaso va contra la ley encontrar atractiva a una dama? Cuando a Langley le gusta una mujer, no piensa en otra cosa.

—Sí, sí, en efecto —convino Lucia—. Lady Standon, lady Chudley, no tienen nada que hacer, como no sea mantener distraídos a sus caballeros hasta que pase la hora del duelo.

—Sonrió con picardía.

Minerva pensó que su tía iba a montar en cólera, pero vio con asombro que sus ojos se dilataban, llenos de alivio.

—Sí, es una idea perfecta. Yo mantendré agradablemente entretenido a mi marido y acabará tan agotado que por la mañana no podrá levantarse.

—Confío en que sí pueda levantársele otra cosa, querida, por el bien de usted —bromeó Tasha—. Y si usted hace lo mismo, lady Standon, Langley también estará... ocupado.

Minerva descubrió que de nuevo todas la miraban.

—¡No puedo hacer eso!

—¿Por qué no? —protestaron las otras a coro.

—Todavía no estamos casados. —Recorrió la habitación con la mirada, esperando el apoyo que necesitaba su respetabilidad. Pero se había equivocado de auditorio—. No podemos...

¡Bah, aquello era absurdo! Todas la miraban como si tuviera dos cabezas.

—Minerva, tú siempre has llevado una vida formal y respetable... —comenzó a decir su tía.

Bien, menos mal que por fin se oía la voz de la razón en aquella estancia. ¡Seducir a Langley! ¡Qué barbaridad! Sería tan escandaloso como un duelo. Porque ¿acaso no había estado a punto de perderse definitivamente la noche anterior, en el carruaje?

Minerva, sin embargo, iba a llevarse otra sorpresa.

—Mi querida sobrina, éste no es momento para remilgos. La situación es grave y exige valor —añadió tía Bedelia con la voz llena de convicción—. ¡Has de hacer todo lo que esté en tu poder para atraer a ese hombre a tu cama y mantenerlo en ella!

Abajo, en la cocina, la arenga de lady Chudley fue recibida con asombrado silencio.

Luego, Thomas-William se inclinó hacia delante y dio un codazo a la señora Hutchinson.

—Ahora es usted quien me debe dos chelines.

# Capítulo 11

«No hay por qué avergonzarse de esposar a un hombre a la cama».
Consejo dado a Felicity Langley por su tata Tasha

No es momento de hacerse la viuda beaturrona! —le dijo tajantemente tía Bedelia a su sobrina—. Debes llevar a ese hombre a tu cama.

A decir verdad, a Minerva aquél le parecía un momento perfecto para hacerse la viuda santurrona y huir al convento más cercano.

—¿Y por qué se resiste a acostarse con Langley? —quiso saber tata Helga con aquel tono taimado tan suyo—. A fin de cuentas está locamente enamorada de él, ¿no es cierto?

Mientras todas la miraban esperando a que declarara su amor o confesara que su noviazgo era una farsa, como sospechaban casi todas, Minerva se levantó de un salto. De pronto sentía la necesidad de huir.

Por suerte para ella, la Providencia se compadeció de su repentino ataque de cobardía y le ofreció la excusa perfecta para escapar. Pues allí, más allá de la ventana, distinguió la figura de lord Langley, que, en compañía de Thomas-William y de un chiquillo, se alejaba por el sendero del jardín camino de las cuadras, donde, para su pesar, les aguardaba un carruaje.

¡Maldito fuera!, se dijo para sus adentros. ¿De veras creía que podía escabullirse y dejar que se enfrentara sola a aquel escándalo? Eso por no hablar de que no habían concluido su conversación acerca del duelo o del «robo» de la noche anterior.

Un robo, ¡ja! Se habría jugado los diamantes Sterling a que aquello no había sido un intento de atraco. Pero, si dejaba que Langley se escabullera, nunca se enteraría de la verdad.

—Discúlpame, tita —dijo—. Acabo de acordarme de que le prometí a lord Langley que lo acompañaría a un recado. —Se despidió de las demás inclinando cortésmente la cabeza—. Señoras, si me disculpan...

Prescindiendo de ceremonias, salió corriendo del comedor e hizo oídos sordos a la andanada de preguntas y protestas que oyó a su espalda.

Subió las escaleras para ir a coger su sombrero, su abrigo y sus guantes y bajó a todo correr por la escalera de atrás para evitar otro aluvión de preguntas procedente del comedor. Al llegar a la puerta de atrás estuvo a punto de tropezar con la señora Hutchinson, que subía de la cocina cargada con una cesta.

—¡Ah, señora! ¿Usted también va? —resopló el ama de llaves—. Habría puesto más comida en la cesta si me hubieran dicho que se iba de excursión al campo con él.

¿De excursión al campo? ¡Maldito fuera Langley! ¡Escaparse y dejarla allí para que se enfrentara sola a... en fin, a todo!

—No importa, señora Hutchinson —dijo, y agarró el mango de la cesta y se dispuso a salir—. Estoy segura de que a lord Langley no le importará compartirla conmigo. En absoluto.

El ama de llaves respondió con su franqueza de costumbre: soltó un bufido y volvió riendo a su guarida en la cocina como si supiera que a lord Langley no iba a gustarle ni pizca que Minerva se inmiscuyera en sus planes.

Ni pizca.

Minerva sonrió y sin perder un instante salió por la puerta de atrás y enfiló el sendero del jardín. Langley estaba acomodándose en el asiento de un sencillo carrocín cuando ella se agarró a la barandilla y se encaramó a su lado.

—¡Qué sorpresa tan agradable, milord! La señora Hutchinson dice que vamos de excusión al campo. —Le sonrió y posó la mano sobre su manga—. Es extraño que no me haya enterado hasta que era ya tan tarde que casi no llego a tiempo. Pero aquí estoy. Felizmente, estamos juntos en esta aventura. ¿Verdad que sí?

Langley miró a Thomas-William, que se había sentado en el pescante del conductor. Pero éste no le prestó ninguna ayuda: se limitó a encogerse de hombros, desentendiéndose del problema.

—Lady Standon, salga del carruaje —ordenó Langley.

Thomas-William hizo una mueca.

—No —contestó la dama en un tono que no admitía discusión.

En el asiento de atrás, Grady, uno de los muchachos de Andrew, un chiquillo bajito y descarado, silbó por lo bajo como si intentara avisarle de algo.

Langley descubrió que lady Standon no sólo se había acomodado en el asiento, sino que se había atado el sombrero y estaba inspeccionando la cesta que había traído, sin duda preparada por la señora Hutchinson. Sacó un panecillo y se volvió hacia Grady.

—¿Has comido algo esta mañana, hijo?

—No, señora —susurró el niño, perplejo al ver que se dirigía así a él.

Minerva le dio el delicioso bocado y le sonrió, conquistando así su corazón y su estómago de un plumazo.

—¿Un panecillo, milord? —le preguntó a Langley.

—No pienso dejarme sobornar con panecillos. Ni siquiera con los de la señora Hutchinson. Ahora, sal.

—No, gracias. —Se hundió más aún en el asiento—. ¿Adónde vamos esta mañana? La señora Hutchinson ha dicho algo del campo.

Antes de que Langley pudiera responder, cosa que no iba a hacer, Grady dijo desde atrás:

—A Langley House, señora.

Esta vez fue Thomas-William quien soltó una carcajada, pues sabía, lo mismo que Langley, que ya nada podría impedir que lady Standon les acompañara. Si la echaban del carruaje, les seguiría.

Langley miró a Grady con cara de pocos amigos, pero el chico estaba tan contento comiéndose su panecillo que ni lo notó. Pensó entonces que debía recordar decirle a lord Andrew que diera más de comer a sus muchachos, para que no se les pudiera sobornar con panecillos... ni con una cara bonita.

—Un día precioso para enseñarme mi nuevo hogar —comentó Minerva—. Le encanta a usted sorprenderme, ¿no es así, lord Langley?

—¿Tu... tu... tu nuevo qué? —Langley intentaba entender lo que estaba pasando, pero mientras tartamudeaba ella le hizo una seña a Thomas-William como si dijera «adelante».

Y para consternación de Langley, Thomas-William, en lugar de desobedecer, cogió las riendas y arreó a los caballos para salir de las cuadras, guiándolos con mano firme y experta.

¡Ah, pero no iba ser tan sencillo!, se juró Langley a sí mismo. Inclinándose hacia delante, agarró las riendas y detuvo a los caballos.

—Usted no viene, lady Standon.

—Langley, le guste o no puedo serle útil. Usted mismo lo dejó bien claro cuando me propuso este noviazgo. No me lo habría ofrecido si no fuera de utilidad para el embrollo en el que está metido, sea cual sea.

—Lady Standon, éste no es momento ni lugar para...

Pero Minerva no había acabado:

—Puedo serle útil. Se lo demostré anoche. Si no hubiera sido porque esa niña me avisó, ahora mismo estaría tendido en el salón, rodeado de cirios y ese hatajo de mujerzuelas que se ha instalado en mi casa estaría llorando su muerte.

—Bueno, no creo que estuvieran llorando... —comenzó a decir él. Dudaba que la margravina fuera capaz de llorar de manera mínimamente plausible.

—Dejando a un lado lo de anoche, si cree que puede dejarme sola en esa casa teniendo que enfrentarme a las visitas y escuchar los consejos de esas niñeras, yo misma le pegaré un tiro y le ahorraré esa molestia a Chudley. —Cruzó los brazos y se quedó mirándolo como si lo retara a llevarle la contraria—. Todavía tengo la pistola de Thomas-William.

—Sí, la tiene —afirmó Thomas-William.

Pero no hacía falta que sonriera así.

—Por favor, Langley, déjeme serle de alguna utilidad —suplicó ella—. Aunque no sea más que como maniobra de distracción, para ocultar el verdadero propósito de esta salida.

Langley apretó los dientes. Minerva tenía razón en todo lo que decía. Y ahora entendía por qué no había vuelto a casarse: seguramente era más lista y más astuta que la mitad de los solteros de Londres juntos.

Aun así, negó con la cabeza, pero antes de que pudiera explicarle sus razones o, mejor dicho, discurrir alguna razonable, ella añadió alegremente:

—En todo caso, mi presencia dará a esta excursión un aire mucho más respetable que si se escabullen los tres para ir a ocuparse del turbio asunto que se traen entre manos. De modo que yo diría que es necesario que les acompañe. Sobre todo si prevé que pueden volver a dispararle. Le aseguro que haré todo cuanto esté en mi mano para volver a salvarle la vida, pero, por favor, milord, no espere que esto se convierta en costumbre. El vestido de anoche quedó inservible.

Oyeron otro silbido procedente del asiento de atrás, y esta vez Langley se volvió y miró a Grady con enfado.

—Escúchame bien, renacuajo —le dijo—, a ti también puedo echarte.

El niño le lanzó la misma mirada que le había lanzado Minerva. Como si dijera: «Inténtalo».

En todo caso, ella había dado en el clavo: su presencia en el carruaje confería a su excursión una dulce pátina de inocencia.

Y, además, no le habría extrañado que fuera a buscar la pistola, aunque sólo fuera para demostrar que era capaz de hacerlo.

—Maldita sea —masculló Langley y, soltando las riendas, se recostó en su asiento—. Me estoy volviendo viejo para estas cosas —añadió, malhumorado, pero no dijo nada más, consciente de que echarlos a los dos causaría más habladurías que dejar que se quedaran. Además, Minerva estaba en lo cierto: si alguien le estaba vigilando, y estaba seguro de que así era, pensaría que iba a salir a dar un paseo matutino con su prometida.

Tomándoselo como una señal de rendición, Thomas-William chasqueó la lengua y los caballos se pusieron de nuevo en marcha por la calle desierta.

—En efecto, se está volviendo viejo para estas cosas —comentó Minerva cuando llegaron a Grosvenor Square, y añadió dirigiéndose a Thomas-William—: Más vale que vaya por Oxford Street.

Así que hasta conocía el camino. ¿Por qué le sorprendía?

—Es que a su edad, Langley...

—¿A mi edad? —Se enderezó en el asiento—. ¿Cuántos años crees que tengo?

Lady Standon meneó la cabeza y se miró los botones de los guantes.

—Sé cuántos años tiene.

—¿Has estado informándote sobre mí?

Ella le lanzó una mirada mordaz.

—¿No lo haría usted?

—Quizá yo debería hacer lo mismo, lady Standon.

—¿A qué se refiere?

—A hacer averiguaciones sobre usted —contestó—. Y las compañías que frecuenta.

Minerva dio un pequeño respingo, pero la disimuló y dijo:

—Como guste.

Ah, lo haría en cuanto acabara con aquel lío, pero eso no pensaba decírselo. Se ciñó bien el gabán alrededor del cuello, se recostó contra la pared del carruaje y cerró los ojos.

—Langley, ¿qué hace? —preguntó ella dándole un codazo.

Él abrió un ojo para mirarla.

—Intento descansar un poco.

Dicho esto, cerró el ojo y se hundió un poco más en el rincón.

—¿Thomas-William ha ido alguna vez a su casa?

—No.

Esta vez no se molestó en abrir el ojo.

—¿Conoce el camino?

Langley notó por su tono que estaba cada vez más enojada, pero no le apetecía tranquilizarla.

—No.

—Entonces, ¿cómo se supone que vamos a llegar?

Langley abrió los dos ojos.

—Parece usted muy informada en todo lo relativo a mí. Guíelo usted, señora mía.

En lugar de ponerse a discutir, ella asintió con un gesto y se echó hacia delante para dar indicaciones a Thomas-William.

—Coja el puente de Blackfriars y vaya luego por Kent Road...

—Westminster está más cerca —comentó Langley sin pararse a pensar.

—Pensaba que estaba durmiendo —replicó ella cruzando los brazos—. Por Blackfriars iremos más derechos, desde luego...

—Por Westminster, lady Standon, o ya puede apearse.

—Muy bien —bufó ella—. Por Westminster, Thomas-William. Pero si nos perdemos por culpa de lord Langley, será él quien se apee para preguntar el camino.

—Lord Langley —dijo una voz suave, sacándolo de un sueño profundo.

Estaba agotado después de pasarse la noche buscando a Nottage y aún se encontraba demasiado cansado para que le despertaran de golpe, pero no pudo hacer nada para evitarlo. Lady Standon acabó la tarea clavándole un dedo en las costillas y ordenando con voz severa:

—¡Despierte! Hemos llegado a un pueblecito y no creo que quiera que entre en la posada para anunciar nuestra llegada y que se arme un revuelo.

Langley abrió los ojos, se incorporó y miró a su alrededor, intentando orientarse. Estaban, en efecto, en un pueblecito cerca de su casa solariega, en el cruce de caminos que llevaba por un lado a Croydon y por el otro, cruzando las verdes colinas, a Langley House.

Minerva tenía razón, desde luego. No quería que se corriera la noticia de su llegada. El hijo pródigo y todo eso.

—Lady Standon, ¿es usted siempre tan astuta?

—He aprendido a serlo —contestó ella.

Sus palabras tenían de nuevo un dejo misterioso y melancólico, una nota que dejaba traslucir que tras ella se escondía otra cosa, pero Langley no se creía con derecho a presionarla para que le contara qué era. A fin de cuentas, él tampoco estaba dispuesto a revelar sus verdaderas intenciones.

Se estiró de nuevo, ya despierto por completo, y descubrió que el carruaje se había detenido en lo alto de la colina que daba al pequeño y hermoso valle en el que su familia vivía desde hacía generaciones. En su centro se alzaba una casa solariega de buen tamaño, construida en ladrillo, con tres grandes chimeneas que salían de una empinada techumbre de tejas.

—¿Eso es Langley House? —preguntó Minerva.

—Sí.

Langley sintió un asomo de asombro y emoción. Su casa. Había viajado por medio mundo y allí estaba, tan pasmado como si se hallara ante el palacio de un sultán. Sin embargo, no había allí oro reluciente, ni elevados minaretes, sólo la hierba verde y los altos robles que parecían llamarlo, invocando sus raíces.

—Es un lugar muy hermoso —dijo Minerva pensativa.

—Sí, lo es —contestó, y sacudió la cabeza un momento, como si le costara reconocerlo.

Detrás de ellos, Grady se había dormido acurrucado en el asiento trasero, y en algún momento Minerva lo había tapado con una manta.

Al menos, Langley supuso que había sido Minerva.

Ella se volvió en su asiento y le sonrió.

—¿Cuánto tiempo hacía que no venía? —preguntó con voz queda para no despertar al chico.

Langley suspiró.

—Desde que ingresé en el Foreign Office.

Minerva se quedó boquiabierta.

—¿Tanto?

—Sí, tanto —contestó, e hizo una seña a Thomas-William, que puso de nuevo el carruaje en marcha, enfilando el camino de bajada—. Discutí con mi padre y... bueno...

—Imagino que la profesión que había escogido no le agradó —comentó Minerva mientras paseaba la mirada por las praderas bien cuidadas y la hilera de hermosos árboles que habían aparecido ante ellos.

—A mi padre rara vez le agradaba nada de lo que yo hacía —le dijo Langley.

Un poco más allá relucía el estanque moteado de sol. Había niños junto a sus orillas, con cañas de pescar en las manos. Sus risas sonaron como un dulce recibimiento.

¡El estanque! Santo Dios, prácticamente lo había olvidado. De niño había sido uno de sus sitios preferidos. Uno de muchos, recordaba ahora. ¿Cómo podía haberlo olvidado?

—A mi padre le encantaba este sitio. Yo, en cambio, sólo veía el horizonte que había más allá.

—Eso no es tan raro —repuso Minerva sin dejar de contemplar los prados y los esbeltos árboles.

—Dijo que algún día regresaría a casa y lamentaría haberme marchado.

Minerva murmuró algo. Quizás ella también estaba rememorando un lugar perdido hacía tiempo.

—¿Y lo lamenta? —preguntó pasado un rato.

—Sí. Digo, no —se corrigió él—. En fin, qué sé yo.

—No le dé más vueltas. El tiempo que se ha vivido ya no puede recuperarse. Lo que hay por delante, eso es lo único que se tiene —añadió ella reflexivamente.

—Vaya, parece que me he prometido con una filósofa —bromeó Langley—. ¿De quién era eso, de Aristóteles?

Ella se echó a reír.

—No, de tía Bedelia.

Se rieron los dos, y Thomas-William también.

Habían descendido por la colina y estaban llegando a la gran avenida que cruzaba el prado describiendo una curva. Minerva se inclinó sobre el borde del carrocín y sonrió.

Cuando sonreía, todo su rostro se iluminaba, perdía su adusta expresión de costumbre. Era casi mágico verla sonreír.

—¿Por qué sonríes?

—Las campanillas de invierno... son tan bonitas. —Señaló las flores blancas que se arremolinaban en alegres cúmulos a lo largo y ancho del prado—. Es curioso, esta misma mañana estuve pensando en esas flores.

—Y ahora aquí las tienes —dijo Langley, mirándolas.

No sentía, sin embargo, el mismo alborozo que ella, sino una suerte de melancolía.

—¿Siempre han estado ahí?

—Sí. Al menos, desde que yo recuerdo. A mi madre le encantaban. Pagaba a los niños del pueblo para que las cavaran y se las dividieran y luego las plantaran donde les apeteciera.

Tocó a Thomas-William en el hombro y el hombre detuvo el carruaje. Langley se apeó y tendió la mano a Minerva.

Ella dudó un momento, pero al fin le dio la mano y bajó. Langley indicó a Thomas-William que siguiera avanzando, y echaron a andar por una sinuosa vereda que cruzaba el prado. Entonces se agachó y arrancó un puñado de flores para Minerva, que ella aceptó con cierto rubor, como había aceptado el ramillete de flores de azahar la noche anterior.

—A su madre le gustaba esparcir esperanza —comentó Minerva al coger las flores.

—¿Cómo?

—Las campanillas de invierno. Representan la esperanza. Las primeras flores de la primavera. La esperanza de un nuevo comienzo. —Olió las flores delicadas y miró a Langley con timidez—. Quizá sea cosa del destino que esté aquí hoy. Para encontrar esperanza.

Él arqueó una ceja.

—Lady Standon, encierra usted un filósofo oriental bajo esa apariencia suya tan británica.

Minerva se rió.

—Que tía Bedelia no le oiga decir eso, o lo acusará de haberme corrompido por completo.

Langley estuvo a punto de preguntar quién era más corruptor, si él con sus cumplidos, o su tía, que la instaba a acostarse con él.

Pero entonces tendría que confesar que había estado espiándolas, y sospechaba que Minerva se lo tomaría a mal.

—¿Por qué estamos aquí en realidad, Langley? —preguntó ella tras oler profundamente las flores.

—Mi querida lady Standon, hemos venido a visitar a mis arrendatarios, los Harrow, eso es todo.

Miró al frente, hacia la casa que desde allí ya se veía del todo.

—Minerva —dijo ella, fijando también la mirada en la casa y sonrojada todavía por el regalo de las flores, o quizá por su propia osadía.

—¿Perdón?

—Minerva. Prefiero que me llame «Minerva». «Lady Standon» suena horriblemente formal.

—Si es lo que deseas... —contestó él, e inclinó la cabeza, asintiendo.

Tras un largo silencio, ella volvió a mirarlo.

—¿Sí? —preguntó Langley—. ¿Hay algo más?

—¿No va a corresponder a mi cortesía?

—¿A qué cortesía?

—A que lo llame por su nombre de pila, Ellis.

—Desde luego que no —contestó él sacudiendo la cabeza.

Nunca le había gustado su nombre, que le habían puesto en recuerdo de un tío abuelo suyo, renombrado teólogo y académico.

—¿Por qué no? —insistió Minerva.

Langley se paró, pues algo más adelante apareció un hombre que llevaba en la mano varias cañas de pescar.

—¡Langley! ¿Por qué no quiere que lo llame por su nombre de pila?

Se volvió para mirarla y acercó la mano a su barbilla.

—Porque, mi querida, mi encantadora Minerva, prefiero que me llames Langley, como acabas de hacer. Suena como si no supieras qué hacer, si tirarme de las orejas o darme un beso. —Se inclinó hacia ella, tan cerca que su aliento le hizo cosquillas en el oído cuando susurró—: Y porque me gusta verte mientras decides cuál de esos dos deseos será el vencedor.

Tuvo entonces la audacia de guiñarle un ojo con descaro, y antes de que Minerva tuviera tiempo de exclamar exasperada «¡Langley!», él se volvió hacia el hombre que se aproximaba a ellos.

—¡Hola! ¡Cuánto tiempo, señor Harrow! —le tendió la mano y estrechó con vigor la de Harrow—. Me alegra verlo con tan buena salud. Espero que no le moleste mi intromisión, pero estaba por estos contornos y...

—¿Molestarme? ¡Por supuesto que no! Ésta es su casa —repuso el señor Harrow, señalando hacia la mansión—. Usted también tiene buen aspecto, milord. Todos esos rumores de que había fallecido... La señora Harrow y yo no nos creímos ni una palabra.

Langley lo miró mientras cruzaban la explanada y se dirigían hacia la escalinata.

—¿No?

Harrow meneó una mano.

—¡No! ¿Cómo iba a creer que había muerto si sus cajas seguían llegando con la misma regularidad de siempre?

Pasó una hora o más entre muestras de cortesía y visitas de los sirvientes, que acudieron entusiasmados a saludar a su señor. La noticia de su regreso había corrido como un reguero de pólvora por la casa y los jardines. A continuación tomaron el té y un tentempié servido por la señora Harrow, mientras Langley respondía a las docenas de preguntas que le hicieron los pequeños Harrow, que habían oído hablar del legendario barón de Langley y de sus viajes por los pomposos cuentos que relataban los sirvientes. El señor Harrow, por su parte, le hizo un informe exhaustivo del excelente estado de la finca y las aparcerías. Sólo entonces pudo Langley sacar por fin a relucir el verdadero propósito de su visita.

Porque, desde que Harrow había mencionado que las cajas no habían dejado de llegar, Langley se hallaba nervioso y lleno de impaciencia.

¿Habían seguido llegando? ¿Cómo era posible, si durante todo ese tiempo había estado en la prisión de Abbaye?

—Como ha dicho usted, he seguido mandando cajas regularmente... —comenzó a decir.

—Sí, claro —se apresuró a responder Harrow—. Y, conforme a sus instrucciones, las he ido almacenando en el desván, excepto las que me pedía que le mandara a su amigo de Hampstead.

—Sí, respecto a ésas... —añadió Langley.

—¡Pobre señor Ellyson! —exclamó la señora Harrow mientras daba un plato de galletas a Minerva—. Sin duda sabrá usted que ha fallecido.

Langley se quedó callado un momento.

—Sí, en efecto. Y confiaba en que...

El señor Harrow asintió con un gesto.

—Estaba a punto de enviarle algunas de sus colecciones cuando la señora Harrow leyó en el periódico la noticia de su defunción.

—Mi hermana me envía los periódicos de Londres —le explicó la señora Harrow a Minerva.

—Así que las dejamos aquí y...

—¿Están aquí? —balbució Langley, perdiendo la actitud jovial y despreocupada que lo caracterizaba.

Hasta Minerva lo miró con asombro.

Pero ¿cómo podía ella saber lo que significaba aquella caja? ¿Su último envío a George? Todas sus esperanzas.

Intentó refrenar su creciente alegría. Aquello superaba sus expectativas, pero de todos modos sofocó su emoción y dijo con fingida indiferencia:

—¿Le importaría que le echara un vistazo... a esa caja y a las otras también? —Se quedó callado un segundo—. Hay una pieza en particular que quisiera recuperar como regalo de bodas para mi prometida. Después no les molestaremos más y seguiremos nuestro camino.

Alargó el brazo y, al coger a Minerva de la mano, le extrañó comprobar que ella también representaba con asombrosa credibilidad su papel de novia sorprendida e ilusionada y le sonreía amablemente.

El señor Harrow miró a su esposa y luego al barón.

—¿No ha venido a inspeccionar la casa?

—Bueno, si quiere usted que lo haga...

—¿No ha venido a enseñarle la mansión a lady Standon? —preguntó la señora Harrow.

—¿No van a echarnos? —se atrevió a preguntar uno de los niños.

Langley se fijó en el tenso rostro de la señora Harrow y comprendió que, a pesar de su aparente alegría, su hospitalidad escondía una profunda preocupación.

Tal y como acababa de decir el joven Harrow, creía que iban a echarles de la casa.

Para su sorpresa, fue Minerva quien tranquilizó a la señora.

—Respecto a eso no tiene usted de qué preocuparse, señora Harrow. A Langley y a mí no se nos ocurriría pedirles a ustedes y a su encantadora familia que dejaran Langley House. El arrendamiento está en vigor y salta a la vista que mantienen ustedes la finca en un estado excelente. —Se inclinó hacia la mujer y le susurró audiblemente—. ¡Hombres! Hablan y hablan, y no entienden nuestros temores, ¿no es así?

Los señores Harrow suspiraron aliviados y luego la señora Harrow sonrió afectuosamente.

—Ay, pero tengo que advertirle, milord —dijo—, que sus cajas no están nada organizadas. Ahí arriba hay un desbarajuste.

—¿Quiere subir a ver esos cuadros vergonzosos y esas vasijas pecaminosas? —preguntó uno de los niños.

—¡Joshua! —le regañó la señora Harrow, poniéndose muy colorada.

—Pero, mamá, así los llamaste tú cuando nos prohibiste que los miráramos —protestó el chiquillo, y añadió—: Lord Langley, ¿de verdad le robó todas esas cosas a Napoleón?

A Langley le entraron ganas de reír al ver los ojos brillantes y llenos de curiosidad del niño, pues se acordaba bien de las ocasiones en que, de pequeño, iba a visitarles un tío suyo marinero, hermano de su madre, que les contaba historias sobre sus viajes de exploración con el capitán Cook. Pese a que aquellos relatos estaban muy adornados y despojados de la cruda realidad de los largos viajes por mar, la pésima comida, el aburrimiento, las malas condiciones de vida, él aguardaba siempre con ilusión el momento en que oiría hablar de las extrañas costumbres de los nativos, de los animales exóticos y los extraños símbolos. Cuentos con los que después podría obsequiar a sus amigos durante semanas y semanas.

—Sí, muchacho. Y si me buscas una palanca con la que abrir las cajas, te hablaré de la noche en que me colé en Versalles y robé los cuadros de las paredes del viejo Bonaparte.

—¡Hala! —susurró el chico con los ojos como platos por el asombro—. ¿Me contará también lo de cuando lo apresó el sultán y lo encerró en su palacio?

—Por supuesto —contestó Langley, pasando el brazo por los hombros del chico mientras salían de la habitación seguidos por Minerva y la señora Harrow—. Pero no es que me encerrara en su palacio: me encerró en su harén.

—¡Langley! —protestó Minerva.

Cuando se volvió para calibrar su expresión, descubrió que ella tenía un brillo en la mirada y que apretaba los labios como si intentara contener la risa.

Ah, sí, ya había tomado una decisión: ya sabía qué deseaba más.

Y no era tirarle de las orejas.

Minerva recorrió con la mirada el desván: la hilera de cuadros apoyados contra la pared, los jarrones y las estatuas colocadas en fila. Eran como le había dicho la señora Harrow a su hijo: vergonzosos.

Siempre había oído decir que lord Langley era un entendido en arte, pero lo cierto era que su colección sólo podía calificarse de espantosa.

Langley se quedó mirando las piezas con una barra metálica en la mano. Estaban solos, porque aunque había prometido regalar a los niños con sus historias, la señora Harrow había anunciado que, pese a la generosa oferta de lord Langley, o debido a ella, sospechaba Minerva, debían regresar con su institutriz al cuarto de los niños.

—No va a necesitar eso —le dijo Minerva, señalando la palanca que él sostenía en la mano—. Por lo visto el joven Joshua ha tomado por costumbre subir a disfrutar de su colección.

Indicó las cajas abiertas y las piezas sueltas colocadas sobre las cajas y los arcones almacenados en el desván.

—Sí que lo necesito —contestó él mientras se acercaba a una figurilla que representaba a una pastora. Debajo del esmalte, la pintura se había aplicado chapuceramente y la pobre pastora buscaba con ojos bizcos a sus corderitos perdidos.

No siguió buscándolos mucho tiempo, sin embargo.

De pronto, Langley levantó el brazo y golpeó con la barra la cabeza de la pastora, haciéndola añicos.

—¡Langley! ¿Se ha vuelto loco? —exclamó Minerva.

Él no hizo caso. Hurgó entre los fragmentos como si buscara algo y, al no encontrar nada, se acercó a la ninfa que había junto a Minerva y la hizo añicos.

Minerva lo agarró del brazo.

—¿Qué está haciendo?

—Ya que quiere saberlo —repuso él mientras rebuscaba entre los trozos—, de vez en cuando enviaba a Inglaterra información secreta dentro de objetos artísticos.

—Así que no era sólo un diplomático —comentó ella con intención de sonsacarle.

—No, no siempre —confesó Langley, que ya estaba mirando otra estatua.

Minerva paseó de nuevo la mirada por el desván, viendo bajo una nueva luz lo que contenía. Aquellas piezas no habían sido elegidas por su belleza o su singularidad, y menos aún por su valor. Más bien al contrario.

—Vaya, gracias a Dios.

—¿Por qué? —preguntó él antes de hacer pedazos a un par de enamorados.

—Pensaba que iba a casarme con un hombre de pésimo gusto —contestó ella, riendo.

—¿Estabas viendo ya el saloncito decorado con estas cosas? —preguntó él, y señaló una fila de vaqueras bizcas.

—Sí, o algo peor. —Se estremeció y cogió uno de los cuadros—. Santo cielo, es casi tan malo como el que hay en mi habitación.

—Eso tendré que juzgarlo yo la próxima vez que visite tu cuarto, Minerva. Me costaba mucho trabajo elegir piezas que nadie pudiera ambicionar.

Le pasó la palanca.

—Adelante, sé que estás deseando acabar prematuramente con esa ninfa marina.

—Dios mío, ¿es que son todas bizcas?

—Me temo que el hombre al que se las compré usaba como modelo a su hija.

—No sería una de sus conquistas, ¿verdad? —bromeó ella justo antes de agarrar la barra y hacer trizas la figurilla. Se quedó mirando los trozos—. Tenía toda la razón: es de lo más gratificante. Pero ¿qué debo buscar?

—En los jarrones, un trozo de papel fino metido por la raja de abajo.

—Un trozo de papel enrollado, imagino —comentó ella y, cogiendo una vasija, echó un vistazo dentro—. Para que se desenrollara al meterlo por la ranura y quedara oculto.

Langley se quedó parado.

—Minerva, no dejas de sorprenderme. Te juro que serías una espía excelente. No querría tenerte por enemiga.

—Pues recuérdelo cuando sienta la tentación de hacerme enfadar —bromeó ella. Luego se puso seria—. Langley...

—Eh, ¿sí?

—¿Qué espera encontrar?

—Respuestas —contestó él.

—¿No quiere contarme nada más? —insistió ella—. Quizá me ayude saber qué estoy buscando.

—Piense en su reputación —le dijo él con una sonrisa.

—¿Mi reputación? Señor, si esta colección viera la luz del día, el poco respeto que aún se me tiene quedaría hecho jirones.

—Mejor eso que estar prometida con un traidor —repuso Langley.

—De modo que es eso, ¿eh? —susurró ella.

—Sí.

Minerva se volvió hacia el resto de la colección. Su determinación de ayudar a Langley se tornó de pronto aún mayor.

—¿Y los cuadros? No creo que convenga romperlos, aunque probablemente sería muy satisfactorio.

—No, no podemos dañarlos, al menos no más de lo necesario. —Buscó en la bolsa que había llevado consigo—. Tendremos que cortar los lienzos para separarlos de los marcos. Algunos tienen otro lienzo debajo, y otros puede que tengan una nota o alguna inscripción en la parte interior del marco. Con ésos habrá que tener más cuidado.

—Es una lástima —comentó Minerva, levantando un cuadro de pésima factura que representaba a una pareja de enamorados—. Santo cielo, ¿qué es eso? ¿Esta pobre mujer tiene tres brazos?

Langley echó un vistazo a la pintura.

—Espero que sí, por el bien de ese tipo.

El optimismo de Langley se fue disipando durante las horas siguientes, al descubrir que su búsqueda no daba resultados.

Encontró la caja que debía enviarse a George Ellyson, pero enseguida se hizo evidente que alguien parecía habérsele adelantado, pues dentro no había ninguna nota, ni una sola pista en su interior.

Sólo nuevos interrogantes.

Y las cajas que habían llegado después de su confinamiento en la prisión de Abbaye contenían únicamente más adivinanzas.

—Parece que esta caja tuvo un viaje movidito —comentó Minerva cuando echaron un vistazo al contenido destrozado de la caja en cuestión. Sacó uno de los cuadros, un pequeño paisaje con un castillo en ruinas. Al darle la vuelta, arrugó la frente y se lo pasó a Langley.

El marco estaba extrañamente ahuecado: había una incisión estrecha en la parte interior de la recia madera.

—¿Qué es eso? —Minerva metió los dedos dentro y sacó un trozo de terciopelo negro. Observó el marco más de cerca—. Parece que toda esa ranura estaba forrada de terciopelo. Todavía hay algunos trozos pegados a la madera.

Langley meneó la cabeza y devolvió el cuadro a la caja. Nada de aquello tenía sentido, y lo que era peor aún: daba la impresión de que allí no iba a encontrar respuestas.

Así pues, bajaron de nuevo, dieron las gracias a los Harrow por su hospitalidad y regresaron al carruaje.

—¿Qué significa esto, Langley? —preguntó Minerva cuando montaron y se alejaron un poco de los Harrow.

Thomas-William miró hacia atrás. Sin duda estaba a punto de preguntar lo mismo.

Langley negó con la cabeza mirando a su viejo amigo y se volvió hacia Minerva.

—Significa que tengo que volver al principio.

Thomas-William mascculló una maldición y arreó a los caballos camino de Londres.

—¿Tan mal están las cosas? —preguntó ella.

Langley intentó sonreír para tranquilizarla.

—Significa que seguramente estás prometida con un traidor.

Para su sorpresa, ella contestó con sorna:

—Vamos, Langley. Si eso no me preocupaba antes, ¿qué le hace pensar que ahora voy a cambiar de idea?

# Capítulo 12

«A veces una no puede hacer nada por un hombre, excepto permanecer en silencio a su lado y tener fe.»

Consejo dado a Felicity Langley por su tata Rana

Cuando regresaron a Brook Street hacía ya largo rato que había anochecido, y Langley ayudó a Minerva a bajar del carruaje y la acompañó hasta la puerta.

No entró con ella, sin embargo. La hizo entrar sin hacer ruido y luego desapareció en la noche.

Minerva pasó gran parte del día siguiente paseándose por la casa y mirando por las ventanas, observando al gentío que transitaba por Brook Street y las idas y venidas de los sirvientes en las cuadras de detrás de la casa, con la esperanza de ver a Langley.

¡Maldito fuera! Sabía que una marquesa no debía emplear esas palabras, ni conocerlas siquiera, pero en ese momento ser lady Standon se le antojaba demasiado limitado.

Si fuera simplemente Maggie Owens, quizá Langley no fuera tan reacio a dejar que lo ayudara.

Tan inquieta estaba que incluso le pareció ver a la pequeña florista del teatro merodeando junto a la farola del otro lado de la calle. Llevada por un loco impulso, salió corriendo con intención de alcanzar a la muchacha, pues, por increíble que pareciera, sospechaba que estaba de algún modo relacionada con el misterio que se escondía tras el regreso de lord Langley a Londres.

Sin embargo, en cuanto abrió la puerta principal, la niña agarró la cesta de flores, echó a correr como un conejo entre los transeúntes y desapareció antes de que a Minerva le diera tiempo siquiera a llamarla.

Al darse cuenta de que toda la gente que pasaba por la calle la miraba extrañada, se retiró a toda prisa al interior de la casa. Y no porque ésta ofreciera mucho refugio. Su casa parecía haberse convertido de pronto en la más solicitada de todo Londres.

Hasta entonces no se había dado cuenta de la cantidad de chismosas que habitaban en la ciudad. De repente parecía haber una senda de miguitas que llevaba directamente a su puerta. Poco importaba que no fuera su tarde de recibir: los curiosos y los cotillas se presentaban igualmente y entregaban su tarjeta a una ofendida señora Hutchinson con la esperanza de que «lady Standon quisiera que la acompañaran en aquel momento de tribulación».

¡Que la acompañaran! ¡Ja! Había dado orden a su ama de llaves de que les diera a todos con la puerta en las narices. Alguna ventaja había en tener un ama de llaves que se había criado en Seven Dials. Nadie sabía librarse de una visita inoportuna mejor que la señora Hutchinson, descontando, naturalmente, a las visitantes extranjeras que se habían instalado en la casa.

Según tía Bedelia, que fue a visitarla esa tarde, hasta quienes no habían estado en el teatro de Drury-Lane la noche anterior contaban su propia versión del dramático desafío de Chudley y de la escandalosa aceptación de lord Langley.

—Ignoraba que en Londres hubiera semejante hatajo de chismosos —exclamó tía Bedelia—. ¡Están despellejando a Chudley y haciendo trizas mi reputación! ¡Qué vergüenza! ¡Qué desfachatez! ¿A dónde vamos a ir a parar cuando ya no se respetan ni el pudor ni la honorabilidad?

*Y lo dice la que hace menos de un día me ordenó que sedujera a mi prometido*, pensó Minerva. Tampoco se compadeció del apuro en que se hallaba su tía, pues lady Chudley era desde hacía más de treinta años la mayor chismosa de la aristocracia londinense. Saltaba a la vista, no obstante, que aquello estaba siendo un trago muy amargo para tía Bedelia, sobre todo porque le estaban dando a probar su propia medicina, por así decirlo.

El día había pasado, sin embargo, pues hacía largo rato que habían dado las doce de la noche y Minerva tenía preocupaciones más acuciantes que la marea de habladurías y murmuraciones que se agitaba a su alrededor. Al mirar por la ventana de su dormitorio, deseó que la oscuridad le revelara lo que ansiaba saber por encima de todas las cosas.

¿Dónde demonios estaba Langley? ¿Y Thomas-William?

¿Qué andaban tramando aquellos dos?

Y no porque le importara, se dijo. No le importaba. En absoluto.

¡Ah, claro que le importaba! Y ella podía ayudar, si se lo permitían.

*Luego quizás él te ayude a...*

Apartándose de la ventana, apagó la vela y se tumbó en la cama. Un delgado rayo de luz de luna se colaba por la rendija de las ventanas descorridas.

No, no podía recurrir a Langley. Bastantes preocupaciones tenía ya el pobre sin que ella lo cargara con sus problemas.

Traición... Sacudió la cabeza al pensar en las horribles implicaciones de aquella palabra. Sospechaba, sin embargo, que la respuesta podía hallarse en las pistas que tenía a mano: las ranuras del marco, los trozos de terciopelo negro, la llegada de las «tatas», los envíos secretos de Langley...

Minerva se incorporó cuando las piezas encajaron de pronto.

Era evidente que alguien había descubierto cómo mandaba Langley sus informes a Inglaterra y se había servido del mismo método para sus propios fines, dejando de paso que la reputación de Langley saliera malparada. Y a su regreso, esas mismas personas habían intentado matarlo.

Sacudió la cabeza. No, era todo demasiado descabellado. ¿O no? La tía Bedelia diría que leía demasiadas novelas, pero aun así...

¡Ah, si Langley regresara a casa y le dijera que había zanjado aquel asunto de una vez por todas! Entonces podrían...

¿Podrían qué?

Se volvió y golpeó la almohada con el puño. ¿A qué venía aquello? ¿Aquella maldita preocupación, aquel desasosiego?

No, «preocupación» no era la palabra adecuada. Preocupación

era lo que se sentía cuando enfermaba un amigo. O la zozobra que experimentaba una cuando se agotaba su renta trimestral.

Aquel dolor en el pecho, aquel temblor de los miembros, era algo completamente distinto.

Pero ¿cómo había sucedido? Mientras escudriñaba los recuerdos de los días anteriores, siguió asaltándola aquel condenado ensueño que había tenido una mañana: los dos niños, y Langley a su lado, una vida que podía ser la suya sólo con que... si se atrevía a...

A arriesgar el corazón.

Meneó la cabeza. ¡Ah, no, era imposible! ¿Confiar en el dictado de su corazón? ¡Mira dónde la había llevado la última vez! Había confiado en Gerald Adlington y él la había traicionado casándose con su hermana con la esperanza de adueñarse de la fortuna de una rica heredera.

—No es sólo eso —se dijo en voz baja, y pensó en aquel prado, en los blancos cúmulos de campanillas que florecían aquí y allá, al azar. No eran solamente aquellos dos niños con cara de pilluelos.

Sino otra cosa.

Porque la confesión de Langley, su admisión de que a veces lo único que le quedaba a uno era el honor, la había espoleado a enfrentarse a la deshonestidad de su propia existencia.

El honor...

Por eso tenía que ser por lo que Langley se movía en secreto por Londres, intentando limpiar su nombre.

Recuperar su honor.

No hay nada que recuperar, le habría dicho ella. No, Langley tenía más honor que cualquier hombre que ella hubiera conocido.

Y eso la atraía. En lo más hondo. ¡Cuánto le habría gustado verse libre de sus propios engaños! De la mentira que la había aprisionado en la identidad de Minerva Sterling. Que la había obligado a vivir en la más estricta austeridad por miedo a que alguien descubriera la verdad: que no era una dama.

Tal vez, si podía ayudar a Langley, devolverle su buen nombre, se redimiría..., porque no habría modo de parar a Adlington, como no fuera darle lo que quería, o acabar con él.

Se quedó tumbada en la cama un momento, en silencio, mientras la casa entera dormía a su alrededor. Nada se movía, ni siquiera se oía el crepitar de las brasas en la chimenea.

La vastedad de la noche, su vacío, la agobiaban como un peso inmenso, y de nuevo miró hacia la ventana y rogó en silencio: *Por favor, que vuelva a casa.* No tuvo, sin embargo, valor para añadir la íntima plegaria que encerraba su corazón: *Que vuelva a casa, conmigo.*

Se quedó parada un momento con la esperanza de oír el crujido delator de la verja o de la puerta de la cocina al abrirse mediante una ganzúa, o por cualquier otro medio que usaran Langley y sus colegas del Foreing Office para abrir las puertas cerradas.

Pero no oyó nada, salvo el silencio, de modo que cerró los ojos y abrazó la almohada contra su pecho.

Cerca de su corazón, al que durante tantos años no se había atrevido a dejar acercarse a ningún hombre.

Hasta ahora.

La casa estaba a oscuras y en silencio cuando Langley cruzó a hurtadillas la verja y avanzó con paso desanimado por el sendero del jardín de atrás.

Como no habían encontrado nada en Langley House, salvo más interrogantes, Thomas-William y él habían estado siguiendo a sir Basil, sin aflojar la vigilancia por si acaso cometía algún desliz o Nottage se dejaba ver. Pero para su desaliento, aquel advenedizo había seguido llevando su vida ordenada y satisfecha como si lo tuviera todo bajo control.

De Nottage no había ni rastro.

No, se había dicho Langley, el único modo de descubrir la verdad era registrar el despacho de sir Basil en Whitehall, pese a que lord Andrew les había advertido que era una locura.

Allí encontraría la prueba que buscaba. Tenía que encontrar algo y enseguida. Porque tenía la impresión de que se le estaba agotando el tiempo, y el peligro que corría Minerva lo llenaba de angustia. Estaba demasiado metida en aquel asunto, y si lo sucedido en el teatro no hubiera bastado para dejárselo claro, su ardiente deseo de ayudarlo no le había dejado duda al respecto.

Hasta Thomas-William había accedido a regañadientes a seguir adelante con su disparatado plan, aunque seguramente con el único fin de asegurarse de que no lo mataban en el intento.

Así pues, habían entrado en el despacho de sir Basil, pero éste había resultado ser tan anodino como su ocupante: no habían encontrado en él nada fuera de lo corriente, y lo habían puesto patas arriba buscando.

No, lord Andrew tenía razón: las pruebas que quedaran sería difícil encontrarlas, si es que existían.

Lo único que habían descubierto eran los documentos firmados que acusaban a Ellis, barón de Langley, de alta traición.

Después sus esfuerzos habían pasado de futiles a peligrosos cuando, al volver al pasillo, que habían encontrado desierto apenas veinte minutos antes, se habían topado con media docena de guardias cortándoles el paso.

Por suerte para ellos Whitehall nunca cambiaba, y como Langley se había pasado sus dos primeros años en el Foreign Office llevando recados a lo largo y ancho del laberinto de pasillos y oficinas, habían podido escapar de los guardias, o eso había parecido hasta que habían descubierto que una de dos: o se rendían o se abrían paso luchando.

En realidad, estando allí Thomas-William, no había habido alternativa. No había sido fácil, pero habían logrado quitarse de encima a los jóvenes agentes gracias a que Thomas-William había dejado fuera de combate a tres de ellos en rápida sucesión.

Los tres restantes, sin embargo, no se habían dado por vencidos fácilmente, y Langley y Thomas-William habían salido maltrechos, aunque al final habían logrado escapar a la carrera por una larga escalera sin uso que llevaba a una puerta oculta por un gran matorral. Desde allí se habían escabullido entre las sombras de Saint James Park y habían vuelto hacia el río.

Langley sabía que no corría peligro de que lo hubieran reconocido, pero la cara de Thomas-William, en cambio, era bien conocida para los agentes del Ministerio. Cuando se difundiera su descripción, no tardarían en emitir una orden de busca y captura contra él.

Así pues, Langley había mandado con cierto pesar a su amigo río arriba, a la finca del conde de Clifton. Sabía que Clifton y su esposa,

Lucy Ellyson, esconderían y protegerían con su vida al leal servidor del padre de Lucy.

Pero mientras veía alejarse a Thomas-William remando por el río, impulsado por la marea que lo empujaba río arriba, se había estremecido. Y no por el frío, sino porque estaba solo.

Sin escapatoria, sin ideas.

Salvo su encuentro del día siguiente con lord Chudley en Primrose Hill. Quizá fuera preferible acabar de una vez y dejar que el anciano vizconde le atravesara de un balazo el corazón.

Durante más de veinte años había llevado una vida que algunos habrían calificado de mágica: amantes, viajes, aventuras... Y quizás hubiera sido justamente eso: pura magia.

Luego, todo había cambiado cuando había traído a las niñas a Inglaterra para que fueran al colegio. Sin ellas, había sido como si se apagara la luz de su corazón. Sin su luz para iluminar sus días, había estado ciego a la oscuridad que había acabado por envolverlo.

Traición... Santo Dios, no habría modo de detener a Brownie ahora que tenía esa orden firmada. Aquello era su fin, pero ante todo no quería que aquella lacra afectara a la vida de Felicity y Tally. Si lo colgaban por traición, el futuro de sus hijas quedaría arruinado.

Y también el de Minerva.

Aterido, tembloroso y todavía sangrando, había cruzado cansinamente Piccadilly y Saint James y recorrido los callejones y los pasadizos de Mayfair hasta llegar a las cuadras de Brook Street.

*Minerva*, susurró su corazón al ver su ventana, *lo siento muchísimo*.

Porque muy pronto su compromiso matrimonial la hundiría en el escándalo que ella tanto aborrecía, y acabaría despreciándolo por ello.

Comprobó, contrariado, que la puerta de la cocina estaba cerrada con llave. Tal vez aquél fuera su modo de decirle que se marchara.

Pero, no, todavía no, pensó amargamente mientras hurgaba en el bolsillo escondido dentro de su bota, donde guardaba las ganzúas.

Abrió rápidamente la puerta y entró tambaleándose. Se detuvo un instante a recuperar el aliento junto a las escaleras que bajaban a la cocina.

—Amigo mío, te estás haciendo viejo para estas bobadas —masculló para sí mismo, esbozando una sonrisa irónica.

Jamás habría pensado, muchos años atrás, cuando Robert Jenkinson, su compañero de colegio, lo había persuadido para que ingresara en el Foreign Office, que a los cuarenta y dos años seguiría aún vagabundeando por ahí y acechando como un ladrón en la noche.

¿Y qué había conseguido a cambio de sus esfuerzos? Perder la memoria a medias, que su reputación estuviera hecha trizas y que la ruina se cerniera sobre sus seres queridos. Langley sopesó otra opción.

¿Y si desaparecía en la noche? ¿Y si abandonaba Londres? Tally y Felicity ya lo creían desaparecido, posiblemente se habían hecho a la idea. Estaban mejor sin él.

Luego, de improviso, vio a Minerva de pie ante Langley House con un puñado de campanillas en las manos.

Esperanza, parecía decirle. Recuerda aferrarte a la esperanza.

¡Ah, sí, tenía esperanza! Esperanza en que Chudley siguiera teniendo tan buena puntería.

Cuando llegó al pie de las escaleras de la cocina, se tambaleó un poco, se acercó a una silla y se dejó caer en ella.

Con un poco de suerte sus contrincantes habrían salido tan maltrechos como él, se dijo mientras se frotaba la mandíbula dolorida. Poco a poco fue clasificando sus diversos dolores y molestias y se dio cuenta de que estaba peor de lo que creía.

—Maldita sea —masculló.

En el fogón quedaba sólo el resplandor de las brasas, y no había ni rastro de la señora Hutchinson. Seguramente estaría por ahí con su «querido Mudgett». Lo cual era una suerte. Y el resplandor de las brasas significaba que el agua del depósito que había junto al fogón estaría caliente y que nadie tendría que verlo en aquel estado calamitoso.

Aunque al día siguiente sería imposible ocultar los hematomas de su mentón y su nariz, que seguía sangrando como vino por su espita.

Quejándose lo más quedamente que pudo, sacó un barreño de debajo de un banco y comenzó a llenarlo.

El resto de la casa era un desastre, pero la cocina era de primera calidad. La señora Hutchinson decía que Felicity se había empeñado en reformarla para ella, aunque sólo fuera para que la cocinera y ama de llaves siguiera horneando panecillos alegremente. De ahí el montaplatos y el moderno fogón para cocinar. Con cada cacerola de agua caliente que echaba en el barreño, daba gracias por la afición de su hija a los panecillos.

Ahora sólo tenía que lavarse, vendarse las heridas más preocupantes y subir a su cuarto. Luego, la noche habría acabado.

O eso pensaba él mientras se quitaba la levita rota, la camisa manchada de sangre y las calzas salpicadas de barro. Porque cuando se disponía a quitarse la ropa interior, oyó un crujido en la escalera, a su espalda.

Tan tenso estaba aún por lo sucedido esa noche que agarró la pistola y, al girarse dispuesto a disparar, se encontró con la cara pálida de su prometida.

—Santo cielo, ¿qué te ha pasado? —exclamó Minerva sin mirar siquiera la pistola que sostenía Langley.

Tenía la mirada fija en su nariz ensangrentada y en el tono amoratado de un lado de su mandíbula. Se acercó a él y levantó la mano para tocar su cara, pero se detuvo cuando él hizo una mueca de dolor.

—¿Quién te ha hecho esto?

Langley dejó la pistola.

—¿No te preocupa cómo ha quedado mi contrincante?

—No, en absoluto.

Echó otro vistazo a sus heridas y pasó a su lado, rozándolo.

Santo Dios, ¿desde dónde había venido tambaleándose en aquel estado? ¿Qué había ocurrido? Un millar de preguntas se agolpó en su cabeza mientras levantaba el manubrio de la bomba y comenzaba a llenar un cubo de agua. Sabía, sin embargo, que aquellas preguntas no obtendrían respuesta.

Iban a necesitar más agua caliente.

Aquella idea la golpeó como un rayo: «iban», en plural.

El agua del cubo rebosó y Minerva dejó de bombear. Se detuvo para no considerar aquella idea. Llevó el cubo al depósito del fogón y lo llenó hasta arriba. Luego encendió una bujía, se acercó al armario que había al fondo de la cocina y lo registró en busca de toallas, paños y jabón.

Aquélla no era la cocina de su madre en casa, con sus potes de ungüento, sus agujas para suturar y sus vendas, pero tendría que arreglárselas con lo poco que encontró.

Al darse la vuelta descubrió a Langley arrellanado en la silla, con los pies metidos en el barreño de agua caliente. Tenía los ojos cerrados y parecía completamente agotado.

No había encontrado las pruebas que necesitaba. ¡Ah, si dejara que ella lo ayudara! Maldito fuera por ser tan condenadamente orgulloso, por proceder de un largo linaje de hombres heroicos, porque, en efecto, Minerva había hecho averiguaciones sobre él.

Ojalá...

Ignoró la punzada que sintió en el corazón, ignoró lo indecoroso de la situación y procuró recordar las veces que había visto a su madre curar a otros pobres infelices que habían recibido una paliza.

Pero ver hacer algo no era lo mismo que hacerlo. Ni siquiera sabía bien por dónde empezar.

Tienes que limpiarlo, casi le pareció oír que decía su madre. Límpialo y sécalo.

¿Lavarlo? Nunca había lavado a un hombre, nunca había visto a un hombre prácticamente desnudo. Había estado casada, sí, pero con Philip Sterling, que en el momento de su boda había alcanzado hacía tiempo la madurez, y por suerte nunca lo había visto desnudo, pues siempre acudía a ella muy tarde, tras una noche de excesos, para hacer un par de torpes intentos de borracho en la oscuridad, y luego se marchaba.

Afortunadamente.

Pero lord Langley era distinto. Estaba en excelente forma física, sus hombros eran musculosos, su espalda tensa, y su esbelta figura la dejaba casi sin respiración, ligeramente embriagada. Incluso vapuleado y magullado como estaba, la virilidad que se adivinaba bajo el polvo y los moratones la hacía tambalearse.

Como aquella otra noche, en el carruaje...

¡Cielos! Era tal y como decían Lucy y Elinor. Que con el hombre adecuado...

Minerva vaciló.

No, lord Langley no era el hombre adecuado para ella. No podía serlo.

Aun así, la idea la aterrorizaba. ¿Y si lo era? En ese caso, no podía fallarle en aquel momento. La necesitaba.

Él no le estaba pidiendo nada, desde luego. Pero su corazón sí.

Suspirando para sus adentros, metió el cazo en el barreño y miró a Langley. ¿Por dónde empiezo?

Entonces pareció que su madre, muerta hacía tanto tiempo, le daba un codazo lleno de valentía. Por el principio.

Minerva le susurró suavemente:

—Inclínate.

Él se inclinó y ella vertió delicadamente el agua sobre su cabeza, dejando que corriera por su pelo apelmazado y sus hombros. Después, sin decir palabra, se enjabonó las manos y emprendió la tarea. Le lavó el pelo y empezó a limpiar con cuidado su cara.

Langley la miró a los ojos mientras le limpiaba la sangre de alrededor de la nariz. El silencio que reinaba entre ellos la había puesto nerviosa.

—Has estado fuera todo el día —dijo en voz baja.

No era una pregunta. Sólo una afirmación.

Repleta de interrogantes.

Langley hizo una mueca cuando le pasó un paño por la mandíbula.

—¿Me has echado de menos?

—Estaba preocupada —contestó con franqueza. Y no pudo evitar añadir—: Y apestas a agua del Támesis.

—No he podido remediarlo —repuso él, pero no añadió nada más.

Así pues, Minerva enjuagó el paño y siguió limpiándole los hombros, la ancha espalda. Se estremeció al palpar los largos y anchos verdugones. Cogió una vela y, levantándola, iluminó una serie de profundas cicatrices que iban desde lo alto de sus hombros hasta el final de su espalda.

—¿Ocurre algo? —preguntó Langley.

Minerva negó con la cabeza y dejó la vela. Aclaró el paño y siguió con su tarea, impresionada por lo que acababa de ver.

Sí, sabía que Langley había estado en prisión, se lo había dicho Jamilla, pero aquello era mucho peor que estar simplemente encerrado. En algún momento de su disoluta existencia lo habían azotado. Lo habían golpeado salvajemente. Se estremeció al pensar que tal cosa pudiera haber ocurrido, y al pasar el paño a lo largo de su brazo, descubrió más cicatrices alrededor de sus muñecas, cicatrices que parecían de ataduras.

¿Lo habían detenido? ¿Secuestrado? ¿Atacado? No lo sabía y no se atrevía a preguntarlo, pero una cosa estaba clara: Langley había estado prisionero y había recibido palizas. Claro que para deducir eso no había más que ver la cicatriz que le iba desde el arranque del pelo a detrás de la oreja. No había sido aquella, sin embargo, la única vez. El cuerpo viril que tocaban sus dedos no era el de un lechuguino, ni el de un hombre acostumbrado a la comodidad de los palacios y a dedicarse a seducir a mujeres, como sugería su reputación.

Lord Langley había llevado una vida muy distinta a la que ella, alegremente, había supuesto.

No se dio cuenta de que se había detenido, y la quietud de la casa y la cocina se volvió de pronto tan amenazadora como la oscuridad de la noche.

—No hace falta que hagas esto —le dijo él, echando mano del paño—. No deberías implicarte.

Ella le quitó el paño y siguió limpiándolo mientras intentaba no hacer caso de sus músculos definidos, de la dura energía que se adivinaba bajo las magulladuras.

—Estoy implicada desde el momento en que entraste en mi cuarto, desde que te mudaste a mi casa sin preguntar. Estoy metida en esto, me guste o no.

—No voy a preguntar si te gusta o no.

—Es lo más sensato por tu parte —contestó con mordacidad, mirándole la nariz. Le dio un paño y le hizo apretarlo contra su nariz para detener la hemorragia—. ¿Está rota?

—No —contestó, meneando ligeramente la cabeza.

Minerva se acercó al fogón y hundió el cazo en el depósito. El agua ya no estaba fría, pero tampoco quemaba.

Estaba más limpia, sin embargo, que la del barreño, cada vez más turbia.

—Eso me parecía —comentó—, pero tú lo sabrás mejor.

—Tienes talento para esto —repuso él con suavidad.

Minerva desvió la mirada.

—Mi madre era la que tenía talento. Yo solamente miraba.

—Y ayudabas. No me imagino a una mandona como tú limitándose a mirar.

Ella sonrió.

—Ayudaba cuando ella estaba atareada con otras cosas.

Langley la vio rasgar varios paños y rebuscar entre los potes de ungüentos.

—No es una habilidad que suela darse en una dama. Y menos aún en una condesa, o en una futura duquesa.

—Mi madre era una mujer singular —y no era condesa. Sólo la hija de la bruja del pueblo, como gustaba de decir la gente.

—Igual que su hija —murmuró Langley mientras se estiraba y ponía a prueba sus hombros.

*Sí, bastante singular*, se dijo Minerva para sus adentros. La hija bastarda que se hacía pasar por la legítima. Una marquesa poco frecuente, desde luego.

Claro que quizás a él no le sorprendiera tanto, pensó mirando a Langley por encima del hombro. Tal vez ni siquiera le importara que no fuera quien decía ser.

¿Qué pensaría lord Langley de la plebeya Maggie Owens?

—Y yo que pensaba que la altiva lady Standon llamaría a la señora Hutchinson para que echara una mano —prosiguió él—. Éstos parecen más sus dominios.

Minerva meneó la cabeza.

—No se me ocurriría. Es demasiado cotilla. Y no creo que eso te convenga, ni te agrade.

Langley no respondió.

—Ella por lo menos me ofrecería una bebida fuerte —bromeó—. Un buen reconstituyente después de recibir una tunda. Para despejarme un poco.

Minerva soltó un bufido.

—No necesitas beber. Y en cuanto a despejarte, creo que ya has hecho el tonto bastante por esta noche. Lo que necesitas es asearte, secarte y dejar de sangrar.

—Minerva Sterling, eres la mujer más sensata que he conocido nunca.

A pesar de que había pasado todos aquellos años escondiéndose tras una fachada de sensatez y decoro, le irritó oírse calificar así por boca de Langley. No quería ser sensata a sus ojos. Quería ser... como las demás... salvaje... irresistible... sofisticada... deseable.

—Eres demasiado mayor para arriesgarte de este modo —se oyó decir. ¡Ay, cielos, era el colmo de la sensatez!

Langley levantó cansinamente la cabeza y logró guiñarle un ojo.

—No soy tan viejo que no pueda valerme solo. Para que lo sepas, eran seis.

Minerva vertió sobre él el agua tibia, dejó el cazo y puso los brazos en jarras.

—¿Y se supone que eso debe tranquilizarme?

¿Seis? ¿Lo habían atacado seis hombres? Minerva se quedó sin respiración. Y se dijo que no era porque Langley hubiera logrado derrotarlos, al menos lo suficiente para escapar con vida. No, en absoluto. Porque estaba aterrorizada desde que lo había encontrado allí, en la cocina.

Entonces se le ocurrió otra cosa y se maldijo a sí misma por no haberle preguntado antes.

—¿Thomas-William está... está...?

No se atrevió a terminar la pregunta.

Pero Langley sí.

—¿Vivo? Sí.

Se miró las manos magulladas y manchadas de sangre, que estaba limpiando con esmero.

Minerva asintió con un gesto. Se había encariñado con el taciturno criado de Lucy. Pero que estuviera vivo no aclaraba casi nada.

—¿Está herido?

—Un poco maltrecho, pero saldrá de ésta.

Minerva respiró hondo y dejó escapar un suspiro.

—¿Está a salvo?

—Sí.

No vio razón para preguntar más. Claro que había estado meditando sobre lo sucedido en Langley House desde que habían regresado, y ahora, después de ver su espalda marcada...

—Langley...

—¿Umm?

—¿Cómo es que siguieron llegando cajas a Langley House cuando todo el mundo pensaba que estabas muerto... y sospecho que estabas...?

La miró con expresión por una vez insondable.

—¿Encarcelado? —concluyó ella.

—Minerva... —comenzó a decir y sacudió la cabeza.

Se estaba inmiscuyendo y él no quería su ayuda, pero aun así insistió:

—Por favor, quiero serte de ayuda. ¿Quién pudo mandar esas cajas?

Él se quedó callado un rato. Luego suspiró.

—No lo sé.

—¿Alguien con quien trabajabas? ¿Un ayudante? ¿Un secretario? ¿Otro... diplomático?

No le pareció conveniente decir lo que estaba pensando.

*Otro agente. Uno capaz de cometer traición.*

Langley negó con la cabeza.

—Por Dios, Minerva, ¿a eso te has dedicado desde que me marché? ¿A hacer conjeturas?

—Pues sí —contestó ella—. ¿Qué otra cosa iba a hacer?

—En fin, maldita sea, ya que quieres saberlo...

—Quiero, sí.

—Sí, supongo que sí. Y seguramente no vas a darte por vencida hasta que conteste a tus preguntas.

Le lanzó una mirada cargada de intención, pero Minerva se mantuvo en sus trece.

—No, no voy a darme por vencida, y dado que no estás en condiciones de huir, creo que te tengo a mi merced.

Langley soltó un soplido.

—Tenía un secretario, Neville Nottage. —Desvió la mirada y respiró hondo otra vez antes de continuar—: Era el tercer o cuarto hijo de su familia, no lo recuerdo. No tenía perspectivas de heredar y apenas dejó huella en el cuerpo diplomático, pero hacía un buen trabajo ocupándose de mis asuntos, aunque jamás le habría creído capaz de...

*De vengarse. De traicionarlo. Incluso, posiblemente, de intentar matarlo*. La imaginación de Minerva se desbocó. Santo cielo, el peligroso individuo del carruaje, ¿podía ser aquel simple secretario?

—¿Y después?

—Cuando desaparecí en París, me dijeron que había muerto.

Exhaló un suspiro.

—Pero no es así —añadió ella con convicción.

—No. Por lo visto sir Basil y él llevan años trabajando juntos en el Foreign Office. —Se rascó la cabeza—. Debieron de darme fuerte, porque no debería estar aquí, contándote esto.

Minerva se alegraba muchísimo de que estuviera allí.

—¿Lo hicieron para arruinarte?

—No, creo que no fui más que un medio para otro fin. Necesitaban un chivo expiatorio, alguien a quien señalar si les atrapaban. Estamos hablando de traición, Minerva. Algo que no se puede tomar a la ligera.

Cuando la miró, ella vio el dolor reflejado en sus ojos. La traición de Nottage. El peligroso apuro en que se hallaba.

—Lo siento muchísimo —musitó.

Langley hizo un gesto de asentimiento y apartó la mirada.

¡Ay, Dios! ¡Y ella que pensaba que quizá pudiera ayudarlo, cuando lo único que había hecho había sido remover recuerdos dolorosos! Volvió a mirarlo, cogió sus manos y se las apartó suavemente de la nariz. Vio con alivio que la hemorragia había parado.

¡Ojalá pudiera detenerse con la misma facilidad aquella locura que lo rodeaba!

Fue a buscar otro cazo de agua limpia y tibia y se arrodilló delante de él para lavarle las piernas musculosas y cubiertas de un áspero vello. Enjabonó el paño y siguió lavándolo, pasando el paño por sus piernas, arriba y abajo, maravillada por el calor de su piel, por lo delicioso que era acariciarlo así. Deseaba tomarlo en sus brazos y poder hacer mucho más que aquello...

Cuando pasó el paño por su pantorrilla, hasta su muslo, Langley la detuvo tapando la mano con la suya.

—Milady —dijo con voz cargada de deseo.

Minerva levantó los ojos y vio en los suyos algo que atenazó más aún su corazón.

Deseo. Un deseo doloroso y acuciante.

No se trataba de seducción. Langley no intentaba embaucarla, provocarla como había hecho la noche anterior. No, deseaba perderse en sus brazos. Escapar de un mundo que iba estrechándose a su alrededor.

Minerva sintió que se desmadejaba. No sabía qué hacer, pero al igual que al decidir ayudarlo, lavando su cuerpo, sabía que, si le fallaba, nunca se lo perdonaría a sí misma.

Y, además, lo deseaba. Ansiaba estar con él. Lo miró a los ojos y de nuevo le pareció que Langley desnudaba su alma.

Vio también, sin embargo, un oscuro dolor que enturbiaba su mirada. ¿Sería, quizá, que sus secretos se parecían mucho a los de ella?

Langley malinterpretó su vacilación y la hizo ponerse en pie.

—Vete, Minerva. Por favor. No quiero que te impliques más en esto.

Ella lo miró a los ojos, en los que se veía claramente el conflicto.

Él pareció darse cuenta, porque apartó la cara, cogió la toalla y se envolvió con ella.

—Es lo mejor —dijo en voz baja—. Además, dentro de unas horas tengo que... Bien, debo ir a...

—¿Al duelo con Chudley? —Minerva lo miró pasmada—. No me digas que me he tomado tantas molestias sólo para que te maten de un disparo.

—He de ir, Minerva. ¿Es que no lo ves?

—No, no lo veo. —Furiosa y ofendida, más que nada con su propia indecisión, recogió los paños mojados y los trapos sucios y los puso en la cesta de la colada.

Recogió en silencio mientras él se ponía otra toalla alrededor de la cintura. Ocultándose, como ocultaba tantas cosas.

—Milord —dijo Minerva atropelladamente—, ¿no desea confiarse a alguien? ¿Que alguien lo ayude?

Langley la miró por encima del hombro como si le sorprendiera que aún estuviera allí.

—Yo podría preguntar lo mismo, milady.

Minerva dio un paso atrás.

—¿Qué quieres decir?

—¿Tienes algo que decirme? ¿Algo en lo que necesites ayuda?

¿En ese instante? ¿Horas antes de su ridículo duelo con Chudley, de pronto quería ayudarla? Como si ella fuera capaz de pedírselo, y de aumentar sus ya evidentes problemas. ¿Acaso no había venido para eso a Londres sin decírselo a sus hijas, para no implicarlas en aquel asunto? Lo miró mordiéndose el labio, luego negó con la cabeza y siguió recogiendo la cocina, aunque sólo fuera para evitar irse a la cama.

Para no quedarse sola.

Langley no iba a sincerarse con ella, como ella no se sinceraba con él, porque no confiaban lo suficiente el uno en el otro.

¿Era por eso o porque, como decía él, era demasiado peligroso que se inmiscuyera?

Minerva meneó la cabeza. Estaba metida en aquello le gustara a él o no. Se giró para decírselo, pero cuando alzó la mirada descubrió que había salido de la cocina y desaparecido por las escaleras, sigiloso como un gato.

Dejándola completamente sola.

Langley subió a su habitación en el desván y tan pronto cerró la puerta se maldijo a sí mismo.

¿Cómo diablos se le ocurría? Minerva era una mujer deseable, estaba dispuesta, y él la había rechazado. Mientras se rascaba el cráneo, pensó que el golpe que había recibido en la cabeza debía de haber sido más grave de lo que creía.

No, no era eso. Es que cuando estaba con ella, todo era distinto.

Aquella mujer era tan condenadamente sensata. Y tan capaz. Y tan lista. No una sabihonda, pero sí inteligente, sagaz y rápida de ingenio.

*Y no se fía de ti*, añadió una vocecilla burlona. Otro punto a su favor.

Eso le escocía más de lo que estaba dispuesto a admitir.

Minerva no confiaba en él. No buscaba su apoyo. No le pedía ayuda.

¡Maldita fuera! Si supiera los peligros que había corrido, los golpes que había soportado...

*Bueno, ahora lo sabe*, se dijo.

Había seguido con los dedos las cicatrices de su espalda. Las que le habían hecho en Abbaye, la prisión de París en la que había estado encarcelado hasta la derrota de Napoleón.

Se había estremecido al lavarlas, como si todavía estuvieran en carne viva. Pero había aguantado. No se había parado, ni había retrocedido.

Había terminado lo que tenía que hacer sin preguntar nada. O, al menos, casi nada, sólo aquello a lo que no había podido resistirse. Y tampoco había intentado sonsacarle cuando había visto las cicatrices de sus muñecas, que tanto le costaba mantener escondidas.

Después de años viviendo en la mentira y el engaño, Langley sabía muy bien por qué no había preguntado.

Porque ella también tenía un oscuro secreto, y eso le impedía curiosear en el corazón de los otros.

Pero el secreto de Minerva Sterling no era una cuenta bancaria agotada, ni una carísima obsesión por los zapatos y los vestidos. Y le dolía más de lo que se atrevía a reconocer sentirse incapaz de ayudarla. Al menos, hasta que confiara en él.

*Confía en ti lo suficiente como para ofrecérsete...*

Soltó un brusco bufido. Porque su tía la había exhortado a hacerlo para impedir que acudiera a su cita con Chudley. Buscó bajo su cama, encontró la botella de brandy que unos días antes le había robado a la señora Hutchinson y dio un largo trago.

Sí, por eso lo había mirado así, como si fuera el primer hombre al que deseaba.

Y si era sincero consigo mismo, la razón por la que la había rechazado, por la que se había marchado, era que cuando Minerva lo miraba con aquellos grandes ojos sinceros, sabía como no lo había sabido nunca antes con una mujer, que estaban... que ella era...

Distinta a todas las mujeres que había conocido.

Sí, había amado a Frances hacía muchos años, pero con la pasión alocada y risueña de la juventud. Una pasión que se había marchitado mucho antes de que pudieran ponerla a prueba cuando ella había muerto al dar a luz, dejándolo solo con dos hijas gemelas y una escasa provisión de recuerdos.

En todos los años transcurridos desde entonces no había hecho otra cosa que imitar aquel amor despreocupado y audaz. Era lo único que sabía hacer, aunque todas ellas fueran malas imitaciones.

Era lo único que se sentía capaz de hacer.

Se miró y se dio cuenta de que se había puesto una camisa y unas calzas limpias.

Porque no tenía intención de irse a la cama.

*Ve con ella. Díselo. Antes de mañana. Antes de que tu vida entera se desmorone.*

Salió del desván y emprendió el lento descenso a la habitación de Minerva. Los escalones crujían bajo sus pies como si repitieran el eco de sus pensamientos.

*Para que se sincere contigo.*

*Para que confíe en ti.*

*Para que tú encuentres su corazón.*

Se detuvo al pensar aquello.

¿Encontrar su corazón? ¡Qué idea tan ridícula! Sólo quería darle las gracias por su ayuda. Siguió avanzando hasta que llegó a su puerta.

*Darle las gracias, sí.*

*Y suplicarle que reconsidere mi oferta.*

La puerta estaba entornada y se dispuso a empujarla.

*No he venido a seducirla. Como le he dicho, no puedo implicarla en esto.*

*Pero ya lo has hecho...*

Estaba a punto de llamarla cuando la vio en pie delante del espejo.

Su cabello castaño, tan corriente y serio recogido en una prieta trenza, caía en rizos desordenados muy por debajo de sus hombros. Llevaba puesta únicamente la camisa, que dejaba traslucir lo que ocultaban sus anodinos vestidos: una figura curvilínea y voluptuosa, unos pechos redondos, unas caderas llenas, el cuerpo de una mujer que podía inflamar a un hombre hasta la locura.

Entonces se volvió y Langley vio algo que le hizo esbozar una sonrisa.

Los diamantes Sterling.

¿Qué le había dicho ella la noche anterior, en el carruaje?

Ah, sí, ahora se acordaba.

«Reconozco que me los he puesto un par de veces cuando me encontraba un poco decaída. Sólo para mí.»

Y, tal y como sospechaba, le gustaba ponérselos cuando estaba medio desnuda. ¡Qué pilluela!

Aunque, casi desnuda como estaba, eclipsaba el frío brillo de las joyas. Era la gema más hermosa que él había visto nunca.

Entró en la habitación y cerró la puerta a su espalda sin hacer ruido.

—Minerva...

Ella sofocó un grito de sorpresa y se volvió con el cepillo en la mano, dispuesta a defenderse.

Pero al ver que era él, el cepillo resbaló de sus dedos y se estrelló contra la alfombra con un ruido sordo.

—Yo... yo... yo... —balbució.

Se quedaron allí un momento, reacios los dos a hablar. El deseo que reflejaban los ojos de Minerva, aquel anhelo doloroso, saltaba a la vista. Langley sabía que debía decir algo, que tenía que decírselo...

—He venido a darte las gracias —susurró—. Como es debido.

Ella sacudió la cabeza.

—¿A darme las gracias como es debido? —Cruzó lentamente la habitación y acercó la mano para tocar su cara magullada—. Seguro que has venido por mucho más que eso, Langley.

# Capítulo 13

«¿Crees que lord Langley es tan legendario en ciertos aspectos como se dice?»

Confidencia oída por casualidad en el té de la tarde de lady Ratcliffe

Minerva apenas podía creer el descaro de su deseo. En lugar de ordenarle que se marchara, como debía, estaba delante de Langley, medio desnuda y prácticamente suplicándole que la llevara a la cama.

«¿Seguro que has venido por mucho más que eso, Langley?»

¿De dónde se había sacado aquella frase tan audaz?

La barba que empezaba a asomar en la mandíbula de Langley raspó su mano, todavía posada sobre su cara vapuleada. Era un hombre muy apuesto cuando estaba elegantemente vestido, pero cuando se despojaba de su cuidada vestimenta y sólo quedaba la virilidad que se ocultaba debajo, era irresistible.

—He venido... es decir he bajado a... —dijo tartamudeando como si fuera un novio azorado y no un consumado donjuán.

Su renuencia, su desasosiego, sólo consiguieron inflamar el deseo de Minerva. Sabía que Langley la deseaba, pero había algo distinto en aquella noche. En aquel instante.

Para los dos.

Su camisa abierta dejaba entrever un pecho duro y terso, y Minerva vio divertida que estaba descalzo.

No supo por qué le hizo gracia aquello, pero no todos los días entraba en su cuarto un hombre guapo y descalzo.

Le sonrió. Había venido, como ella había deseado al ponerse los diamantes Sterling.

—No sé qué hago aquí —confesó él.

—¿No podía esperar hasta mañana? —preguntó ella mordazmente. Ya no era lady Standon: se había desprendido de todas sus ataduras.

—No, no podía esperar —murmuró Langley.

—Debería echarte —respondió ella en voz baja—. Pero no voy a permitir que te vayas sin una cosa.

Se acercó a él y le hizo bajar un poco la cara mientras con el otro brazo lo enlazaba por la cintura para poder pegarse a su cuerpo.

Langley, aquel hombre con la réplica siempre dispuesta, acostumbrado a invitar a un revolcón a una dama con una sola de sus miradas traviesas y desenfadadas, abrió la boca para decir algo, para hacer la pregunta obvia, y no le salió la voz.

Como una sirena de tiempos antiguos, Minerva le sonrió, invitándolo a hacer lo que se había prometido que nunca le permitiría.

*Besarla.*

Entreabriendo los labios, se puso de puntillas y dijo:

—¿Vas a hacer que te lo suplique?

—No —contestó, apretándola contra sí—. Eso vendrá después.

Y entonces la besó.

Su beso de la otra noche, aunque delicioso, había sido apresurado y había terminado bruscamente, razón por la cual el de ahora fue mucho más hipnótico. Langley cubrió lentamente sus labios, adueñándose de ellos. Había encontrado en alguna parte la provisión de brandy de la señora Hutchinson, y los matices del intenso licor acariciaron sus sentidos como un susurro. Mientras sus lenguas se entrelazaban, la pasión comenzó a agitarse dentro de Minerva, como si el beso de Langley la colmara de una droga embriagadora.

¡Ah, y qué deliciosa era! Las manos de Langley recorrieron su espalda, sus nalgas y la apretaron contra él, levantándola ligeramente mientras sus labios y su lengua la invitaban a beber aún con mayor ansia. A dejarse llevar sin resistencia por su seducción.

Pero ¿acaso no era ella la que pretendía seducirlo?

Costaba siempre tanto descubrir quién estaba seduciendo a quién... Minerva, que poco antes había domeñado sus miedos en un alarde de valor, descubrió ahora su brío, su propia energía.

El poder que engendra toda mujer cuando descubre sus deseos más íntimos. Su alma. En vez de dejarla temblorosa y estupefacta, el beso de Langley despertó en ella un ímpetu que ignoraba poseer.

Un ímpetu que llenó su corazón con una vitalidad, con una sabiduría que nunca se había atrevido a hacer suyas por miedo a que alguien se diera cuenta de que no era una verdadera dama. Langley, sin embargo, no parecía necesitar una verdadera dama.

La deseaba a ella. Y sólo a ella.

Metió las manos por debajo de su camisa y las deslizó un poco hacia arriba, empezando por la cinturilla de sus calzas, donde un asomo de vello áspero bajaba hasta su miembro, tenso y apretado contra los sencillos pantalones.

Langley se quedó quieto como si esperara a ver qué decidía ella, si norte o sur, pero Minerva se quedó quieta, maravillada por el calor de su cuerpo, por la idea de que sus caricias pudieran dejarlo sin respiración, aguardando su siguiente movimiento con el mismo trémulo deseo que a ella le recorría los dedos y los brazos.

Entonces, Langley hizo lo impensable: cubrió sus manos y las llevó hacia arriba, invitándola a recorrer su pecho, a entregarse a la misma lenta y deliciosa exploración que él estaba disfrutando.

No, no, no. No era eso lo que ella quería.

Quería estallar, arder, quemarse. Quería tocar su verga, agarrarla. Inmediatamente. Y sabía que si lo hacía se tumbarían en el suelo y cederían por completo, absolutamente, a la pasión.

—Dios, Minerva —susurró él cuando desnudó uno de sus pechos y se metió el pezón en la boca.

Excitó la punta con sus labios, su lengua y sus dientes mientras deslizaba lentamente una mano entre sus piernas y buscaba su sexo caliente y húmedo. Comenzó a tocarla, a deslizar los dedos sobre el tenso botoncillo de su sexo, y Minerva empezó a jadear.

Era como en el carruaje, sólo que esta vez...

Esta vez no había ningún teatro al final de la calle, estaban solamente ellos dos y su cama, esperando para que cayeran en ella. Para que se rindieran al deseo que Langley había despertado con un beso robado y que había ardido secretamente entre ellos desde entonces.

Minerva comenzó a mover las caderas, cada vez más aprisa, y sus rodillas flaquearon cuando empezó a perder el control.

Ansiaba tocar a Langley. Agarrar su miembro.

—Langley... —jadeó. Lo miró a los ojos, suplicándole aquello que no podía expresar con palabras.

Se imaginó bajo él, como en el carruaje. Casi pudo sentirlo dentro de sí, llenándola, acariciando aquella ansia creciente.

Aquella ansia que era de los dos.

¡Ah! ¿Cómo sería tenerlo dentro de sí?

Se sentía ya embriagada por él como por un brandy añejo, engañoso por su botella polvorienta, pero potente cuando se deslizaba dentro y su fuerza se prendía en un estallido de fuego apasionado.

¿Qué había dicho él? Que iba a hacerla suplicar.

Después de saborear apenas el elixir que él le ofrecía, habría hecho cualquier cosa por que continuara. Jadeante, se apartó de él un segundo y miró fijamente sus llamativos ojos azules. No había ni un asomo de sonrisa en sus labios, ni una sombra de ironía, sólo aquella misma ansia oscura y peligrosa que atenazaba el corazón de Minerva.

—Por favor —logró decir.

—¿Estás suplicando? —preguntó él, y rozó con los labios el lóbulo de su oreja y su nuca.

¿De veras tenía que hacer aquello? Porque hizo que un estremecimiento le recorriera la espalda y si antes apenas podía sostenerse en pie, ahora tuvo que aferrarse a él.

Suplicante...

—Sí, sí, claro que sí.

Ya estaba, ya lo había dicho.

Él respondió cogiéndola en brazos. No debería haber tenido fuerzas ni ímpetu para hacerlo, teniendo en cuenta lo sucedido esa noche, pero allí estaba, alzándola en brazos.

Ahora sólo tenía que cruzar la habitación y... y... Sin embargo, para exasperación de Minerva, ¿quién habría imaginado que tal cosa era posible estando presa de la pasión?, se quedó parado en medio del dormitorio, sosteniéndola en brazos sin moverse.

¿No tocaba ahora que la arrojara sobre la cama y le hiciera el amor? ¿Que la deshonrara absolutamente, por completo, exhaustivamente?

Al menos así era siempre en las novelas francesas.

Y, sin embargo, allí estaba Langley, tan inmóvil como el Coloso de Rodas.

Minerva señaló la cama con un gesto, preocupada por que el golpe que había sufrido en la cabeza fuera más grave de lo que suponía. ¿Podía un hombre olvidar cómo se...?

—Me temo, Minerva... —comenzó a decir, frotando de nuevo la cara contra su oreja.

¿Tenía que hacer eso? Le impedía por completo pensar.

—Que hay otro asunto que resolver —concluyó.

Bueno, había varios asuntos que resolver, habría querido decirle ella, pero preguntó:

—¿Qué pasa ahora, Langley? Te he suplicado. Volveré a suplicarte si eso es lo que quieres.

Langley lanzó una ojeada a la cama.

—Prometí que no compartiría tu cama sin que me invitaras a hacerlo.

—Dios mío, pensaba que eso había quedado claro cuando no te he echado antes.

Langley no sabía qué le resultaba más fascinante de Minerva, si su carácter arisco o las profundas pasiones que se agitaban dentro de ella, impelidas por un fuego inquieto y vivaz.

En ese instante, parecía arder, presa de ambas cosas.

—¿Va usted a llevarme a la cama o no, señor?

Muchacha descarada. Lo que debía hacer era dejarla caer de culo y huir a Seven Dials, donde ella nunca lo encontraría.

Pero si huía, tampoco le extrañaría que lo siguiera y que le exigiera lo que le debía.

Así pues, la arrojó sobre la cama y le sonrió.

Minerva abrió la boca en un amplio mohín, pero Langley sabía que no estaba enfadada. No, más bien al contrario: le hizo señas de que se reuniera con ella.

Y eso hizo él, quitándose la camisa y siguiéndola con el mismo abandono.

—Pensaba que no llegarías nunca —susurró ella cuando tomó su cara entre las manos y la atrajo hacia sí para besarlo.

El corazón de Langley volvió a dar un extraño vuelco. El mismo que daba cada vez que ella lo tocaba.

Hacía mucho tiempo, en un viaje entre París y San Petersburgo, una vieja gitana lo había parado y lo había cogido de la mano para escudriñar las líneas de su palma. Había sonreído y le había dicho enigmáticamente, como solían hacer aquellas gitanas, que podía amar a cuantas mujeres quisiera, pero que un día las caricias de una mujer se apoderarían de su corazón y sería suyo para siempre.

En aquel momento había pensado que las palabras de la gitana no eran más que bobadas, la promesa del amor eterno, dichas con el único propósito de ganar unas monedas. Sin embargo, de tarde en tarde, cuando una mujer visitaba su cama, posaba la mano sobre su manga en un baile o él se llevaba sus dedos a los labios para besarlos, no podía evitar pensar en la profecía de la anciana.

*Te abrazará como ninguna otra.*

Y ahora, mientras Minerva sujetaba su cara entre las manos, acariciaba su mentón áspero y apretaba las curvas de su cuerpo contra los ángulos del suyo, se descubrió zozobrando.

*Cayendo.*

*Apresado.*

Y en lugar de sentir el impulso de huir a otro destino, a otra misión, de perderse en la noche para no volver, no deseó otra cosa que pasar el resto de su vida en la cama de Minerva.

Oyéndola suplicarle un beso, una caricia.

Tenía que reconocer, sin embargo, que allí el pedigüeño era él.

Porque Minerva le ofrecía algo que nunca había creído posible.

Su propio corazón.

Lo rodeó con los brazos y lo atrajo hacia sí. Sus pechos suaves se apretaron contra su torso, sus piernas largas lo enlazaron.

Langley sofocó una sonrisa, pensando en la Minerva a la que había conocido unas noches atrás, vestida con aquel feo camisón de franela.

¿Quién habría sospechado que bajo aquel horrendo saco de franela se escondía una mujer esbelta y preciosa? Sin embargo, incluso la camisa de encaje estorbaba su deseo, y hábilmente la despojó de ella, dejándola adornada únicamente con los diamantes Sterling, cuyas gemas brillaban sobre su piel pálida y sedosa.

Comenzó a besarla de nuevo, a explorar su cuerpo besándolo, pasando la lengua por los pezones erectos, chupando su piel. Deslizó los dedos dentro de ella y la descubrió mojada y caliente. Minerva comenzó a mover las caderas seductoramente, marcando el ritmo mientras él frotaba su clítoris.

Empezó a jadear otra vez, a retorcerse, a moverse bajo él. Uno de sus pies descalzos rodeó su pierna y comenzó a moverse arriba y abajo, acariciándolo, y Langley se imaginó sus manos haciendo lo mismo con su pene. Acariciándolo, llevándolo al extremo, atrayéndolo hacia el clímax...

Así pues, cuando ella acercó nuevamente las manos a su cinturilla, Langley no la detuvo, dejó que le desabrochara las calzas, metiera la mano dentro y sacara su verga. Si antes había querido esperar, ahora no creía que pudiera aguantar mucho más.

Ni ella tampoco.

—Dios, Minerva —jadeó cuando ella rodeó su miembro con los dedos y los deslizó a lo largo de él, hasta agarrar sus testículos y apretarlos suavemente, con indecisión.

—¿Te gusta? —preguntó ella.

—Me encanta —contestó con voz ronca.

De modo que Minerva lo acarició de nuevo, tocando su miembro desde la base al glande y pasando el pulgar por la húmeda cuenca que afloraba allí, usando luego su humedad para aumentar el placer de su caricia.

Langley respiró hondo, aliviado por no ser un joven inexperto, o no había duda de que habría derramado su simiente allí mismo, cuando ella lo agarró y lo apretó con fuerza, moviendo la mano arriba y abajo.

—Esto no puede ser —se quejó ella mientras seguía acariciándolo y deslizaba los labios por sus hombros y su mandíbula, pasando la lengua por la barba que empezaba a asomar allí.

¡Dios!, era delicioso cómo exploraba su cuerpo entregándose a sus deseos.

—No, esto no puede ser —masculló otra vez.

Langley pensó que no había oído bien.

—¿Qué has dicho? —logró decir. Nunca antes había tenido queja.

—Tus calzas —dijo ella, tirándole de la cinturilla—. No quiero que me eches un polvo como si fuera una criada.

—¿Echarte un polvo? —Langley se rió—. Espero hacer mucho más que eso.

—Oh, no me cabe duda —le dijo ella, y volvió a empuñar su verga—, pero tienes que quitarte las calzas.

¿Y quién era él para llevarle la contraria?

Minerva sintió el impulso de taparse la boca con la mano. Desde que Langley formaba parte de su vida, era como si su lengua, largo tiempo silenciada, y su educación plebeya se hubieran liberado de sus ataduras.

¿Echarle un polvo? ¡Santo cielo! ¿Cómo se le había ocurrido decir tal cosa?

¿Y qué estaba haciendo? Estaba agarrando el miembro de Langley, acariciándolo como haría una cortesana. Pero era tan largo, tan grueso, tan firme... Tan duro... Nunca había estado con un hombre así, tan viril y capaz.

Su tía tenía razón en lo que había dicho unas noches antes. Sterling nunca había sido capaz de consumar su matrimonio, y sus torpes intentos habían sido un horror.

Así que allí estaba, viuda y virgen. Debería ser tan inocente como una recién casada, pero siempre había sido muy curiosa. Y no se había criado en el estrecho mundo de una debutante, como su hermana, sino que había pasado sus primeros años en la casita de campo de su madre y después en las cocinas de la mansión de su padre, donde había visto a suficientes parejas como para saber que aquello ofrecía un trocito de cielo.

Con Langley se sentía, además, libre para ser tan licenciosa como había soñado siempre. Tan osada como los libros de ilustraciones francesas que Jamilla había dejado descuidadamente en el salón una noche. Minerva Sterling no habría echado un vistazo a aquellos libros, desde luego, pero ¿Maggie Owens?

Además, no era tanta osadía pedirle que se quitara los pantalones. Porque quería que estuviera desnudo. Completamente.

Claro que a él no pareció importarle, porque esbozó una sonrisa traviesa y la ayudó a quitarle las calzas.

—¡Ah, sí! —suspiró Minerva alegremente cuando estuvo completamente desnudo—. Esto es más como me lo imaginaba.

Langley se quedó quieto y arqueó sardónicamente una ceja.

—¿Pensabas en mí haciendo esto? —preguntó en tono provocativo. Y antes de que ella pudiera responder, besó su cuello y el lóbulo de su oreja y al mismo tiempo le separó las rodillas y colocó su verga de modo que quedara casi alojada dentro de su hendidura.

Un delicioso estremecimiento de expectación recorrió la columna de Minerva cuando levantó las caderas para salir al encuentro de su verga. No podía respirar. Ni siquiera podía suplicar.

Pero gracias al cielo Langley era un consumado libertino y sabía exactamente lo que ella quería. Sin decir palabra, se deslizó dentro de ella, abriéndola con su verga y penetrándola con facilidad. Después, a pesar de que seguía sin poder respirar, Minerva gimió suavemente, y luego más alto.

—¡Aaaah! —jadeó—. Langley...

La besó y comenzó a moverse despacio, dentro y fuera, hundiéndose cada vez más en ella. Ella gemía con cada acometida y pasaba los dedos por su espalda, buscando ansiosamente algo a lo que agarrarse, pues de pronto el suelo parecía haberse abierto bajo sus pies.

Langley siguió meciéndose y penetrándola. Sus movimientos comenzaron a hacerse más rápidos, más impetuosos. Después, con una súbita embestida, se hundió por completo dentro de ella, traspasando su himen con sorprendente rapidez.

Minerva sofocó un gemido, por el dolor momentáneo que sintió y por el gozo absoluto de tenerlo allí, colmándola por completo. Su sexo era duro, tenso y delicioso al mismo tiempo.

Para Langley fue distinto. Se quedó quieto, como si acabara de darse cuenta, con la brusquedad con que había roto su velo, de lo que había hecho.

—¡Santo cielo!

Ella abrió los ojos y vio que la miraba estupefacto. Nunca había habido un hombre con más cara de pasmo que la suya en ese momento.

—Nunca has... —comenzó a decir, dispuesto a retirarse.

Pero ella lo agarró con firmeza de las nalgas y se apretó contra él.

—Por favor, Langley, no pares. No pares ahora.

—Pero no puedo...

Ella meneó las caderas para deslizarse sobre él.

—Creo que ya lo has hecho —le dijo con un asomo de sonrisa en los labios. Se frotó de nuevo contra él y sintió que la tersa fricción de su clítoris la traspasaba por entero—. Por favor, Langley, no me hagas esperar más.

Antes de que él pudiera responder, se estiró y lo besó en la boca al tiempo que pasaba las manos por su espalda con los mismos movimientos lentos y firmes con que él la había penetrado.

—Por favor, Langley —musitó.

—Por Dios, mujer, ¿cómo voy a decirte que no? —gruñó él y, clavándola al colchón, comenzó a moverse con largas y lentas embestidas, cada una de las cuales la llenaba por completo.

Minerva se agarró con una mano a las sábanas y con la otra a Langley, aferrándose a él como si temiera por su vida mientras su cuerpo comenzaba a temblar y a moverse, ansioso, cobrando vida propia.

Todo empezó a darle vueltas y ya no veía más allá de la mirada de puro deseo de los ojos de Langley. Él volvió a gruñir con voz ronca cuando sus acometidas se hicieron más apresuradas, más frenéticas. Iba cada vez más deprisa, y ella recibía cada embestida con pasión desatada.

Luego el mundo pareció desvanecerse y Minerva alcanzó el clímax, su cuerpo danzó en las alturas, libre de toda constricción, como si celebrara el que sus deseos hubieran encontrado por fin un sitio en el cielo.

En ese momento comprendió que no había nada más que aquella noche, aquel hombre, aquella peligrosa pasión.

Porque Langley había hallado la misma dicha cegadora y se hundía en ella frenéticamente, una y otra vez, como si no quisiera parar de perseguir aquella pasión, y con cada movimiento la llenaba con su simiente, haciéndola suya.

Suya solamente. Esa noche y para siempre.

—¿Dónde estás, Langley? —susurró Minerva un rato después.

Tras alcanzar ambos el clímax, habían caído el uno en brazos del otro, lánguidos y agotados.

—Me he perdido —contestó él.

—Espero que también te hayas encontrado.

—Sí, eso también.

—Pero te asusta —dijo ella sagazmente. Se incorporó apoyándose en un codo y lo miró.

Langley se quedó callado, pues aquello suponía aventurarse en un terreno que nunca había pisado: el de la absoluta sinceridad. Un terreno que había esquivado con la práctica experta de un seductor.

—Debería asustarme.

—¿Debería?

Él se rió.

—Eso es lo raro. Que no me asusta. Me dejas sin respiración. Me pillas desprevenido. Y aunque suene raro, me siento como si hubiera vuelto a casa.

—¿A casa? ¿Aquí? —Minerva se rió—. Se conforma usted con poco, señor, si esta casa destartalada le parece acogedora. —Señaló con un ademán el cuadro que colgaba sobre la cama—. Con sus hermosos cuadros y sus cañerías que se caen a pedazos.

Langley echó la cabeza hacia atrás y miró el cuadro.

—Ciertamente, un cuadro así no podría encontrarse en Versalles. Es un espanto. ¿No está torcido?

Ella le dio un codazo.

—Lo estás mirando del revés. —Ella también miró el cuadro—. Pero sí, está torcido.

Langley se rió y se colocó encima de ella. Luego volvió a mirar el cuadro.

—Sí, decididamente está torcido. Puede que se haya soltado de su clavo cuando estábamos...

—¡Langley!

—Ya sé cómo enderezarlo —bromeó, y comenzó a besarla nuevamente mientras buscaba con las manos los sitios que ya empezaba a amar: sus pechos turgentes, la curva de sus caderas.

Su cuerpo cobró vida de inmediato, y por suerte también el de ella. Minerva se alzó para salir al encuentro de sus caricias y buscó sus labios con avidez.

—Si crees que esto va a ayudar... —dijo con su ironía de costumbre—. Nunca me han gustado los cuadros torcidos, y menos si son un adefesio.

—Estoy segurísimo de esto lo arreglará todo —prometió él al tiempo que volvía a penetrarla y comenzaban a mecerse juntos, a pesar de que cada caricia de Minerva le recordaba lo que había encontrado... y lo que corría el riesgo de perder.

# Capítulo 14

«Elige con cuidado a tu amante marido. No tontees con ningún hombre que no pueda amarte hasta volverte loca.»

Consejo dado a Felicity Langley por su tata Tasha

La despertaron el estrépito del timbre de la puerta principal y los gritos estridentes de una mujer desgañitándose por la casa.

Santo cielo, ¿qué pasaba ahora?

Pestañeó y miró la luz tenue del amanecer que empezaba a colarse por las ventanas.

Luego, como en un fogonazo, lo sucedido durante los días anteriores se abrió bruscamente paso entre sus pensamientos.

El beso en el carruaje... El estruendo de la pistola al disparar... La cocina envuelta en la luz de una sola vela... Langley desnudo sobre ella... La luz del alba insinuándose a través de las cortinas...

*¡Langley! ¡El duelo!*

Se incorporó de golpe en el instante en que la tía Bedelia entraba en su alcoba.

—¿Dónde está? —bramó.

Minerva miró con sobresalto el lugar vacío que había junto a ella y acercó instintivamente la mano a la hondonada del colchón.

Las sábanas estaban frías. Langley se había marchado hacía rato.

—Estaba aquí...

—¡Por Dios, niña! ¿Lo tenías en la cama y no has conseguido que se quedara ahí?

Minerva sacudió la cabeza y se pasó los dedos por el pelo enmarañado.

—No sabía que se había marchado.

—¡Qué barbaridad! —farfulló su tía—. Pero he de reconocer que a mí Chudley me ha hecho lo mismo. —Cruzó la habitación hasta el armario del rincón y abrió la puerta bruscamente. Casi de inmediato comenzó a arrojar ropa hacia Minerva: una camisa, medias, un vestido—. No te quedes ahí con la boca abierta, niña, ¡vístete! Y no olvides quitarte esos diamantes. —La tía Bedelia se detuvo un momento y preguntó—: ¿Se puede saber por qué los llevas puestos, por cierto? —Luego sacudió la cabeza—. No, no me lo digas.

Minerva obedeció: salió de la cama y se vistió todo lo rápido que pudo. Luego se quitó los diamantes y los guardó en su estuche, pero al pasar los dedos por la caja forrada de terciopelo se estremeció.

—Ay, tía Bedelia, intenté distraerlo, es sólo que...

La noche había sido tan deliciosa como había imaginado y más aún, pero aun así Langley se había marchado.

*Y ahora... ahora...* Las lágrimas le nublaron la vista al imaginarse un verde prado y a Langley tendido sobre la hierba mullida, en medio de un charco de sangre.

Se echó a llorar como una boba, a lágrima viva.

Aquello pareció impresionar a tía Bedelia. Su tía, que jamás se paraba por nada, aquel verdadero torbellino, se quedó quieta y miró a su sobrina.

—Creo que estoy enamorada de él —confesó Minerva entre sollozos—. ¿Cómo ha pasado esto?

Entonces tía Bedelia hizo lo impensable: la rodeó con sus brazos y la apretó como habría hecho una madre.

—Ea, ea, niña. Debí imaginar que ese sinvergüenza te amaría hasta hacerte perder la razón. Tiene toda la pinta. —Sonrió a su sobrina y se apartó el pelo revuelto de la cara—. Igual que mi Chudley.

—No soy digna de lord Langley. Ni siquiera soy...

La tía Bedelia la apartó de sí.

—Chitón —le regañó—. Eres quien estabas destinada a ser, y eso es lo único que le importa a un hombre. El cómo llegaste a ser lady Standon carece de importancia.

Ahora fue Minerva quien se quedó inmóvil.

—¿Qué quieres decir?

—Quiero decir —contestó su tía en voz baja— que eres tan marquesa como lo habría sido esa cabeza de chorlito de tu hermana, o incluso más.

Minerva se estremeció, y no por las corrientes de aire que entraban por los resquicios de las ventanas.

—¿Lo sabías?

Tía Bedelia resopló, impaciente.

—Claro que sé quién eres, Maggie. Lo sé desde el día en que ese adoquín de mi hermano te casó con Sterling en lugar de Minerva. Siempre os parecisteis mucho las dos, así que entiendo que pensaba que el truco iba a funcionar, pero yo me di cuenta. ¿Cómo iba a ser de otro modo? —Señaló con la cabeza hacia la cama, donde reposaban aún las medias de Minerva. Luego regresó al armario y se inclinó para sacar unos botines—. Dile a Agnes que tenga más cuidado con cómo tiene este armario. Por Dios, es un desastre.

Minerva se sentó en la cama, para ponerse las medias y porque, a decir verdad, no sabía si podía sostenerse en pie. ¿Tía Bedelia sabía la verdad?

—¿Lo sabías y nunca has dicho una palabra?

Lo cierto era que, conociendo a tía Bedelia, costaba creerlo.

Pero había subestimado la lealtad de su tía.

La dama miró hacia atrás.

—¿Y qué había que decir? —Siguió rebuscando entre los zapatos y sacó una bota y luego otra—. Por el amor de Dios, el escándalo habría sido la ruina para todos. Y bien sabe Dios que los Sterling no se habrían tomado el engaño a la ligera. Si se hubieran enterado de la verdad, el peso de su ira habría caído no sólo sobre tus hombros, sino también sobre los de tu padre y los míos.

—¡Pero no has dicho nada! Ni una sola vez, en todos estos años.

—Bueno, ya me desahogué cuando me di cuenta de lo que había hecho tu padre. Le puse las cosas claras en cuanto pasó la ceremonia. Le dije exactamente lo que pensaba de aquel desastre. Fue muy injusto para ti, aunque él no lo veía de esa manera. Pensaba que ibas a vivir en la abundancia. ¡Casarte con un borracho, con un carcamal que te doblaba la edad! Menuda suerte. Claro que para el caso que me hizo...

—A mí tampoco quiso escucharme —dijo Minerva en voz baja.

Bedelia se rió.

—Sí, me dijo que te habías resistido. Y con lo que te amenazó si no le obedecías.

—Mi madre —musitó ella.

Su tía meneó la cabeza.

—Amenazarte con matarla... No se habría atrevido, pero ¿cómo ibas a saberlo tú?

—De todos modos no habría importado —dijo Minerva—. Murió antes de que yo pudiera...

—Ea, ea —repitió la dama y, poniendo las botas junto a sus pies, se sentó a su lado—. Tienes las agallas de tu madre y su ingenio, y por suerte no has sacado la nariz de los Hartley. —Se tocó la nariz aguileña y picuda y sonrió—. No hay duda de que ves las cosas como las veía tu madre, de que eres capaz de dar sentido a las relaciones más extrañas.

—¿Conociste a mi madre?

Tía Bedelia se rió.

—Claro que la conocí. Crecimos juntas. Era como una hermana para mí. ¡Ah, cómo me gustaba la casita de tu abuela! Aunque se suponía que no tenía que ir allí, ni saber nada del oficio que practicaba, o que algunos la llamaban «bruja». —Se detuvo un momento y sonrió al recordarlo—. Así que te he guardado el secreto, no por el bien de tu padre, sino por ella. Le fallé al no impedir la boda, pero desde entonces he hecho todo lo que he podido por ti, y lo mejor que he podido.

Sus ojos brillaron, llorosos, y abrazó de nuevo a Minerva.

Pero aquella rara demostración de afecto no duró mucho. Un momento después, se levantó y recobró la compostura.

—Vamos, vamos, esto no nos está haciendo un favor a ninguna, ni va a impedir que ese par de bobos a los que amamos se líen a tiros.

Minerva asintió con un gesto y se enjugó las lágrimas de las mejillas.

—Tía Bedelia, ¿y si... y si no llegamos a tiempo?

—Chudley no se atreverá a morirse. Le dije sin rodeos que gastaría mi renta de viuda en comprarme un vestuario nuevecito, que no pensaba llevar luto por él y que me buscaría un nuevo marido antes de que acabara el mes. Algún golfo capaz de pulirse su fortuna en quince días y dejarme sólo con las ligas.

Y conociendo a tía Bedelia, se dijo Minerva mientras se dirigían a toda prisa al carruaje que esperaba en la puerta, no había duda de que lo haría.

Primrose Hill, la colina donde antaño cazaba Enrique Tudor y su hija Isabel cabalgaba con desenfreno, era un lugar muy frecuentado por los duelistas de Londres. Maridos cornudos, jugadores estafados y rivales ofendidos iban a solventar con honor sus diferencias a la loma cubierta de hierba que se alzaba en los confines de Regent's Park.

Tía Bedelia había ordenado a su cochero que no permitiera que nada se interpusiera en su camino, después de lo cual le había arengado y hasta amenazado, y el buen hombre dio rienda suelta a los caballos y los animales, normalmente tan pacíficos, se lanzaron al galope por las calles desiertas mientras el carruaje se zarandeaba y sacudía a sus ocupantes. Minerva se agarró al asidero de la pared y rezó por que llegaran a tiempo.

¿Cómo era posible que unas pocas horas pudieran cambiarla a una tanto?, se preguntaba. Porque ahora comprendía lo que significaba amar a otra persona, y el maldito duelo podía poner fin a todo aquello de un solo disparo.

—¡Ay, que se dé prisa! —se quejó tía Bedelia cuando el carruaje dobló traqueteando otro recodo del camino y comenzó a subir por la colina—. Llegaremos tarde y estarán los dos muertos.

Minerva la miró.

—Yo diría que, si el cochero se da más prisa, puede que pronto nos reunamos con Chudley y Langley en el otro mundo.

Unos minutos después, el carruaje se paró en seco y ambas señoras descendieron tambaleándose y con las piernas temblorosas. La neblina matinal cubría la ladera de la colina y Minerva tardó unos segundos en orientarse.

Su tía, no.

—¡Ay! —exclamó sofocando un grito, y señaló con el dedo.

Minerva se volvió y vio a dos hombres a unos cincuenta metros de distancia. Cuando un soplo de brisa matutina comenzó a disipar los jirones de niebla, vieron que eran Chudley y Langley, que, tras dar los pasos convenidos, se volvían para apuntar y disparar. A ambos lados estaban los testigos: sus padrinos y un cirujano vestido de negro, ninguno de los cuales prestó atención a las recién llegadas.

Además, ya era demasiado tarde.

Antes de que Minerva pudiera reaccionar, las pistolas dejaron oír su estruendo, y el ruido ensordecedor de las detonaciones y sus penachos de humo desgarraron su corazón como si hubiera recibido un disparo. Cayó de rodillas.

La bala de Langley cortó limpiamente una ramita por encima de la cabeza de Chudley, y sus hojas cayeron sobre la sobria chistera del vizconde como una corona de laurel.

Minerva habría sonreído al ver tal hazaña de no ser por lo que vio cuando se disipó del todo la niebla en la cima de la colina.

Allí, algo más allá de los duelistas, un hombre sentado a caballo sostenía en la mano una pistola humeante, apuntando directamente hacia Langley.

Porque Langley y Chudley no eran los únicos que habían disparado en ese instante. Y mientras que Langley había disparado honorablemente al árbol que se alzaba por encima de su oponente, aquel desconocido había disparado a matar.

Minerva intentó gritar, intentó advertir a los padrinos, pero sólo vio que Langley se tambaleaba llevándose la mano al pecho.

¡Cielos! ¡Le han dado! Se levantó de un salto y corrió hacia él. Tropezó dos veces, y justo antes de que llegara a su lado Langley cayó al suelo como una piedra. Arrojándose a su lado, Minerva le dio la vuelta y vio horrorizada que una gran mancha de sangre se extendía por su pecho.

Bedelia, que había corrido tras ella, llegó en ese instante y comenzó a gritar con voz tan aguda y penetrante que sus lamentos muy bien podrían haberse oído al otro lado del lejano Támesis.

Minerva miró al jinete mientras el cirujano y lord Chudley se acercaban corriendo. Los chillidos de Bedelia parecieron bastar al asesino para asegurarse de que había cumplido su propósito, pues saludó a Minerva con la pistola y se alejó al galope.

Chudley llegó junto a su esposa y le dio una palmadita amigable en el brazo.

—Vamos, vamos, querida, no hace falta ponerse histérica.

Bedelia señaló el pecho ensangrentado de Langley.

—¡Ay, Chudley! ¿Qué has hecho?

—Sólo quería hacerle un rasguño —dijo el vizconde, y miró con cara de aburrimiento al barón.

—No ha sido usted, milord —dijo Minerva, levantando la vista—. Había otro hombre, allí. —Señaló a la lejana figura que se alejaba a uña de caballo—. Él también disparó. No ha sido el disparo del vizconde el que ha dado a Langley, sino el de ese hombre.

Los padrinos y el cirujano la miraron boquiabiertos, y ella añadió:

—Estoy dispuesta a afirmarlo delante de un tribunal. Esto no ha sido cosa de Chudley.

—Está chiflada. Bonita manera de hundir mi reputación —rezongó lord Chudley, y empujó el costado de Langley con la puntera del pie—. Claro que he sido yo quien ha dado a este golfo. Puede decirse que lo he matado.

Minerva se levantó, tambaleándose.

—Milord, esto no es algo de lo que enorgullecerse. ¡Hay un asesino que se escapa! —Miró a los padrinos y al cirujano, y otra vez a lord Chudley—. ¿Es que nadie va a detenerlo?

—¡Por Dios santo, Minerva! —masculló Langley desde el sueño—. ¿Tienes que ser siempre tan observadora?

Langley abrió cansinamente los ojos y la miró. Procuró no reírse al ver que su cara pasaba del pasmo a la alegría y luego a una especie de furia incandescente que le hizo preguntarse si dentro de unos segundos no estaría muerto de verdad, en lugar de fingirlo.

—Estás... estás... estás... —tartamudeó ella.

El brillo de sus ojos dejaba claro que finalmente se había decantado por la alegría, pero se trataba de Minerva, de su Minerva, y Langley sabía que podía ser muy quisquillosa y vehemente.

Por eso la amaba. Furiosa un momento, y al siguiente apasionada. Tranquila y firme en medio de una crisis, y lista para plantar batalla si era necesario.

Langley sonrió. Sí, la quería. Era una idea sorprendente.

Cuando empezó a levantarse, aunque sólo fuera para estrecharla entre sus brazos y borrar con un beso su mirada asesina, porque a decir verdad no estaba aún del todo seguro de si cogería una de las pistolas que sostenían los padrinos y acabaría con él, Chudley le plantó una bota encima del pecho para mantenerlo tumbado.

—No tan deprisa, Langley. Todavía no se ha perdido de vista. Tienes que seguir mortalmente herido unos minutos más.

—No hace falta que se regodee tanto en esa idea, mi buen amigo —repuso Langley, y guiñó un ojo a Minerva.

—Ha sido un fastidio tener que errar el tiro, pero siempre he dicho que el deber es lo primero —contestó lord Chudley.

—¿Podrán seguirlo, Andrew? —preguntó Langley, y señaló con la cabeza hacia el camino que llevaba ladera abajo.

Lord Andrew, vestido como un adusto cirujano londinense, se quitó el sombrero de ala ancha.

—No lo perderán de vista. No escapará. Esta vez, no.

—Un plan excelente, si se me permite decirlo —comentó Chudley.

—Gracias, tío Chudley —repuso el joven con una sonrisa—. Sabía que eras perfecto para la tarea.

Minerva volvió la cabeza para mirar al vizconde y luego a Langley.

—¿Era todo una estratagema? ¡Seréis brutos! Podríais habérnoslo dicho.

Tía Bedelia expresó su contrariedad dando un bolsazo en el hombro a su marido.

—¡Chudley! Me has hecho creer que iba a tener que pasar el resto de mis días escondida en el Continente y rodeada de gentuza. ¿Cómo has podido?

El vizconde se frotó el hombro.

—Ha sido del todo necesario, querida. La verdad es que lady Standon y tú habéis puesto el punto justo de tragedia a nuestra pequeña farsa. Me atrevo a decir que tus estupendos chillidos harán creer a todo Londres que lord Langley ha muerto, o al menos que está herido de muerte.

—¡Y usted, lord Andrew! —exclamó tía Bedelia, girándose hacia el sobrino de su marido—. Tendré que hablar muy seriamente con su madre sobre su papel en todo esto.

Lord Andrew refunfuñó, y Langley sintió un poco de lástima por el joven.

—¿Se ha ido? —preguntó, cambiando de tema.

Lord Andrew miró a su alrededor.

—Sí. Ya puedes levantarte.

Langley se levantó y se sacó una bandeja de plata de la pechera de la camisa.

—¡Mi bandeja! —exclamó Minerva al quitársela—. ¿Qué haces con mi bandeja?

Langley no quería contárselo, pero naturalmente ella encajó rápidamente las piezas del rompecabezas.

—Has venido sabiendo que podían dispararte.

Sacudió la bandeja abollada como si pensara acabar lo que ésta había impedido.

—Que podían dispararme no, que me han disparado —contestó él. Sacudió su camisa y la bala de plomo cayó a la hierba, achatada—. Aunque sabía que no era el disparo de Chudley el que tenía que preocuparme. —Se volvió hacia el vizconde—. Pero podría haber disparado un poco más a la derecha. He notado cómo me pasaba silbando la bala junto al hombro.

Chudley soltó una carcajada.

—Tenía que ser creíble.

—Pero la sangre... —dijo lady Chudley, estremeciéndose—. Santo cielo, ¿cómo es posible?

Lord Langley levantó una pequeña vejiga.

—Sangre de cerdo. Un viejo truco del Foreign Office. Cuando me tiré al suelo, la pinché y... —dijo y señaló su camisa arruinada.

Minerva dio un paso atrás.

—Entonces, ¿era todo mentira?

Langley hizo un gesto de asentimiento.

—Todo no. El desafío de lord Chudley fue auténtico, aunque tardara más de veinte años en fraguarse. —Miró a lord Andrew—. ¿Por qué no haces los honores?

El joven miró con recelo a Bedelia y luego retomó el relato:

—No era mi intención disgustarte, tía —comenzó a decir—. Ha sido sólo para impedir que mataran a Langley.

—¡Qué barbaridad! —farfulló la señora como si le pareciera una idea completamente descabellada.

Langley continuó diciendo:

—Lord Andrew y Chudley pensaron que era conveniente que todo el mundo creyera que había estirado la pata para que nuestros enemigos se relajaran.

—Ese hombre —dijo Minerva, señalando el lugar vacío de la loma donde había estado el jinete— estaba aquí para asegurarse de que, pasara lo que pasase, no salieras vivo de esta colina. —Arrugó el entrecejo y Langley se imaginó las conjeturas que estarían desfilando por su cabeza—. ¿Era Nottage?

—No lo sé. No he podido verlo bien.

Tía Bedelia dio un paso adelante.

—¿Por qué quieren matarlo, lord Langley? Aparte de las razones obvias.

Lord Throssell, que había actuado como padrino, soltó una risotada.

—Por lo que sé —contestó Langley—. O, mejor dicho, por lo que sabía.

—¿Por lo que sabía? ¿Es que está usted mal de la cabeza, señor mío? Porque empiezo a pensar que le falta un tornillo —insistió tía Bedelia como sólo ella era capaz de hacerlo.

—Hubo un tiempo en que habría estado de acuerdo con usted —le dijo él—. Verá, hace cosa de tres años me atacaron en París. Me golpearon por la espalda. Cuando me desperté en la prisión de Abbaye, apenas sabía quién era, y mucho menos dónde estaba. Tardé casi un año en empezar a recordar algo. —Miró a Minerva—. Quién era, por ejemplo, y qué hacía en París. —Meneó la cabeza—. Pero en cuanto a lo que ocurrió antes, a por qué alguien quería matarme... Por más que lo intento, sólo consigo recordar imágenes borrosas, fragmentos.

—De modo que a tus enemigos no les basta con que hayas perdido la memoria —señaló Minerva con los brazos en jarras—. Siguen queriendo acabar contigo.

—Ése es el quid de la cuestión, milady —terció lord Andrew—. Sólo los que estamos aquí sabemos que lord Langley no recuerda los hechos que pueden causar la ruina de sir Basil y también, a lo que parece, de Neville Nottage. Porque eso es lo que sospechamos: que sir Basil Brownett es el cerebro que se esconde tras una serie de fechorías que podrían deshonrar a Inglaterra, y peor aún, dar al traste con la precaria paz europea. Enfurecer a muchos de nuestros aliados.

—Aliados que necesitaremos en los meses próximos —agregó Chudley—. Sobre todo ahora que se rumorea que Napoleón ha escapado y está organizando de nuevo su ejército.

—¿Sir Basil? ¿Quieren decir que creen que Brownie se encuentra detrás de una gran conspiración —dijo tía Bedelia con sorna—. Lord Andrew, no me extraña que su madre no hable de usted. ¡Cualquiera diría que Brownie ha robado todas las joyas de la corona de Europa!

*Todas las joyas de la corona...*

Aquellas palabras apresuradas encendieron algo en su memoria. Y por cómo se agrandaron los ojos de Minerva, parecieron darle una idea también a ella.

—Piénsalo, Langley —dijo—. La llegada de las tatas. Las ranuras en los marcos de los cuadros. Lady Brownett en el teatro... —Fue enumerando las pruebas con los dedos como una niña entusiasmada—. El terciopelo que encontramos en Langley House. El estuche que contiene los diamantes Sterling también está forrado así.

—¡Por el amor de Dios, tienes razón! —exclamó él—. ¡Joyas! Estaban robando joyas y enviándolas a Inglaterra escondidas en mis colecciones de arte.

Los miraron todos estupefactos.

Langley sonrió a Minerva.

—Milady, es usted más lista que el hambre.

—Me alegra haber podido ayudar —repuso ella con una sonrisa.

—¿Joyas, dicen? —preguntó lord Throssell—. Anoche la condesa no paraba de hablar de sus perlas desaparecidas y de los rubíes que había perdido la duquesa. —Miró a los demás—. Me temo que había bebido demasiado. —Se rascó la cabeza—. Y creo que yo también, porque me parece que le prometí comprarle otras perlas.

—Ahí lo tienen —dijo tía Bedelia triunfalmente, sonriendo a su sobrina de oreja a oreja—. Ahora vayan a arrestarlos a todos y nosotras podremos irnos a casa y poner fin a este disparate.

—Por desgracia, querida —repuso Chudley—, no tenemos pruebas suficientes, sólo nuestras sospechas y la excelente teoría de lady Standon.

—¡Pues entrad en el Foreign Office y buscadlas! —exclamó Bedelia.

—No están allí —le dijo Langley.

—¡Oh, serás necio! —exclamó Minerva, meneando un dedo—. Allí es donde fuiste anoche, ¿verdad? A entrar en el...

Se detuvo y respiró hondo como si no quisiera acabar la frase.

—Minerva, vamos a tener que limar un poco tu discreción —comentó Langley.

—Sí, supongo —dijo ella, compungida—. Debería aprender a no hablar a destiempo. —Sonrió y añadió—: Pero todavía no. —Volviéndose a lord Andrew y lord Chudley preguntó—. ¿Qué hacemos ahora?

Más que preguntarlo, exigió saberlo. Lo ordenó.

—La tropa de lord Andrew está siguiendo a nuestro asesino...

—A Nottage —puntualizó Minerva.

—Sí, si insiste, a Nottage —dijo Chudley, enojado por la corrección—. Luego, cuando haya informado a sir Basil, lo cual hará sin duda alguna, lo atraparemos y haremos que lo encarcelen acusado de asesinato.

Minerva no parecía muy convencida.

—¿Cómo piensan acusarlo de asesinato cuando la víctima recibió un disparo en un duelo con otro hombre?

Lord Chudley volvió a resoplar, enojado.

—Tengo un amigo en Bow Street que me debe un favor. Mantendrá encerrado a ese tipo donde nadie pueda encontrarlo. Y entre tanto... —El vizconde cogió la mano de su esposa y se la llevó a los labios—. Ahí entras tú, querida. Tienes que volver a la ciudad...

Tía Bedelia sonrió, encantada.

—¿Y hacer lo que mejor se me da?

—Sí, exactamente —le dijo Chudley—. Contar a los cuatro vientos lo sucedido esta mañana. Lamentarte ante todo aquel que quiera oírte de que yo he huido al Continente y lord Langley está...

—Muerto. Cadáver. Tristemente fallecido —añadió Langley—. Y deje claro que me porté como un valiente al enfrentarme a la célebre puntería de su marido.

—¿Convertirlo en un héroe? —bufó ella—. ¡Como si se mereciera ese honor, el muy sinvergüenza!

—Porque tengo una oferta que hacerle —le dijo él—, en privado.

—Cuidado, lord Langley, o le pego de verdad un tiro —dijo Chudley.

Bedelia dio unos toques a su marido en el hombro.

—Yo no soy una cualquiera, señor. Deberías habértelo pensado mejor hace años, antes de casarte con esa Susana Sullivan.

—Creía que habíamos quedado en no hablar de nuestros anteriores matrimonios —replicó Chudley.

Tía Bedelia arrugó el ceño, pero no dijo nada más. Se arrodilló junto a Langley para que le susurrara su oferta al oído. Se quedó callada un momento y su boca se distendió a continuación en una enorme sonrisa. Al levantarse con ayuda de Chudley le dijo a Langley:

—No quedará ni un ojo seco en todo Londres, milord. Cuando acabe, se preguntarán por qué no lo han elevado a la santidad.

Para seguir con el engaño, los padrinos acarrearon a Langley hasta el carruaje como si estuviera en peligro de muerte.

Chudley se despidió de su esposa con un beso y se alejó a caballo, hacia la carretera de Dover.

Minerva, en cambio, se quedó allí un momento, intentando aclarar sus ideas y ordenar los detalles. Al echar una ojeada al lugar desde el que había disparado aquel hombre, intentó despejar los pensamientos que la acuciaban.

¿Qué había dicho Chudley? Que había sido un disparo excelente.

¿Lo habría efectuado un agente del Foreign Office? ¿O quizás un asesino a sueldo?

Tal vez sí.

No podía sacudirse, sin embargo, otra sospecha: que la persona que había efectuado aquel disparo fuera otra.

Un ex oficial del Ejército, por ejemplo.

Pero ¿qué ganaba Gerald Adlington intentando matar a lord Langley? Apretó los labios y miró a Langley mientras los pensamientos se sucedían vertiginosamente dentro de su cabeza.

¿Para presionarla, quizá? ¿Por los diamantes Sterling? Sin duda. Así no tendría que esperar a su supuesta boda para conseguir su dinero. Podía cumplir su amenaza de llevarse los diamantes y largarse.

¿Podía haber sido Gerald el individuo de la otra noche, escondido bajo un gabán y un sombrero bien calado sobre la frente? Era, desde luego, de la misma estatura y complexión que él...

Y había estado en el teatro, la había amenazado... Ah, ¿por qué no lo había pensado antes?

Y en caso de que fuera cierto que lord Andrew se disponía a capturarlo y resultara ser Gerald, sin duda Adlington la delataría si creía que con ello podía conseguir su libertad.

Minerva se estremeció. Sólo le quedaba confiar en que no hubiera sido aquel bribón.

—¿Ocurre algo? —preguntó Langley desde dentro del carruaje—. Estás muy pálida ahí, con ese frío.

Ella negó con la cabeza.

—No, no es nada —contestó. Subió al carruaje y se sentó junto a él.

Al menos, confiaba en que no fuera nada.

La noticia del duelo parecía habérseles adelantado cuando llegaron a la casa de Brook Street.

Fuera se había congregado una multitud, y dentro las «tatas» esperaban en fila en el vestíbulo. El lacayo de Tasha y un par de sirvientes de la casa de enfrente ayudaron a trasladar al barón herido a la habitación de Minerva.

Minerva no supo cómo lo consiguió, pero Langley casi la hizo creer que estaba en su lecho de muerte. Además de tener la camisa manchada de sangre, gemía y se quejaba con cada meneo, y se aferraba a su mano como si fuera su salvación.

Cuando la *duchessa* lo vio, cayó de rodillas al estilo italiano, gimiendo y llorando. Tasha le dio unas palmaditas en el hombro y se mantuvo tan tiesa y erguida como un pino solitario, aunque las lágrimas brillaban en sus mejillas.

Brigid se aferró a *Knuddles*, mientras lord Throssell le pasaba el brazo por los hombros.

—Está muy mal —masculló Throssell—. Muy mal. No pasará de esta noche, creo yo. Es una pena. Una verdadera pena.

Jamilla supervisó el traslado con un pañuelo apretado contra los labios, pero sus ojos pintados de kohl no desvelaban nada.

Minerva siguió la camilla escalera arriba y cuando llegó al descansillo miró atrás y descubrió que sólo la margravina parecía impertérrita, como si no pudiera creer nada de aquello. Al menos, hasta que viera a Langley exhalar su último aliento.

—¿Necesita algo, querida lady Standon? —preguntó tata Helga, pareciendo casi sincera—. Podríamos turnarnos para velarlo con usted.

Minerva sofocó el escalofrío que recorrió su espalda al oír su ofrecimiento y negó con la cabeza.

—Creo que es mejor que esté tranquilo y en paz hasta... hasta...

Sus palabras hicieron sollozar a la *contessa* aún más fuerte, y sus lamentos animaron a tía Bedelia a dar comienzo al siguiente acto de la trama.

—Vamos, vamos, el pobre necesita paz y tranquilidad. Creo que será mejor que se refugien todas en Hollindrake House. Está en la calle de al lado. Aunque sólo sea para dejar a lady Standon estas últimas horas...

—Sí, sí —asintió enseguida Jamilla—. Aquí ya no hacemos nada.

Tasha también asintió y ayudó a Lucia a levantarse mientras Throssell conducía a Brigid a la calle. Sólo se quedó la margravina, esperando a que bajara el lacayo de Tasha.

—¿Está muy malherido? —preguntó.

—Todavía tiene la bala dentro. Aunque pudieran sacarla, la operación lo mataría.

La margravina se llevó el pañuelo a los labios e inclinó la cabeza, aparentemente tan apenada como Lucia.

¿O acaso estaba sonriendo?, se preguntó Minerva al echar una última mirada a escondidas por encima de la barandilla.

—¿Se han ido todas? —preguntó Langley.

—Sí —dijo Minerva, mirando hacia atrás mientras cerraba la puerta—. Por lo visto, estando tú al borde de la muerte tienen menos oportunidades de encontrar sus joyas perdidas.

—No subestimes su terquedad —contestó Langley—. Las gemas ejercen un influjo poderoso sobre sus dueños.

—Sí, en efecto —convino ella. Abrió la caja que contenía los diamantes Sterling y los levantó ante ella.

—¿Estamos completamente solos? —inquirió Langley con una sonrisa traviesa en los labios.

—Sí.

Él movió las cejas y dio unas palmadas a su lado, sobre la cama.

Minerva sofocó la risa.

—¿No temes morir de agotamiento, en tu estado?

—Sólo si me haces esperar —replicó él.

—Puede que te mate yo misma. Me tenías loca de preocupación.

—¿De veras?

—Sí.

Cruzó los brazos y lo miró con enfado.

—¿Por qué?

—¿Tengo que contestar a eso, Langley?

—Sí —respondió—. Pero si lo prefieres, puedes demostrarme lo preocupada que estabas —dijo y palmeó otra vez la cama, a su lado.

—Sigo guardándote rencor. ¿No te preocupa en absoluto que te liquide? —preguntó mientras se acercaba lentamente a la cama y caía en sus brazos abiertos.

—Eso es lo que lo hace tan divertido —murmuró él antes de apoderarse de sus labios.

# Capítulo 15

«Un ex amante es como un perro que muerde. Nunca creas que sólo porque ha dormido en tu cama y en algún momento estuvo enamorado de ti no va a arrancarte la mano a la menor provocación.»

Consejo dado a Felicity Langley por su tata Brigid

Si no dejas de dar vueltas, yo misma te pegaré un tiro —le dijo Minerva a Langley, que siguió paseándose delante de la chimenea a pesar de su advertencia—. Se supone que estás al borde de la muerte.

Se habían refugiado en su habitación y en la casa sólo quedaba el personal de confianza: la señora Hutchinson, su hija Mary y Agnes, por supuesto. Al señor Mudgett lo habían mandado a asegurarse de que las «tatas» se instalaban cómodamente en Hollindrake House, y a encararse con Staines si el mayordomo del duque protestaba.

La casa tan silenciosa, era desasosegante en sí misma.

—Moriré si no encuentro el modo de destapar la verdad sobre Brownie y sus compinches.

Langley se detuvo, miró el feo cuadro que colgaba sobre la cama e hizo una mueca al verlo torcido.

¿Le recordaba acaso su propia locura?, se preguntó Minerva.

—Langley, ¿qué estarías haciendo ahora si no tuvieras que enfrentarte a este contratiempo?

—Yo diría que es más que un contratiempo —rezongó él.

—Sí, me ha parecido más diplomático preguntarte qué harías si no estuvieras en peligro de caer en la más absoluta deshonra que preguntarte qué piensas ponerte para el juicio.

Él se paró y Minerva pensó por un momento que iba a estallar de furia, pero lo que ocurrió fue que sus ojos recuperaron de pronto su alegría.

—No creo que vayan a molestarse en juzgarme.

Ella sonrió y se levantó. Cruzó la habitación, buscó debajo de su cama y sacó un atlas de gran tamaño. Lo puso sobre la cama y dio unas palmaditas sobre el colchón, a su lado.

—Ven, vamos a tramar nuestra huida.

—¿Nuestra?

—No pienso quedarme aquí para que me interroguen. Me arriesgo a que me manden vete tú a saber dónde sólo por culpa de nuestro falso compromiso. Si vas a escapar, me voy contigo.

Hojeó el atlas y puso un dedo sobre un lugar.

—Eres una mandona —repuso Langley al sentarse y mirar el sitio que había marcado—. No, eso no nos sirve —añadió, sacudiendo la cabeza.

—¿Abisinia? ¿Por qué no? Suena maravillosamente exótico.

—Hace mucho calor y está lleno de bichos espantosos, algunos del tamaño de tu pulgar.

Minerva arrugó las cejas y apartó rápidamente el dedo.

—Entonces dime adónde iríamos.

Eso hizo Langley durante la hora siguiente: pasando los dedos por las páginas, la deleitó con historias acerca de todos los lugares que había visto, muchas de las cuales eran, dedujo Minerva, rocambolescas exageraciones.

—Y apuesto a que el sultán me concedería asilo, nos daría una buena casa y hasta mi propio harén.

—¡Un harén! —protestó ella.

—Sí, es lo que se espera —repuso Langley con una sonrisa mientras se recostaba con las manos detrás de la cabeza.

Minerva le lanzó un cojín.

—De eso nada. ¿No has tenido suficiente con pasar la última semana en este harén?

Él soltó un bufido.

—No me refería a que pensara llenarlo. Creo que contigo estaría bastante ocupado durante un tiempo.

—Conque sí, ¿eh?

—Oh, sí —repuso y, apartando el libro, la estrechó entre sus brazos.

Minerva protestó un poco, pero sólo un poco, pues en cuanto sus labios comenzaron a rozarle el cuello, su enfado se desvaneció.

—Pasaríamos las noches haciendo el amor en el jardín entre el tintineo musical de las fuentes y canteros de flores que tú eclipsarías con tu belleza.

—No eres más que un libertino encantador, Langley —contestó Minerva.

—Lo de libertino se acabó —prometió él antes de besarla apasionadamente.

Pero su escarceo no duró mucho, porque un instante después sonó estrepitosamente el timbre de la puerta principal.

—¡Tu tía! —refunfuñó Langley—. ¿Es que esa mujer no tiene nada mejor que hacer?

Minerva negó con la cabeza y se levantó de la cama.

—No, no es tía Bedelia. —Se detuvo un segundo y miró alarmada a Langley al oír que la puerta de la calle se abría chirriando—. ¡Santo cielo, están entrando! —susurró.

Se fue derecha a la mesilla de noche y sacó del cajón la pistola de Thomas-William.

Langley extendió la mano.

—Dámela —le dijo.

—No. Y no hagas ruido. Se supone que estás a las puertas de la muerte. Además, nadie va a pensar que voy armada.

Se acercó a la puerta del dormitorio y la abrió con cuidado. Chirrió, claro, pero aun así oyó que varias personas discutían en voz baja en el vestíbulo. Se acercó despacio a la barandilla y comprobó con fastidio que Langley la seguía.

—Se supone que te estás muriendo.

—No voy a permitir que bajes tú.

—No es eso lo que voy a hacer.

—Eso me temía.

Minerva apuntó cuidadosamente con la pistola por encima de la barandilla antes de asomar la nariz.

—¡Por Dios, lady Standon! —exclamó con sobresalto una voz—. ¿Es que siempre tiene que estar apuntándome con esa maldita pistola?

—¿Lord Clifton? —preguntó ella.

—Minerva, querida, ¿qué está pasando aquí? —Lucy Sterling, la flamante lady Clifton, pasó junto a su marido sin pensar en la pistola cargada que le apuntaba—. Aparta eso, me temo que a Clifton le da pavor. —Miró por encima del hombro de Minerva—. ¿Los veis, Clifton? Os dije a Elinor y a ti que lord Langley no podía estar tan grave como dice todo el mundo.

Luego apartó la mirada de la cara ceñuda de Langley y reparó en el desaliñado aspecto de Minerva.

—Y sepa usted, señor mío, que si sólo está tonteando con mi amiga, la noticia de su muerte quizás acabe siendo cierta.

Tardaron sólo unos minutos en aclarar la situación a los tres recién llegados. Minerva y Lucy se acomodaron en el comedor, Langley dio un fuerte apretón de manos a Clifton y le indicó con un gesto que lo acompañara a la cocina. Resultó que el conde traía noticias de lord Andrew.

Mientras tanto, Elinor Sterling, la duquesa de Parkerton, se había ido derecha a la cocina y subía en esos momentos de la guarida de la señora Hutchinson cargada con la bandeja del té.

—Ya sabéis lo que habría tardado si nos hubiéramos atrevido a pedírselo a ella —comentó riendo cuando dejó la bandeja sobre la mesa y comenzó a servir el té a sus amigas.

Minerva había escogido a propósito el comedor porque no quería que las vieran en el salón delantero, no fuera a ser que alguna vieja cotilla llegara a la conclusión de que «la pobre lady Standon» estaba recibiendo visitas.

—¿Qué estáis haciendo aquí las dos? —preguntó.

—Hemos venido a echar una mano —respondió Lucy.

—No faltaba más —añadió Elinor mientras pasaba el plato de los panecillos.

—No deberíais haber venido, esto ya no es como antes.

Como cuando habían vivido las tres juntas en la casa y Minerva las había ayudado a conquistar a sus almas gemelas.

Miró a sus amigas. A decir verdad, si había dos mujeres capaces de ayudarla a salvar a Langley, eran Elinor y Lucy.

Lucy sonrió.

—Sí, por fin estás entrando en razón. Nosotras podemos ayudar, y sospecho que nos necesitas.

—¿Qué habéis oído? —inquirió Minerva.

—La situación no es buena —explicó Lucy bajando la voz—. El hombre que disparó a lord Langley ha escapado.

—¡No! —exclamó Minerva—. Pero si lord Andrew y lord Chudley parecían convencidos de que...

—Sí, lo estaban. Pero ese sujeto es mucho más peligroso de lo que sospechaban. Ha matado al agente que intentó apresarlo.

Minerva se echó hacia atrás y su taza de té tintineó sobre el platillo. Era una noticia espantosa.

—¿Cómo lo sabes?

Lucy se encogió de hombros.

—Lord Andrew se presentó en casa no hace ni una hora y puede que yo haya estado...

—¿Escuchando a escondidas? —Elinor chasqueó la lengua—. Lucy Sterling, ahora eres condesa. Y una condesa como es debido no fisgonea por ahí.

Sonrió y se rieron las tres, pues sabían que Lucy no sería jamás una condesa corriente, ni como es debido.

Pronto, sin embargo, volvieron a ponerse serias, pues Minerva soltó un suspiro.

—¿Cómo se las va a arreglar para que ese tal Brownie confiese?

—¿Brownie? —preguntó Elinor—. ¿Te refieres a sir Basil Brownett?

—Sí —contestó Minerva.

—Bueno, está en la lista de invitados de la fiesta que vamos a dar esta noche. —Las miró a ambas levantando las cejas—. La fiesta para celebrar nuestro matrimonio, a la que ambas estáis invitadas.

—¡Elinor, querida, lo había olvidado! —confesó Minerva. Habían pasado tantas cosas esos últimos días que se había olvidado por completo de su agenda social.

—Entonces, ¿sir Basil estará allí esta noche? —preguntó Lucy, y a sus amigas les extrañó su expresión misteriosa.

—Sí —contestó Elinor—. Va a estar todo el mundo. Parkerton rara vez da una fiesta, así que nadie quiere perdérsela, y menos aún un advenedizo como sir Basil, porque también vendrá el primer ministro.

Lucy sonrió.

—Entonces sé exactamente lo que tenemos que hacer.

—¿Lo que tenemos que hacer? —Minerva sacudió la cabeza con vehemencia—. No, no puedo permitir que os metáis en este lío.

Elinor se encogió de hombros.

—Pues intenta detenernos.

—Minerva Sterling, no te queda otro remedio —le dijo Lucy, y guiñó un ojo a Elinor—. Porque si no dejas que te ayudemos, le diré a Felicity que has tenido sus diamantes todo este tiempo.

Abajo, en la cocina, Langley se acomodó en su taburete.

—¿Ha escapado?

Las noticias de Lucy habían llegado velozmente a la cocina a través del montaplatos.

—Maldita sea, esperaba poder decírtelo antes de que lo hiciera mi mujer —respondió Clifton—. Pues sí. Lord Andrew se pasó por casa hace una hora escasa. Pensó que a nadie le extrañaría que Lucy viniera a ver a Minerva.

—¿Ha matado al agente?

A Langley se le había helado la sangre en las venas.

Clifton hizo un gesto de asentimiento.

—Me cuesta creer que sea Nottage —añadió Langley, empujando hacia atrás su taburete.

—Cuando regresó de París, después de que se informara de tu desaparición, estaba muy cambiado. —Clifton miró el montaplatos—. Creo que aprendió mucho de ti, aparte de a redactar informes.

—Yo nunca he asesinado a nadie —replicó Langley.

—No, pero siempre se te ha considerado uno de los agentes más escurridizos.

Langley aceptó aquello como un cumplido, aunque en ese momento habría deseado ser tan implacable como Nottage para adivinar cuál sería el paso siguiente de su antiguo secretario.

Antes de que perdiera la vida alguien más.

—Te agradezco que hayas venido, Clifton, no me malinterpretes, pero ojalá lord Andrew no te hubiera implicado en esto.

Clifton se enderezó.

—Ellyson era el padre de Lucy. No pienso permitir que ensucien su nombre. Ni tampoco el tuyo.

Él le dio las gracias con una inclinación de cabeza. Luego volvió a ocupar su taburete. Iba a decir algo, pero Clifton se llevó un dedo a los labios e inclinó la cabeza hacia el hueco del montaplatos.

—¿Qué demonios están tramando? —susurró Langley.

—Conozco a mi mujer, estarán ideando algún plan estrafalario.

—Que me ahorquen si permito que Minerva se meta más en este asunto —declaró Langley.

Pero cuando acabaron de escuchar a Lucy exponer un plan tan meticuloso y astuto como solían serlo los de su padre, Clifton se volvió hacia su viejo amigo y sonrió.

—Puede que funcione.

Langley negó con la cabeza.

—No pienso permitir que Minerva se meta en esa ratonera. Hoy ha muerto un hombre por culpa de esta locura. No voy a consentir que...

Ni siquiera se atrevió a decirlo en voz alta.

—Eso es lo mejor de todo —contestó Clifton y, recostándose, tomó un trago de brandy y tosió un poco, pues se habían servido una buena dosis de la provisión particular de la señora Hutchinson, que lo compraba en una destilería de Seven Dials.

Con un brandy así podrían haberse limpiado las cloacas de París.

—Que no dejaremos que lo lleven a cabo —concluyó Clifton—. Minerva puede hacer de cebo, pero no llegará a acercarse a Brownie. Estaremos todos cerca para que sus tejemanejes acaben ahí. Y luego tenderemos nuestra propia trampa.

Pero desde el rincón de la cocina les llegó una respuesta que los dejó de piedra.

—No vayan a pensarse ustedes que mis chicas no valen para eso —dijo la señora Hutchinson meneando una mano con ademán de borracha—. Déjenlas que lo hagan ellas. Tienen agallas, esas tres. Se las arreglarán perfectamente sin que los hombres vayan a meter las narices.

Pero Langley no tenía intención de permitir que Minerva se inmiscuyera en sus asuntos. No, si corría peligro su vida.

Mucho después de que se marcharan Lucy, Clifton y Elinor, Minerva subió la bandeja de la cena con manos temblorosas. No sabía si podría llevar a cabo su plan, pero el futuro de Langley, y quizás incluso el suyo, dependía de ello.

El futuro de los dos.

Él, naturalmente, no había dicho ni una sola palabra de que pudieran seguir juntos una vez que consiguiera limpiar su nombre, y esa misma tarde, a pesar de los viajes maravillosos y las exóticas aventuras de los que habían hablado, no había dado muestras de que todo aquello fuera para él otra cosa que un pasatiempo.

Minerva, en cualquier caso, sabía lo que tenía que hacer. Conseguir que se bebiera el vino y luego escabullirse. Elinor ya le había enviado un vestido, el escandaloso vestido escarlata que había comprado en Petticoat Lane, y Agnes lo estaba preparando abajo, en la salita de mañana.

—Aquí está la cena —dijo al abrir la puerta de su dormitorio.

Se llevó una sorpresa al ver que Langley no estaba sentado junto al velador de la chimenea, sino en la cama.

—Estupendo, me muero de hambre —comentó, y movió las cejas provocativamente.

—Para estar muriéndote, demuestras una energía asombrosa.

—¿Y por qué te extraña? —bromeó él—. Tú me devuelves a la vida cada vez que entras en la habitación.

Para demostrárselo, apartó la sábana y dejó al descubierto su cuerpo desnudo. Y tal y como había dicho, parecía alegrarse de verla.

—Langley, éste no es momento —contestó Minerva, y deseó que su cuerpo no se acalorara tanto cuando lo miraba. Santo Dios, era endiabladamente guapo.

—Ven a la cama, Minerva —la llamó él.

—Primero deberíamos cenar, mientras la cena está caliente —arguyó ella, aunque hasta a ella misma su respuesta le sonó forzada, pues sus entrañas ya habían empezado a tensarse y esponjarse.

«Distráelo y haz que se beba el vino», le había aconsejado Lucy.

Bueno, hacer el amor daba mucha sed, se dijo. Y quedaba todavía hora y media larga para que el carruaje de Elinor fuera a recogerla.

—Langley... —protestó desmayadamente mientras cruzaba la habitación y se acercaba a la cama—. Eres incorregible.

La agarró y la hizo tumbarse en la cama, encima de él.

—Prefiero que me digas que soy insaciable, deseable, irresistible.

Minerva se rió y dejó que le subiera el vestido y desnudara sus piernas, y que a continuación explorara su cuerpo con las manos al tiempo que se apoderaba de su boca y acallaba con un beso sus protestas.

Apartó su ropa interior y comenzó a tocarla, a acariciarla, hasta que la hizo jadear con lujuria apasionada. Le había sacado el vestido por la cabeza y Minerva estaba ahora en camisa, pero Langley no se conformó con eso y desnudó sus pechos para lamerlos y chuparlos hasta que sus pezones se endurecieron.

—¿Cómo me haces esto? —jadeó, embriagada por el deseo que recorría sus miembros.

—Tú me empujas a ello —contestó él—. Te deseo como no había deseado nunca a una mujer. Me excito sólo con verte entrar en la habitación.

—Pero si siempre estamos discutiendo —replicó ella en broma, y comenzó a tocar y a acariciar su miembro.

Langley gimió, la levantó por las caderas y la hizo sentarse sobre su miembro erecto.

—Ámame, Minerva. Ámame.

Minerva se deslizó sobre él y experimentó la deliciosa sensación de que la llenaba por entero.

Olvidando cuanto tenía que hacer esa oscura noche, se entregó a la dicha de hacer el amor con él.

Lo cabalgó lentamente al principio, provocando a Langley tanto como se provocaba a sí misma. Luego, poco a poco, el ritmo se hizo más rápido, más ansioso, a medida que ambos fueron cediendo a sus deseos.

Minerva se sintió lujuriosa y apasionada mientras se movía sobre él, deslizándose hacia adelante y hacia atrás a lo largo de su verga dura que la excitaba, que la conducía hacia un radiante amanecer.

Bajo ella, Langley gruñía roncamente de deseo, como un lobo llamando a su pareja. Levantó el cuerpo y Minerva sintió que cobraba vida dentro de ella. Sus salvajes y profundas embestidas la llevaron hacia el borde del abismo a un ritmo frenético.

—¡Minerva! —jadeó él—. ¡Dios, Minerva!

Ella gimió y siguió cabalgándolo mientras las oleadas del placer la embargaban una tras otra, dejándola agotada y satisfecha.

Se derrumbó en sus brazos y sintió junto al oído el martilleo desbocado de su corazón.

Langley acarició su pelo y le susurró palabras de amor y promesas para más tarde, la abrazó cálidamente, como si sus brazos fueran un puerto seguro en el que guarecerse de todo aquello que acechaba en la noche.

De todo lo que amenazaba con destruirlo.

Y durante un rato Minerva se quedó allí, dejándose persuadir por él de que cada noche sería como aquélla, hasta que se quedó callado y quieto. Se había dormido. No se había bebido el vino, pero quizá fuera mejor así, pues estaba profundamente dormido y ella no tendría que sentirse culpable por haberlo engañado.

Entonces oyó que un carruaje paraba fuera.

—Y será siempre así —susurró al bajarse de la cama con sigilo y taparlo con la colcha.

Se puso el vestido, cogió sus botas y se acercó a la puerta.

Como previamente había tomado la precaución de engrasar las bisagras ella misma, cerró la puerta sin hacer ruido, luego le echó la llave y se la llevó. Bajó las escaleras y salió a la calle a oscuras, donde Agnes ya la estaba esperando, montada en el carruaje, para ayudarla a cambiarse.

Langley aguardó hasta que oyó alejarse el carruaje. Después, se levantó de un salto. Pero al llegar a la puerta y descubrir que Minerva lo había encerrado con llave, su enfado fue mayúsculo.

La cerradura era sencilla y no le costaría mucho abrirla, se dijo mientras agarraba su bota y hurgaba en el bolsillo oculto dentro de ella, pero aquello iba a retrasarlo más de lo conveniente.

Tenía que alcanzar a Minerva antes de que se metiera en la trampa con Brownie y Nottage, sobre todo si su antiguo secretario estaba dispuesto a matar para conservar la libertad y el botín que había ganado sirviéndose de malas artes.

Clifton pensaba hacer lo mismo con Lucy y había prometido dar las mismas instrucciones al duque de Parkerton, el marido de Elinor.

Lo último que quería Langley era que alguna de las tres ex viudas Standon se metiera de lleno en una pelea, por más agallas que tuvieran todas ellas.

Girando un par de veces la ganzúa consiguió abrir la puerta. Sonrió al ponerse en pie.

Y de pronto se encontró con una pistola delante de las narices.

Miró a la dama que la sostenía.

—Por el amor de Dios, mujer, no tengo tiempo para esto.

—Claro que lo tienes, cariño. ¿Y por qué te sorprende verme? Tenías que saber que rara vez renuncio a lo que es mío.

Minerva no tardó en llegar a Parkerton House. Agnes, que no había parado de refunfuñar quejándose de aquel extraño vestidor, había logrado acicalar a su señora sin olvidar ponerle los diamantes Sterling.

Cuando Minerva se apeó del carruaje, todo el mundo se volvió para mirarla, como Elinor y Lucy le habían asegurado que ocurriría.

—Es sólo por el vestido y los diamantes —dijo entre dientes al subir la escalinata con la cabeza bien alta, a pesar de las exclamaciones de sorpresa y los murmullos que oía a su paso.

—No creía que fuera a salir...

—¡Esta noche no!

—¡Qué vergüenza!

—¿Quién iba a pensar que...?

Sí, ciertamente, habría querido decirles Minerva. ¿Quién iba a pensar que ella, de entre todas las viudas Standon, acabaría enamorándose de un renombrado barón y arriesgándolo todo por salvar su reputación?

Porque, a decir verdad, los nobles principios de Langley, su idea de «darlo todo por su rey y su país», le parecían un tanto exagerados, y a ella sólo le importaba ver restablecido su buen nombre.

Porque lo amaba. Levantó un poco más la nariz. Amaba a Langley. Era una idea embriagadora. Tan embriagadora como hacer el amor con él.

*Va a ponerse furioso conmigo.*

*Sí*, se respondió a sí misma. *Se pondrá furioso, pero esto no puede hacerlo él solo.*

*Ni tú tampoco.*

Se estremeció y se llevó la mano a la garganta, donde brillaban los diamantes Sterling.

Ella, sin embargo, no estaba sola: poco después de entrar en la casa, primero Lucy y luego Elinor se le acercaron y entre las tres ultimaron sus planes.

—Ese cerdo está allí —dijo Lucy ladeando ligeramente la cabeza.

—Tía Bedelia dice que no es más que un pasmarote —comentó Minerva al mirar hacia donde señalaba su amiga—. Un momento. Yo lo conozco. Langley nos presentó la otra noche en el teatro. Recuerdo que su esposa iba emperifollada como una nueva rica.

—¡Qué mujer tan espantosa! —añadió Elinor—. Ha llegado envuelta en joyas y ha tenido la desfachatez de decir que las suyas eran auténticas, no como las de muchas otras.

—Sí, y ahora sabemos a quién pertenecen en realidad, ¿no es cierto? —dijo Minerva en voz baja, como si hablara para sí, mientras echaba una ojeada a lady Brownett.

Lucy asintió con la cabeza y Elinor sonrió y dijo:

—Dejad que yo distraiga a lady Brownett para que Minerva pueda engatusar a sir Basil con sus encantos.

—Con mis encantos. Sí, ya —rezongó Minerva.

Lucy sacudió la cabeza.

—No, Minerva, me parece que tú has encontrado el amor, porque esta última semana has florecido. Langley debe de ser magnífico.

Elinor hizo un gesto de asentimiento.

—Lo es —musitó Minerva cuando comenzó a avanzar entre el gentío, con la mirada fija en sir Basil mientras Elinor se llevaba a lady Brownett hacia la mesa de los refrigerios.

Poniéndose manos a la obra, pasó a su lado como habría hecho una de las «tatas»: giró la cabeza y le lanzó una mirada seductora y provocativa, hasta que él la miró.

—¡Lady Standon! —balbució, con los ojos como platos por la sorpresa.

Minerva se detuvo y lo miró como si no recordara dónde lo había visto antes. Luego sonrió.

—Ah, sí, sir Basil, justamente lo estaba buscando.

—¿A mí? Pensaba que estaría usted en casa. Con lord Langley. He oído decir que está muy grave.

—Ha muerto —contestó ella, y se encogió de hombros con indiferencia mientras contemplaba al gentío que llenaba el salón de baile.

Sir Basil palideció.

—¡Muerto, dice usted! Es increíble.

Ella lo miró.

—Sí, increíble, en efecto.

Dio un paso hacia él.

—Pero está usted aquí... —balbució sir Basil al tiempo que retrocedía. Al mirar a su alrededor, se dio cuenta de que Minerva lo estaba arrinconando en un entrante de la pared.

—Claro, ¿dónde iba a estar, si no? Tenía que encontrarlo.

—¿A mí? Lady Standon, creo que el dolor le ha nublado el juicio. Quizá tenga por aquí un pariente, o una amiga cercana que...

Minerva se acercó a él.

—Sir Basil, no necesito a nadie más que a usted.

—¡Señora! Esto se está volviendo escandaloso. Lo que necesita...

—Lo que necesito es dinero para que el cirujano no vaya contando por ahí que no ha sido la bala de Chudley la que ha matado a Langley, sino la otra, la que disparó su socio.

Sir Basil pareció de pronto al borde del colapso: dejó de parpadear y se quedó con la boca abierta.

—No tengo ni idea...

Ella le clavó un dedo en el pecho.

—Yo creo que sabe perfectamente a qué me refiero. Y puesto que ha creído conveniente destrozar mi oportunidad de ser la viuda de Langley y disfrutar de una buena herencia... porque, en serio, sir Basil, ¿no podría haber esperado para matarlo a que me casara con él?... He venido a buscar mi parte del pastel.

—¿Su qu-qu-qué?

—Lo que me corresponde en justicia —replicó. Se miró los guantes y miró luego sus ojos vidriosos y porcinos.

—¡Señora, esto es una locura!

—¿Sí? —contestó, pensativa—. Antes de fallecer, Langley se dio cuenta de que iba a dejarme en situación comprometida y escribió un relato bastante detallado acerca de lo que estaba haciendo en París previamente a que lo atacaran.

Aquello consiguió captar por completo la atención de sir Basil.

—No me cabe duda de que al primer ministro le parecerá una lectura excelente, ni de que al *Times* le parecería muy esclarecedor publicarlo, pero me atrevería a decir que su confesión tiene otros valores.

Sir Basil tragó saliva. Boqueó, en realidad.

—Ignoro a qué se refiere, señora.

Minerva sabía, sin embargo, que estaba mintiendo. Así que contestó:

—Apuesto a que sí lo sabe, aunque también puedo ir a preguntarle a su esposa de dónde ha sacado el collar que lleva puesto. Conozco a una duquesa italiana a la que quizás esos rubíes le suenen de algo. Y dudo que, siendo descendiente de los Borgia, esté dispuesta a ser comprensiva al respecto.

Sir Basil comenzó a temblar.

—Sí, veo que nos entendemos. Cuando acabe el próximo baile, se reunirá conmigo arriba, en la habitación del final del pasillo.

Comenzó a alejarse, pero él la agarró del codo.

—No pienso dejar que me chantajee, ni voy a reunirme con usted en ninguna parte.

Ella se desasió bruscamente y lo miró con altivez.

—Claro que va a reunirse conmigo. Y se mostrará usted generoso cuando lo haga, porque si mi chantaje, como usted lo llama, le parece escandaloso, estoy segura de que otras personas me darán una magnífica recompensa.

Señaló con la cabeza hacia la puerta, por la que acababa de entrar el primer ministro y acto seguido se alejó con la esperanza de que no la delataran sus rodillas temblorosas.

—¡Helga! —dijo Langley mientras retrocedía, adentrándose de nuevo en la habitación de Minerva.

—*¡Schatzi!* No entiendo por qué pareces tan sorprendido de verme. —Echó una ojeada a la cama revuelta y olfateó el aire—. ¡Qué mal gusto tienes ahora! Es una lástima que no te atrajeran tanto las plebeyas antes de que me robaras.

—¿Robarte, yo? —Langley sacudió la cabeza—. No sé de qué estás hablando.

Había cosas de las que no se acordaba, desde luego, pero se acordaría si le hubiera robado algo a la margravina. Porque no podía creer que alguna vez hubiera sido tan necio.

—Mis joyas, maldito canalla. Me robaste mis joyas. Las joyas de la corona. —Se acercó a él—. ¿Por qué crees que han venido las otras? Nos has robado a todas. Te han ido muy bien las cosas estos últimos años, mientras estabas desaparecido. Pero yo sé a qué te has dedicado. Volviste sobre tus pasos y robaste a todos los monarcas que te acogieron alguna vez.

Langley negó con la cabeza. ¡Qué locura! Aquello era un disparate.

—He estado en la prisión de Abbaye todo este tiempo.

—¡Bah! —le espetó ella—. ¿Quién si no tú pudo trepar hasta mi alcoba y saber dónde guardaba las joyas? ¡Quiero que me devuelvas mis zafiros!

Le habría gustado señalar que había al menos media docena de candidatos que conocían íntimamente la alcoba de la margravina, al menos que él supiera, pero como era un caballero y ella le estaba apuntando con una pistola, prefirió callárselo.

—Yo no tengo tus zafiros —le dijo.

—¿Te atreves a negarlo? ¿A negar que robaste las joyas de la Corona de Ansbach? ¿Y el collar de Tasha, el que le regaló la emperatriz Catalina? ¿Y las perlas de Brigid, una sarta que en tiempos perteneció a la reina Isabel de Inglaterra? ¿Y los rubíes de Lucia, los rubíes de los Borgia?

—Caramba, se han llevado una fortuna —mascculló Langley vagamente.

De pronto le asaltó el recuerdo de unas gemas oscuras adornando el cuello de una dama. ¡Lady Brownett! Había llevado rubíes al teatro.

—Helga, no he sido yo. Lo planearon todo para que pareciera que yo había robado vuestras joyas. Pero fue mi secretario, Nottage, quien se las llevó.

Los ojos de la dama brillaron un instante como si reconociera aquel nombre.

Pero ¿era sólo eso? ¿O quizá no sólo conocía a Nottage de oídas? ¿Se había acostado también con él? A Langley, que conocía el insaciable apetito de la margravina, no le habría extrañado.

Pero, a pesar de aquel destello de duda, ella siguió en sus trece.

—¡Bah! —dijo con desprecio—. No pienso seguir tragándome tus mentiras, no soy tan tonta.

Le acercó más la pistola y, en lugar de alarmarse, Langley comprendió que no habría modo de razonar con ella. En fin, ésa era una de las desventajas de ser un donjuán. Que, al final, se te acababa el encanto.

—No soy yo quien cometió esos robos —insistió, ciñéndose a la verdad—. He vuelto a Londres para demostrarlo. El hombre al que buscas es sir Basil. Estoy a punto de atraparlo, si dejas que...

—¡Basta! —Helga meneó la pistola, apuntándole—. ¿Dónde están mis zafiros?

Abajo se abrió la puerta de la calle y Langley temió por un instante que Minerva hubiera regresado. Segundos después, sin embargo, oyó el estruendo de unas botas.

Lo que no se esperaba era ver aparecer a aquel individuo en la puerta.

—¿El pintor?

—¿El qué? —tartamudeó el recién llegado.

—Le dijo que eras el pintor —respondió Helga.

—¡Ah, qué mentirosilla es mi Maggie! Langley, ¿no? Yo soy Adlington. El marido de su prometida.

Langley lo miró otra vez.

—¿El qué?

—Da igual quién sea —dijo Helga, dando un zapatazo con impaciencia. Claro que a la margravina nunca le había gustado que la conversación girara en torno a otra mujer.

—Hemos venido por los diamantes de lady Standon —explicó Adlington, y paseó la mirada por la habitación como si esperara que estuvieran por allí, a la vista.

—Ejem —tosió la margravina, mirándolo con enfado.

—Y a por sus zafiros —añadió el hombre.

—No tengo ninguna de las dos cosas —les dijo Langley.

—Pero sabes dónde esconde ella los diamantes —repuso Helga con una sonrisa maliciosa.

—La verdad es que los llevaba puestos cuando se ha ido —dijo él—. Así que, a no ser que penséis irrumpir en casa del duque de Parkerton y llevároslos en medio de la fiesta, no habéis tenido suerte.

Helga no se lo pensó ni dos segundos.

—Hazlo —le dijo a Adlington.

—¿Hacer qué? —balbució él sin dejar de escudriñar la habitación como si buscara algo de valor.

—Ve a casa de Parkerton y dile a lady Standon que, si no te da los diamantes, su amado Langley es hombre muerto.

—No me los dará —dijo Adlington.

—Pues entonces mátala —ordenó Helga.

# *Capítulo* 16

«Cuando te enamoras, no es de un nombre, un título o una fortuna si bien todas esas cosas son indispensables, sino del corazón que late dentro.»

Consejo dado a Felicity Langley por su tata Lucia

Al final de la manzana, en Brook Street, un carruaje aguardaba en las sombras, entre las farolas de gas. Cuando sus ocupantes vieron a Adlington bajar los escalones a toda prisa y echar a andar a buen paso, la señora arrugó la frente.

—Ahí pasa algo raro —le dijo al hombre sentado a su lado.

—En esa casa siempre está pasando algo raro —comentó él.

La señora asintió con la cabeza.

—No es solamente que mi padre haya vuelto a Londres, como decía la carta de la señora Finch. —Comenzó a apearse, pero su acompañante la detuvo—. Tengo que llegar al fondo de este asunto —añadió ella, volviendo la cabeza.

—¿Crees que es conveniente que vayas sola? Por lo que me has contado sobre tu tata Helga...

Ella sonrió a su marido.

—Me encantaría que vinieras conmigo, pero armarás un escándalo espantoso. Yo puedo entrar y salir sin hacer ruido.

Sobre eso no había discusión. Era tan sigilosa como un gato. Igual que su padre. Pero eso no significaba que su marido no fuera a quedarse cerca, sólo por si acaso.

Porque a veces Felicity cuyo nombre de soltera era Langley era capaz de meterse en sitios en los que no se aventurarían ni los mismos ángeles.

—Deseadme suerte —susurró Minerva cuando la pieza de baile estaba a punto de acabar.

—Suerte —respondió Elinor en voz baja.

—No hace falta —repuso Lucy, estrechándole rápidamente la mano—. Estaremos justo detrás de ti.

Minerva cruzó el salón y se dirigió hacia las escaleras con la mayor tranquilidad de que fue capaz.

—Ese vestido le sienta de maravilla —comentó Lucy.

Elinor ladeó la cabeza y se quedó mirándola.

—Sí, desde luego —contestó.

—¿Qué es esto?

Se sobresaltaron ambas al oír aquella voz a su espalda.

—Creo que son nuestras esposas, tramando alguna de sus conspiraciones —contestó otra voz de hombre.

Lucy y Elinor cruzaron una mirada mientras Parkerton tomaba la mano de su esposa y el conde de Clifton agarraba a la suya.

—¿Qué haces? —preguntó Lucy, intentando desasirse de su marido.

—Te estoy pidiendo que bailemos —contestó él, y tiró de ella hacia el centro del salón.

—Pero no me apetece —respondió ella, y miró a Elinor, que se hallaba en el mismo apuro.

—En serio, Parkerton, tengo un asunto del que ocuparme —estaba diciendo Elinor.

—Tonterías —contestó el duque—. Nuestro servicio es el mejor de todo Londres. Se encargará de todo lo que haya que hacer.

—Incluso de que Minerva no corra ningún peligro —añadió Clifton.

Lucy miró a su marido con sorpresa.

—Sí, lo sabemos —dijo él, pues la conocía lo suficiente para saber que jamás, ni en un millón de años, confesaría sus maquinaciones—. Y si crees que vais a subir a atrapar a sir Basil en vuestra red, es que estáis las dos locas.

—Pero Minerva no puede hacerlo sola —protestó Elinor.

—No va a hacerlo sola —les aseguró Clifton—. Jack, el hermano de Parkerton, y lord Langley están ya en sus puestos, listos para poner punto y final a este asunto.

—Helga, por última vez, yo no te robé tus joyas —le dijo Langley.

Ella lo miró con aire burlón desde la puerta.

—Vamos, *Schatzi*, ¿qué te hace creer que voy a creer tus mentiras por segunda vez?

Langley gruñó y se frotó la frente, y en ese momento habría jurado que oía a alguien subiendo por las escaleras con el sigilo propio de un agente secreto. Amigo o enemigo, poco importaba: lo único que necesitaba era distraer a Helga lo justo para apoderarse de su pistola.

Así pues, procuró facilitarle las cosas al recién llegado.

—Vaya, ¿y qué hay de las mentiras que me contaste tú? —preguntó al tiempo que se levantaba.

Helga se crispó un tanto.

—¡Yo nunca te mentí! ¡Te quería!

Ahora fue él quien la miró con aire burlón.

—¿Me querías? Hiciste que me detuvieran para retenerme en tu país.

—Pero, *Schatzi*, ibas a dejarme.

—Era un diplomático. Había recibido la orden de marcharme. No tenía elección.

—¡Bah! Podrías haber encontrado la manera.

—¡Pues desde luego no necesitaba tu ayuda! —le gritó Langley.

—Eso son bagatelas —replicó Helga—. Pataletas de chiquillo.

—¡Me acusaste de vender secretos a los franceses! En mi país, eso es traición.

Ella meneó la pistola sin dejar de apuntarle.

—Retiré las acusaciones.

Sí, Langley recordaba muy bien lo que había tenido que hacer para que las retirara.

—Caí en desgracia en Inglaterra. ¡No creerías los informes que tuve que redactar para aclarar tus mentiras!

Y posiblemente habían sido sus embustes impulsados por el despecho lo que había dado a sir Basil y a Nottage la idea de servirse de su ex amante para tenderle una trampa.

De pronto vio al otro lado de la esquina una imagen que no alcanzó a explicarse. Al principio pensó que eran imaginaciones suyas.

Franny... Franny había vuelto de entre los muertos, igual de rubia y con aquella misma expresión obstinada en las cejas.

Entonces, sin embargo, su corazón se henchió de orgullo. No, era su Felicity. Hecha una mujer y tan bella como lo había sido su madre.

Y armada con un enorme candelabro.

Como él le había enseñado.

—*Schatzi*, podríamos tener otra vez todo eso y más, igual que aquella noche en el castillo, cuando bebimos demasiado y te empeñaste en que bajáramos a la armería a...

Clanc.

La margravina se desplomó.

Ni Felicity ni Langley se molestaron en recogerla.

—Ignoro qué hiciste con ella, pero prefiero no saberlo —comentó Felicity. Dejó el candelabro y se limpió las manos en la falda. Durante un segundo hubo entre ellos un tenso silencio cargado de timidez. Padre e hija, separados durante tanto tiempo.

Pero el tiempo dejó de importar tan pronto como Langley la estrechó en sus brazos.

—¡Felicity, mi querida niña!

—Papá... —musitó ella, mirando con preocupación su cara magullada—. Pensaba... Tally y yo temíamos...

—No importa —dijo él. Alisó su cabello rubio, echándolo hacia atrás, y miró con asombro su cara, tan parecida a la de su madre—. He vuelto.

Y entonces, como era propio de ella, Felicity fue directa al grano:

—Esta mañana recibí una carta insufrible de lady Finch. ¿Qué tontería es ésa de que estás prometido con Minerva Sterling? Es tan ridículo como los rumores sobre tu muerte.

*¡Minerva!*

Langley agarró la pistola de Helga y pasó por encima de la dama.

—¿Tienes aquí tu carruaje?

—Sí, pero ¿adónde vamos?

—A casa de Parkerton. Minerva está en peligro.

Felicity lo miró levantando una ceja.

—¿Minerva? ¿No lady Standon? ¿No mi nueva tata, sino «Minerva»? ¿En serio?

—Sí, en serio —repuso él, y le dio un rápido beso en la frente.

—¿Esto tiene algo que ver con ese patán al que vi salir de aquí hace unos minutos?

—Va detrás de Minerva y sus diamantes.

—¿Qué diamantes? —preguntó Felicity—. Papá, estás loco. Minerva no tiene ningún diamante. —Luego hizo una pausa—. A no ser que se los hayas regalado tú.

—¿Qué diamantes? —preguntó un individuo muy alto desde la puerta.

—¡Ay, Dios! Este encuentro no está siendo como yo imaginaba. Papá, éste es mi marido, el duque de Hollindrake. Thatcher, querido, éste es mi padre, lord Langley. —Bajó rápidamente las escaleras hacia su carruaje seguida por su padre y su marido—. ¡Diamantes, qué bobada!

—¿No se referirá a los diamantes Sterling? —preguntó Thatcher—. Justamente el otro día me estaba preguntando qué había sido de ellos.

Langley dio un respingo. Porque si sir Basil no mataba a Minerva esa noche, sospechaba que la mataría su hija: a fin de cuentas, su marido le estaba describiendo ingenuamente las valiosísimas gemas que eran suyas por derecho y que en ese momento corrían peligro de perderse para siempre.

Al llegar al final del pasillo, Minerva encontró a sir Basil de pie en medio de la salita, esperándola.

Inclinó ligeramente la cabeza para saludarlo y entró en la habitación.

Pero vio consternada que la puerta se cerraba tras ella, y al volverse se encontró ante un desconocido que le cortaba el paso.

Aunque en realidad no era un desconocido.

—En el teatro... Fue usted. —Lo miró atentamente de la cabeza a los pies—. Y hoy, en el duelo. Usted es Neville Nottage.

—Es usted más astuta de la cuenta, lady Standon —respondió Nottage, empujándola hacia el centro de la sala.

—Eso me han dicho —masculló ella.

¡Ay, Dios! ¿Eran dos? Sir Basil no era más que un burócrata, pero aquel otro individuo... Miró de reojo su frío y siniestro semblante. Aquel hombre era un asesino.

Pero Lucy y Elinor llegarían en cualquier momento y pondrían fin a todo aquello. Aun así, tenía que ganar un poco de tiempo.

—Sí, lo sé todo —afirmó—. Era usted el secretario de Langley. Este complot es cosa suya y de sir Basil: robar a las ex amantes de Langley para hacerle parecer culpable. Utilizaban sus envíos de arte para ocultar su botín. De ese modo, si esto salía a la luz, sería su cabeza la que rodara, no la de ustedes.

Sir Basil palideció, pero no dijo nada.

—Verdaderamente, es usted tan inteligente como hermosa, lady Standon —contestó Nottage—. Y sabe demasiado para seguir viviendo.

A lord Langley le habían gustado a simple vista las trazas del marido de su hija, pero más aún se encariñó con su flamante yerno cuando Thatcher condujo como un loco hasta casa de Parkerton. Llegaron en un abrir y cerrar de ojos, pero Langley comprobó con desaliento que no habían adelantado a Adlington.

Lo que significaba que ya estaba allí, o qué aún no había llegado.

Confiaba en que fuera esto último, pero sospechaba que era más bien lo primero.

—Maldita sea —masculló al adentrarse entre el gentío del interior de la casa.

Sería casi imposible localizarlo allí, y mucho más alcanzarlo antes de que encontrara a Minerva.

Así pues, dejó que su mirada se deslizara por encima de las plumas y los turbantes en busca de la alta e imponente figura de Clifton. Cuando lo vio, cruzó corriendo el salón y detuvo al conde en medio de un baile.

—¿Dónde está?

—¿Que dónde está? —repitió Clifton—. ¿Qué haces tú aquí?

—Sí, eso —dijo el duque de Parkerton—. Se suponía que Jack y tú estabais en la terraza.

—No he podido llegar antes —contestó Langley—. ¿Adónde ha ido?

—Hace un momento que ha subido... por ahí —dijo el duque señalando la escalera.

Se dirigieron hacia allí, pero les detuvo la imponente figura de lady Chudley.

—No pueden subir tras ella armando alboroto —les dijo.

—¿Cómo dice?

—He estado vigilando todo lo que sucedía esta noche, y cuando vi que Minerva arrinconaba a sir Basil comprendí que estaba tramando algo. Primero subió él por la escalera, y luego ella. Y ahora también ha subido ese horrible Gerald Adlington.

—¿Adlington? —Langley la miró boquiabierto—. ¿Cómo es que lo conoce?

—Es un truhán espantoso. Lleva años chantajeándome. Y seguramente también a Minerva, ahora que lo pienso. —Agarró la manga de Langley—. Si le ocurre algo a mi querida niña...

Langley se abalanzó hacia las escaleras, pero Clifton lo detuvo.

—Su tía tiene razón. Si entras por la fuerza, lady Standon podría resultar herida. Seguimos sin saber dónde está Nottage.

Langley tuvo que hacer acopio de toda su fuerza de voluntad para no correr escalera arriba, pero Clifton tenía razón: debía proceder con sumo cuidado. ¿No había muerto ya un hombre ese día por culpa de aquella locura?

—Jack lo tendrá todo controlado —afirmó Parkerton.

¡Jack! Langley se había olvidado por completo de él.

—¿En qué lado de la casa está esa terraza?

Parkerton le enseñó el camino corriendo por los pasillos, en medio de sus asombrados sirvientes. Cuando salieron al jardín, se deslizaron sin perder un instante por un lado de la casa hasta llegar justo debajo de la terraza.

—Tremont —susurró Langley hacia la cornisa de piedra.

Un rostro conocido se asomó por encima de la balaustrada.

—Llegas tarde a la fiesta, como de costumbre —bromeó Jack Tremont—. Ya era hora. Esto se está poniendo feo.

—¿Puedes detenerlos? —preguntó Langley.

—Me temo que no. Brownie no es tonto. Ha cerrado las puertas en cuanto ha entrado ella, y ha estado a punto de verme. —Se volvió para mirar dentro—. Espera un momento, ¿quién demonios es ése?

La puerta de la sala se abrió de golpe y Nottage, que estaba detrás de ella, agarró a Minerva al instante del cuello y tiró de ella hacia atrás, utilizándola como escudo.

—¿Quién diablos sois vosotros? —farfulló Adlington al entrar, pistola en mano.

—Lo mismo le digo, señor —replicó sir Basil, que se había puesto de pie de un salto.

—Yo soy su marido —declaró Adlington—. ¿Qué ocurre, Maggie? ¿También has cazado a éstos? ¿O andan detrás de esos pedruscos?

—Sal de aquí, Gerald —ordenó ella—. Y no es mi marido —le dijo a sir Basil—. Es un loco, un cretino. Gerald, sé listo por una vez y márchate.

Él sacudió la cabeza tercamente, como un necio.

—No sin lo que he venido a buscar.

Sir Basil se irguió.

—¿Y qué ha venido a buscar?

—Los pedruscos que lleva al cuello —contestó Adlington, señalando con un gesto de la cabeza los diamantes Sterling—. Son míos.

Minerva dejó escapar un gruñido. Aquella trampa se estaba convirtiendo en un circo. Recorrió la sala con la mirada mientras se esforzaba por encontrar algún modo de salir viva de allí.

Entonces distinguió una figura en la terraza.

Si no se equivocaba era el temible hermano del duque de Parkerton, Jack Tremont el Loco.

*¿Qué rayos...?*

Tremont le hizo un gesto de asentimiento con la cabeza y se retiró hacia las sombras.

Iban a socorrerla. Sólo necesitaba ganar tiempo.

—Gerald, si lo que te interesa son las piedras, conviene que sepas que estos caballeros llevan años robando joyas. Rubíes, perlas, seguramente también diamantes. A algunas de las mujeres más ricas del continente.

—Cállese —ordenó Nottage, y le apretó aún más el cuello.

—No habréis visto por casualidad un juego de zafiros, ¿verdad? —preguntó Gerald con una sonrisa taimada mientras apuntaba a sir Basil con su pistola—. Si tenéis la bondad de darme a la chica y los zafiros, me libraré de lady Standon de mil amores y asunto terminado.

—¿Qué está pasando? —susurró Felicity, que había llegado junto a su padre y los otros hombres.

—Minerva está atrapada con sir Basil, Nottage y ahora también ese tal Adlington —le dijo Langley sin dejar de mirar hacia la terraza.

—¿El que quiere llevarse mis diamantes? —preguntó su hija.

—Sí, ése —contestó él.

—Bueno, ¿y a qué esperas? Sube y sálvalos.

—¿Quieres decir que salve a lady Standon? —puntualizó su padre.

—Sí, eso justamente quería decir —contestó Felicity, pero su respuesta no sonó muy convincente—. ¡Ay, por favor! No me importan los diamantes, papá. Ve a salvar a esa mujer —le dijo señalando el canalón—. Y...

—Sí, sí, lo sé, si puedo salvaré también los diamantes. —Langley miró al marido de su hija—. Tenías que hablarle de ellos.

—Perdón, no sé qué me ha pasado —se disculpó Thatcher.

Langley subió ágil y velozmente por el canalón hasta llegar a la terraza. Al pasar por encima de la balaustrada, Jack le sonrió.

—Me alegro de verte, viejo amigo —dijo en voz baja.

—Lo mismo digo —repuso Langley.

—Ahora ya sé dónde has estado todo este tiempo —comentó Jack, y señaló con la cabeza hacia la escena que se estaba desarrollando en la sala, más allá de las puertas.

Langley se agachó y sacó las ganzúas que llevaba ocultas en la bota.

—¿Dónde?

—En el circo de París —repuso Jack sin dejar de observar la escena.

—Muy gracioso —le dijo Langley—. La verdad es que me las arreglé para salir de Abbaye de la misma manera. Dos veces.

—Ellyson te diría que con una habría sido suficiente.

—Debería haberlo sido, pero mis anfitriones eran muy persistentes.

—No va a gustarte ver quién hay al otro lado —añadió Jack.

—Entonces es cierto que es Nottage. Maldito canalla —masculló Langley.

Pero no tuvo tiempo de pensar en nada más, pues dentro de la sala la conversación estaba subiendo de tono.

—Los está enfrentando entre sí —explicó Jack.

—Como sólo puede hacerlo mi niña.

Jack lo miró un instante.

—Entonces, ¿es cierto que estáis prometidos?

—Lo será en cuanto consiga sacarla de ahí —afirmó Langley.

—Del matrimonio no puede uno escapar como si fuera un mono —comentó Jack.

—Poco importa si te casas con la mujer adecuada.

—Tienes razón —convino Jack.

Langley se encargó rápidamente de la cerradura y entornó la puerta de modo que pudieran oír toda la conversación.

—Han acumulado una fortuna en joyas —estaba diciendo Minerva—. Mis diamantes no son nada comparados con lo que tienen.

—¿Es eso cierto? —preguntó Adlington, moviendo la pistola entre sir Basil y Nottage.

—Sí, pero no fue idea mía, sino suya —contestó sir Basil, que se levantó de la silla y se alejó un paso de Nottage—. Fue todo idea suya. Robar las joyas, mandarlas a Londres... Yo me limité a utilizar a mi contacto en el despacho de Strout para asegurarme de que las joyas eran retiradas antes de que las cajas fueran enviadas a la casa de campo de Langley. No hice nada más.

—¿Nada más? —dijo Nottage, burlón—. Lo organizaste todo para que detuvieran a Langley, pusiste en los informes datos que lo señalaban como traidor, todo ello con el fin de que lo encarcelaran y quedarte con su casa y su título, maldito advenedizo de tres al cuarto.

—Y mi hermano dice que yo soy una desgracia —masculló Jack.

El rostro de sir Basil se puso rojo de rabia.

—Fue todo cosa suya —afirmó señalando a Nottage—. Él me obligó, él...

Nottage se movió raudo como el rayo. Empujó a Minerva hacia Adlington, se metió la mano bajo la chaqueta, sacó una pistola y disparó a sir Basil, que se desplomó de espaldas sobre un sillón. Luego se volvió para huir por la terraza, pero chocó de bruces con su antiguo mentor, que de un empujón lo envió al suelo.

Langley contaba con la ventaja de la sorpresa y, antes de que Nottage pudiera levantar la mano, le asestó un puñetazo bien dirigido con toda la furia y la rabia que poseía, y su ex secretario quedó sin sentido.

Entre tanto, Clifton y Parkerton entraron desde el pasillo, no sin que antes Minerva se girara entre los brazos de Adlington y mirara de frente a su antiguo pretendiente.

—Llevo mucho tiempo esperando este momento —afirmó.

Entonces levantó la rodilla tan fuerte como pudo y le propinó un golpe en la parte que, a su modo de ver, había guiado a aquel bellaco toda su vida.

Gerald abrió la boca formando una gran «o» antes de caer de rodillas.

Minerva le arrebató la pistola y le habría propinado otra patada si Langley no la hubiera apartado de él.

—Se acabó —le dijo, estrechándola entre sus brazos—. Se acabó todo.

Pero no se había acabado.

Porque, al verse en aquel apuro, Gerald cumplió sus amenazas.

—No es lady Standon. No es más que Maggie Owens, la hija bastarda del viejo conde. El viejo la casó con Sterling en lugar de su hija legítima. Su madre era la puta del pueblo. No es ninguna dama. No es más que una impostora.

Pero si creía que iba a ser recompensado por desvelar la verdad, sólo consiguió que le pusieran una mordaza en la boca y le ataran los brazos, después de lo cual lo dejaron sentado en una silla mientras se encargaban de arreglar aquel desaguisado.

Aun así, el daño estaba hecho y Minerva sintió los ojos de todos fijos en ella y las especulaciones que, dichas en voz baja, la rodeaban de pronto.

Cuando se hiciera de día, estaría completamente deshonrada.

Lucy se acercó y rodeó a su amiga con los brazos. Después, cuando llegó la hora de trasladar el cuerpo de sir Basil, Clifton fue a buscarlas a ambas y llevó a Minerva a casa mientras Langley se quedaba en casa de Parkerton.

Durante el trayecto en carruaje nadie dijo una palabra y el denso silencio pesó sobre Minerva tanto como le pesaba el corazón desgarrado.

¿Por qué iba a regresar Langley con ella ahora?

Encontraron a la señora Hutchinson desmayada en el cuarto de Minerva. La margravina había desaparecido.

Minerva echó una ojeada a la copa de vino vacía y comprendió que su ama de llaves se había bebido el vino destinado a Langley.

—Le está bien empleado —dijo Lucy después de ordenar a Clifton que regresara a Parkerton House para avisar de que faltaba la margravina, mientras ella se quedaba en casa con su amiga.

Minerva se dejó caer en la cama y se echó a llorar. Lucy se sentó a su lado y esperó a que remitiera la oleada de lágrimas.

Cuando eso sucedió, Minerva preguntó:

—¿Podrás perdonarme?

Lucy parpadeó.

—¿Perdonarte por qué?

—Por no ser quien se suponía que era. Por haberme portado tan mal contigo todos estos años, haciéndome pasar por la hija de un conde cuando tú...

Lucy la miró fijamente, apretó los labios y de pronto soltó una carcajada.

—¡Santo cielo, Minerva! ¿Eso es lo que te preocupa? —Se rió otra vez y a continuación le dio un fuerte abrazo—. Eres quien se supone que eres, la mujer más inteligente y valerosa que he conocido nunca. Me siento honrada de ser tu amiga. Más vale que nos olvidemos del pasado, porque yo también he tenido buena parte de culpa en nuestras disputas anteriores.

Minerva se enjugó las lágrimas.

—Sí, supongo que sí.

—Y siempre seré tu amiga, a no ser que te empeñes en que deje de escuchar detrás de las puertas, como siempre dice Elinor.

Con el corazón a punto de romperse, Minerva abrazó a su querida amiga.

—¡Ay, Lucy! Creo que estamos en deuda con la duquesa de Hollindrake por habernos obligado a estar juntas.

—¿Lo dices para que me quede contigo cuando te eche la bronca por haber escondido sus diamantes?

Se rieron las dos, y estuvieron un rato sentadas. Minerva le contó los acontecimientos previos a su matrimonio, una historia que no le había contado nunca a nadie, y Lucy, como era una buena amiga, escuchó con atención.

Después Clifton regresó a recoger a su esposa, y Minerva comprobó con tristeza que Langley no lo había acompañado.

Como no tenía nada mejor que hacer, se fue a la cama y estuvo allí echada un rato, mirando el cuadro torcido hasta que se quedó dormida.

No supo cuánto tiempo había dormido, pero se despertó al oír el chirrido de los postigos de su ventana.

Se incorporó bruscamente en la cama y se quedó boquiabierta al ver que lord Langley entraba por la ventana.

—Hola, mi niña, siento despertarte —dijo, y se inclinó para calentarse las manos en la rejilla de la chimenea—. El tipo al que contrataste hizo un trabajo de primera arreglando la cañería.

—¿Se puede saber qué haces aquí? —preguntó ella con repentina timidez—. ¿Y por qué has subido por el canalón?

Langley sonrió.

—Porque todavía puedo. —Soltó un gran suspiro—. Te alegrará saber que Nottage ha confesado, pero naturalmente ha responsabilizado de todo a sir Basil. Tu excelente capacidad de deducción y tu instinto de detective han hecho que fuera muy sencillo exponer todas las pruebas ante el primer ministro. ¡Ah, es un alivio tener un amigo en las altas esferas! También ha influido, claro, que llegara la margravina con Brigid y Lucia a la zaga y que Lucia identificara los rubíes de lady Brownett como las alhajas de los Borgia. Lady Brownett se ha puesto tan furiosa cuando le han quitado sus joyas que, si el bueno de Brownie no hubiera estado ya muerto, creo que lo habría liquidado con sus propias manos.

Recorrió la habitación con la mirada y, al ver la bandeja de unas horas antes, cogió un trozo de pan con queso y comenzó a masticar alegremente.

—Vaya, estoy muerto de hambre.

—Entonces, ¿todo ha terminado? —preguntó ella.

Él hizo un gesto afirmativo.

—Sigo estando acusado de traición de momento. El maldito sir Basil presentó la acusación esta misma mañana. Pero no importa, pronto estaré libre de cargos. El primer ministro ha prometido conseguirme el perdón real, y quizás incluso un ascenso..., aunque para eso tendrán que pasar un par de años. Tendremos que esperar a que se diluya un poco el escándalo. En cualquier caso, todo te lo debo a ti.

Minerva no supo qué decir. Estaba todavía impresionada por que estuviera allí. Con ella.

Santo Dios. ¿Acababa de decir «tendremos»?

Antes de que reuniera el valor para preguntarle qué había querido decir, Langley añadió:

—Y no te lo vas a creer: la margravina sólo ha accedido a firmar su declaración a cambio de que le permitieran llevarse consigo a Adlington cuando se marche de Londres. No quería irse sin él, y él cree que ha encontrado toda una ganga. —Langley se estremeció—. Pobre estúpido. En fin, pronto descubrirá la verdad, cuando se vea de repente esposado a su cama. —Miró a Minerva—. Y no es que yo haya...

Minerva meneó una mano: estaba claro que había oído suficiente. Además, eran noticias estupendas, salvo, quizá, lo de la margravina y Adlington. Sólo después de respirar hondo y de buscar su bata, mientras Langley guardaba silencio un momento, pudo preguntar:

—Langley, ¿qué haces aquí?

—¿Dónde, si no, voy a ir?

Se quitó la chaqueta y se sentó al borde de la cama para quitarse las botas.

—Pero ahora sabes la verdad —insistió—. Sabes quién soy y aun así estás aquí.

Él se quedó parado un momento y luego la miró.

—Te quiero, Minerva. A ti, no a tu nombre, ni a ésa de la que hablaba Gerald Adlington. Te quiero a ti.

Dicho esto, siguió quitándose las botas.

Minerva se estremeció. ¿Había oído bien de verdad? ¿La quería?

—Pero no soy lady Standon.

—Claro que lo eres. ¿Qué importa quién fueras antes de casarte con Philip Sterling? Cuando te casaste con él, te convertiste en marquesa. Para bien o para mal. Aunque por suerte no por mucho tiempo —añadió con un brillo malévolo y apasionado en la mirada—. Creo que te sentará mucho mejor ser baronesa.

Alargó los brazos y la atrajo hacia sí.

Minerva lo apartó.

—¡Langley! No soy una dama. Ni siquiera soy una lady Standon como es debido.

—Y yo todavía estoy acusado de traición —contestó él en son de broma—. Dicho de otra manera: hacemos una pareja estupenda. Creo que deberíamos casarnos enseguida, aprovechando nuestra notoriedad.

—¿Casarnos?

Minerva no podía creerlo. El corazón le latía a toda prisa, con un loco redoble de tambor. De veras quería casarse con ella.

Lo miró a los ojos y sólo vio reflejado en ellos una seria determinación. Nada de bromas, ni de travesuras, únicamente una pasión ardiente por ella y sólo por ella.

—Has amado a princesas, y a duquesas, y a damas de la realeza. ¿Por qué quieres casarte conmigo?

Soltó un suspiro y se irguió.

—En primer lugar, estás muy equivocada en todo eso. Nunca he amado a ninguna de esas mujeres. No sabía lo que significaba el amor hasta que te he conocido.

—Pero yo no soy una dama —insistió Minerva.

—Ahí es donde te equivocas —repuso Langley e, inclinándose, empezó a rebuscar en el cajón de la mesilla de noche. Sacó una bolsita de terciopelo y extrajo de ella un hermoso collar de esmeraldas.

Lo puso en silencio alrededor del cuello de Minerva y se echó hacia atrás para admirar su obra.

—Sabía que las esmeraldas te sentarían mucho mejor que los diamantes.

Minerva tocó las gemas con los dedos y luego lo miró.

—¿De dónde lo has sacado?

—De Langley House —contestó—. Lo cogí cuando la señora Harrow y tú estabais admirando su jardín. Sabía que iba a necesitarlas.

Minerva arrugó la frente.

—¿En Langley House? Pero si eso fue antes de que...

Se detuvo y se sonrojó. Antes de que hicieran el amor.

—Antes, no. Para mí, no —respondió él—. Quizá no haya sido capaz de decírtelo, pero ya entonces sabía que te amaba y que nuestro compromiso no era una farsa. —Hizo una pausa para mirarla—. ¿Me aceptas como esposo, mi queridísima, mi amada Minerva Sterling?

Pero antes de que ella pudiera decir que sí, la tomó en sus brazos y comenzó a hacerle el amor.

Y muy pronto Minerva estuvo diciendo: «¡Sí!»

Varias veces seguidas.

# *Epílogo*

*Londres, 1825*

Vas a contarles a papá y a Minerva lo que encontraste dentro de ese cuadro? —preguntó Thalia, la baronesa Larken, al ponerse de puntillas para ver mejor el barco que en ese instante entraba en el muelle de Southwark.

—¿Qué quieres decir? —dijo Felicity, duquesa de Hollindrake, levantando la nariz airosamente.

Pero su hermana gemela no se dejó engañar.

—Ese estúpido cuadro de encima de la cama. Lo que encontraste dentro.

Tally levantó las cejas y miró a su hermana con dureza.

Su mirada no surtió efecto alguno sobre Felicity.

—Si yo no me hubiera tomado la molestia de reformar la casa de Brook Street para ellos, ese cuadro seguiría colgado de la pared y nadie se habría enterado.

—Pero procedía de la colección privada de papá y es muy probable que él sepa a quién pertenecen esos zafiros.

Felicity se encogió de hombros y siguió contemplando el avance del barco. Hacía poco tiempo que había hecho bajar el cuadro; entonces se había roto el marco y dentro de él había encontrado una bolsita de terciopelo con un collar de zafiros.

—¿No hubo hace años algún lío con tata Helga y sus zafiros perdidos? —preguntó Tally—. ¿No crees que pueden ser...?

—¡Thalia Langley! —exclamó su hermana, fingiéndose indignada y horrorizada—. ¡Tienes una imaginación de lo más retorcida, y a tu edad! ¿Qué iba a hacer papá con los zafiros de tata Helga? Sería un escándalo. No es más que una extraña coincidencia, sólo eso.

Tally no creía tal cosa, pero no dijo nada.

—No vas a decirles nada, ¿verdad? —preguntó Felicity cuando el barco comenzó a enfilar el muelle.

—No, pero imagino que vas a guardarlo en secreto porque no has perdonado a Minerva por no decirte lo de los diamantes Sterling —contestó Tally.

—La he perdonado —replicó Felicity—, pero me parece justo esperar un poco antes de informar a papá y a ella. Además, han estado todos estos años en China, y no quiero estropear su feliz regreso a casa sacando a relucir pecadillos del pasado.

Tally apretó los labios y procuró no echarse a reír. Su hermana seguía tan incorregible como siempre.

—¿Te imaginas? Papá por fin en casa —añadió Felicity, dejando escapar un suspiro de satisfacción—. En una de sus cartas decía que estaba deseando oír el sonido de las risas llenando Langley House. —La duquesa miró a sus cuatro hijos—. Supongo que se refiere a que quiere que vayamos de visita a menudo.

Tally se rió.

—Es una forma de verlo.

Se meció sobre sus talones y siguió mirando el barco.

Allí, en cubierta, tres niños inquietos echaban carreras zigzagueando entre las cuerdas y sorteando a los pobres marineros que se afanaban por atracar el barco.

—Pobre Minerva —mascculló Felicity sacudiendo la cabeza.

—¿Qué quieres decir? —preguntó Tally.

Felicity señaló el barco con la cabeza.

—¡Doblar el Cabo de Hornos con esos niños a bordo! ¿Dónde está su niñera? ¿O su madre, si a eso vamos?

Chasqueó la lengua y meneó de nuevo la cabeza.

Su hermana sonrió mientras observaba las travesuras de los niños.

—Son unos niños muy guapos, ¿no crees?

—Son unos diablillos desobedientes, más bien —comentó Felicity. Pero luego volvió a mirarlos.

Cabello leonino, ojos brillantes...

¡No! No podía ser.

—Tally... —comenzó a decir.

—Umm, ¿sí? —preguntó su hermana al tiempo que saludaba con la mano a su padre y a Minerva, que acababan de aparecer junto a la barandilla de cubierta.

Minerva, risueña y muy elegante con un vestido de seda, se inclinó para besar a uno de los muchachos en la frente mientras lord Langley cogía en brazos al más pequeño y lo aupaba para que viera extenderse Londres ante él.

—¿Hay algo que hayáis olvidado decirme? —preguntó Felicity.

—¿Que nuestro padre y Minerva están destinados a causar más escándalos? —se preguntó Tally en voz alta—. ¡Ay, el pequeño Ellis está a punto de caerse por la barandilla!

Pero Minerva retiró rápidamente al niño del peligro.

—¡No, eso no! —replicó Felicity—. ¡Que tenemos dos... no, tres hermanos!

—Oh, sí, yo diría que así es —convino Tally.

—¿Y por qué no me lo ha dicho nadie?

Tally sonrió y saludó alegremente a su padre.

—Creo que a papá le ha parecido mejor esperar a su regreso para contártelo.